SONATA EM PUNK ROCK

BABI DEWET

SONATA EM PUNK ROCK

1ª reimpressão

GUTENBERG

EDITORA
Silvia Tocci Masini

EDITORES ASSISTENTES
Carol Christo
Nilce Xavier

ASSISTENTE EDITORIAL
Andresa Vidal Branco

PREPARAÇÃO
Sonia Junqueira

REVISÃO
Maria Theresa Tavares
Renata Silveira

CAPA
Diogo Droschi

DIAGRAMAÇÃO
Guilherme Fagundes

Dados Internacionais de Catalogação na Publicação (CIP)
(Câmara Brasileira do Livro, SP, Brasil)

Dewet, Babi
Sonata em punk rock / Babi Dewet. -- 1. ed.; 1. reimp. -- Belo Horizonte : Gutenberg Editora, 2016. (Série Cidade da Música)

ISBN 978-85-8235-389-9

1. Ficção brasileira 2. Ficção - Literatura juvenil I. Título. II. Série.

16-05888 CDD-869.3

Índices para catálogo sistemático:
1. Ficção : Literatura brasileira 869.3

A **GUTENBERG** É UMA EDITORA DO **GRUPO AUTÊNTICA** 

São Paulo
Av. Paulista, 2.073,
Conjunto Nacional, Horsa I
23° andar . Conj. 2301 .
Cerqueira César . 01311-940
São Paulo . SP
Tel.: (55 11) 3034 4468

Belo Horizonte
Rua Carlos Turner, 420
Silveira . 31140-520
Belo Horizonte . MG
Tel.: (55 31) 3465 4500

Rio de Janeiro
Rua Debret, 23, sala 401
Centro . 20030-080
Rio de Janeiro . RJ
Tel.: (55 21) 3179 1975

www.editoragutenberg.com.br

Forget all your troubles and sadness,
my friend. Remember the good times
and think "I can".

Ao meu pai, que mesmo não estando
mais aqui comigo, me ensinou que
tudo o que precisamos na vida é
de amor e música.

AGRADECIMENTOS

Como sempre, começo agradecendo aos Galaxy Defenders por terem me apoiado tanto desde quando comecei a escrever *fanfics* e decidi lançar meu primeiro livro de forma independente. Junto a eles, agradeço ao incrível fandom de Harry Potter por me ensinar que "palavras são nossa inesgotável fonte de magia". E, agora, aos fãs de K-Pop, porque vocês me aceitaram do jeitinho que eu sou, BBC ou VIP. Obrigada!

Um obrigada cheio de amor com miojo e brócolis (que agora eu sei cozinhar) à minha agente e melhor amiga, Gui Liaga, por aturar meus stickers de bebês e gatos, e pelas longas noites chorando, sofrendo, rindo e debatendo a história da Tim quando o prazo final estava cada vez mais apertado. Faço nossas as palavras dos filósofos do McFly: "Um outro ano acabou, mas ainda estamos juntas. Nem sempre é fácil, mas eu estarei aqui para sempre" ("The Heart Never Lies").

Obrigada ao Sung, grande parceiro da minha vida que dividiu todos os momentos desse livro comigo. Ele discutiu personagens, inventou backgrounds e curtiu comigo cada pedacinho desse processo. Definitivamente o rei coreano que minhas personagens querem! Te amo mais que bala de coco.

Com ele, agradeço também à minha família, à minha incrível mãe, à minha irmã e ao meu irmão, que são o melhor de mim e me enchem de orgulho todos os dias.

Obrigada aos meus amigos que continuam sendo retratados em todas as minhas histórias e que, por isso, espero que vivam para sempre: Pedro Bricio, Sarah, Fer, Bruno, Maya, Ryoshi, Naná, Mila, Mary K, Marcelo, Nat Puga, Alê, Trika, Naty Pak, Érica, Pri, Richardson, Iago, Renata, Tia Maria Lucia, a SAN Crew (Dave e Cami, vocês arrasam!) e todos que compartilham suas vidas comigo. Obrigada, Pam, Bells, Tassi, Nia, Val, Dayse, Lupas e Vitu, por todos os conselhos literários e zoeiros. Obrigada, Alessandra, por ter me enxergado no meio da multidão; e Paula Pimenta, Bruna Vieira e Thalita Rebouças, por terem me aceitado tão bem nesse mundo corrido da literatura.

Agradeço também ao pessoal sensacional do Grupo Autêntica: Silvia, Carol, Jim, Castilho, Andresa, Sabrina, Giulia, Luciane, Sara, Olívia e todos que me ajudam a ser uma escritora melhor para os meus leitores, muito obrigada. Agradeço especialmente à Rejane, que viu alguma coisa em mim e me deu essa oportunidade incrível de realizar mais um sonho. Deus é muito bom para mim por colocar todos vocês na minha vida.

Agradeço, de coração, aos meus leitores, que são maravilhosos e me dão forças todos os dias. Desde os leitores das *fanfics* que estão aqui até hoje, até aqueles que me conheceram por causa de *Um ano inesquecível* e decidiram me dar uma oportunidade. Este livro é para vocês e para todos os marotos, Amandas, Anna Julias e João Paulos que existem por aí. Espero que vocês se sintam bem-vindos à Cidade da Música, um lugar repleto de magia e rock'n'roll.

Com todo amor e música,
Babi Dewet

PRÓLOGO

A vida é como uma orquestra: são necessários muitos instrumentos em harmonia para que a música toda faça sentido. Mas, na maioria das vezes, você nem sabe tocar esses instrumentos. E sempre vai ter alguém dizendo que seu gosto musical é ruim, mesmo que seja o som que te faz feliz. E isso é um saco! Principalmente quando se é jovem e cheio de sonhos.

Às vezes, para assumir a regência de nossas vidas, precisamos trocar a partitura. Afinal, por que alguém escolheria uma orquestra se pode ter uma banda de rock?

1

ROCK & ROLL

(THE RUNAWAYS)

Valentina estava deitada na cama segurando o documento mais importante da sua vida. Ali, naquele quarto minúsculo e escuro, no apartamento pequeno e sem recursos no Rio de Janeiro, no bairro em que tinha passado a vida toda confinada, estava alguém gênio o suficiente para ser aceito na Academia Margareth Vilela, o maior conservatório de música do país. O papel em suas mãos dizia isso, com palavras rebuscadas e elogiosas.

Ela sabia cantar, era autodidata no violão e na guitarra, além de ter o que as pessoas chamam de ouvido absoluto, que é basicamente a capacidade de identificar qualquer tom naturalmente, apenas ouvindo-o. Valentina nunca achou que isso fosse algo especial o suficiente, mas ficou feliz por ter descoberto um talento que não sabia que tinha.

Na verdade, os avaliadores do conservatório descobriram por ela, o que explicava o porquê de ela sempre ter sido capaz de aprender a tocar sem precisar de muita técnica. Estava feliz, olhando para o teto enquanto segurava firme o documento e pensava no que faria a seguir.

Ela e sua mãe não tinham como pagar os estudos caríssimos na Margareth Vilela, o que fazia aquela habilidade musical ser inútil. O que as duas ganhavam no ano todo não pagava direito nem um mês de aulas. Mas o saldo quase no vermelho não foi suficiente para impedir a garota de se inscrever, fazer o teste e tentar uma vaga. E, obviamente, não a impediu de ser aceita.

Valentina havia tentado traçar um plano: pediria um empréstimo no banco ou se ofereceria para trabalhar de graça no conservatório. Era do tipo que não desistia sem lutar. Só que o destino pode ser irônico quando convém, e, por mais que ela não gostasse, trazia uma solução.

Fez careta ao se lembrar e virou de lado, abraçando o papel e respirando fundo, dando play com o pé no laptop velho na ponta da cama. Era a décima vez que ouvia "Rock & Roll", da banda The Runaways.

Seus cabelos loiros platinados, compridos e rebeldes estavam esparramados, e ela sabia que ficar deitada assim iria manchar o travesseiro de lápis de olho, mas não se importou. Precisava decidir. Porque, diferente de alguns dias atrás, ela agora tinha uma *escolha*.

Fechou os olhos, pensando em como estudar na Academia Margareth Vilela era o seu sonho, quando seu celular vibrou, interrompendo seus devaneios. Visualizou o nome de sua melhor amiga na tela antes de atender.

— Você não está abraçada de novo ao documento que diz que você é um gênio, certo? — disse Érica, parecendo bastante cética e preocupada. Valentina riu do outro lado.

— Claro que não. — Sentou-se na cama, ainda agarrada ao papel. Era isso, a amiga ajudaria na decisão final do dilema que tinha tirado seu sono por dois dias! Precisava desabafar, e Érica era sempre incrível nesses momentos. Ela morava em Recife, e as duas se conheciam há pelo menos cinco anos. Uma diz que viu o comentário da outra em um fórum sobre Harry Potter na internet e, desde então, se falavam todos os dias, embora nunca tenham se encontrado pessoalmente. Aproveitou para voltar a música ao início. — Espero que esteja sentada, porque vou te contar uma coisa que parece saída direto de um dos mangás *sojo* que você tanto gosta.

— É *shoujo* — a amiga corrigiu, impaciente.

E Valentina contou. Lembrou à amiga que tinha crescido sem pai, que sua mãe tinha passado a vida toda se desdobrando em duas para poder criá-la e manter a casa. Isso porque seus pais começaram a namorar ainda adolescentes e, antes de entrarem na faculdade, a mãe engravidou.

Seu pai dizia que não podia desperdiçar seu talento e foi embora para seguir o próprio sonho, sem nunca mais dar notícias. E, por isso, Valentina tinha passado muito tempo sozinha, se virando com os deveres de casa, fazendo o próprio almoço, aperfeiçoando as faxinas.

Para se sentir menos solitária, tinha começado a estudar música pelo computador, aprendendo a tocar o velho violão de madeira riscada, herança do avô materno. Em fóruns e grupos de discussão na internet, Valentina conheceu muitas bandas boas. O espírito do punk rock deixava seu corpo eletrizado e ocupava um vazio que ela não sabia direito como preencher, por isso começou a cantar e a compor.

Em casa, não se falava sobre seu pai. Isso deixava a mãe magoada e irritada, já que ela não se conformava com o fato de ter sido abandonada com uma criança para criar, sendo jovem e sem recursos.

— Sei disso tudo, amiga. Mas por que está me contando de novo?

Valentina puxou o ar. O coração batia forte e ela temia que dizer em voz alta deixasse tudo mais confuso e dolorido. Mas precisava falar sobre isso, seu futuro estava em jogo. Com medo de perder a coragem, jogou as palavras para a amiga. O pai simplesmente tinha decidido aparecer na sua vida, depois de dez anos.

— NÃO! — Érica gritou, espantada.

Valentina concordou, respirando fundo várias vezes. A lembrança ainda era estranha. Chegar em casa cansada, depois de um longo dia no trabalho como subgerente do mercado do bairro, e dar de cara com um homem engravatado, alto, bonito, com jeito de quem não se encaixava naquele cenário, sentado no sofá. Sua mãe estava claramente desconfortável e brava, porque nem tinha oferecido água para o estranho. Ficou parada, à distância, sem saber como explicar para a filha que aquele homem era seu pai. E que, não apenas isso, ele também era incrivelmente rico e famoso no mundo da música clássica.

Valentina não queria dizer nada para os dois, mas ela já sabia disso. Apesar de nunca falarem sobre ele, já que era um assunto proibido em casa, alguns anos atrás, quando as dúvidas consumiam sua cabeça, a curiosidade venceu e a garota pesquisou o nome do pai na internet. Foi surpreendida ao se deparar com as muitas páginas de notícias que apareceram. Quantos Alexander Gontcharov existiam? Só poderia ser ele. E estava certa.

Voltou a se deitar enquanto explicava para a amiga o que sentiu enquanto tentava absorver aquilo, de pé no meio da pequena sala de estar. Como tinha se sentido miúda, sem poder. Desde os 8 anos ela não mencionava o fato de ter um pai e, de repente, ali estava ele, e queria ajudá-la?

— Sabe a desculpa dele? — falou Valentina, com uma raiva crescente. — Disse que era muito jovem e precisava se estabelecer primeiro. Hoje tem outra família! Ele teve outro filho! Tenho um meio-irmão e nem sabia! Aí ele teve a cara de pau de me dizer que percebeu que deveria ter me dado mais. Percebeu que deveria ter, pelo menos, me ajudado. Que eu poderia ser *alguém*.

— Ajudado com o quê? Pagando psicólogo ou a conta do bar? E que *timing* é esse? — perguntou Érica, tão irritada quanto a amiga. Valentina fez um barulho estranho com a boca, mexendo nos cabelos e olhando para o teto. Mais uma vez, voltou a música para o começo.

— Os profissionais do conservatório entraram em contato com ele, porque a gente tem o mesmo sobrenome. Então, acho que ele lembrou de mim. E quer pagar meus estudos. Se eu aceitar, posso ir pra Academia Margareth Vilela.

Érica ficou em silêncio do outro lado da linha, e Valentina também não falou nada. Ficaram pensativas, juntas. Valentina então contou que seu pai era um violinista famoso e que tinha feito parte das melhores orquestras do mundo, e que, como ela, tinha ouvido absoluto. Era o DNA de gênio que ela também possuía, de alguma forma, graças a ele.

— E você está bem? Quero dizer... você já fez as malas?

Valentina fechou os olhos. Estava bem? Estava desesperada. O homem sequer tinha apertado sua mão. Não sentou do seu lado, não pediu desculpas nem comentou sobre todo o tempo perdido que deveriam tentar recuperar dali pra frente. Só queria se livrar da culpa e, pelo visto, descobrir que a filha tinha o dom musical o havia deixado extremamente feliz. Mas o que ele poderia ganhar com isso? Ele contou que seu outro filho mal sabia soprar uma flauta, o que era uma grande decepção. *Ok, pai, vamos falar sobre decepção. Vamos falar sobre querer dividir a vida com alguém que nunca esteve ali para mim e nem sabe direito quem eu sou.*

— Tim? — Érica chamou.

Valentina voltou a pensar na decisão que precisava tomar. Se aceitasse a ajuda dele, estaria dando a oportunidade de o cretino se sentir bem com a própria vida, sem esforço nenhum. O dinheiro que ele usaria para pagar seus estudos e mantê-la no conservatório provavelmente não pagava nem o seguro do carrão que ela viu estacionado na porta do prédio quando chegou do trabalho. Se não aceitasse a ajuda, sua vida continuaria na mesma, trabalhando com a mãe para pagar as contas e, com alguma sorte, conseguir uma vaga em uma faculdade pública para fazer algum curso que pudesse bancar sua vida adulta e o seu rock'n'roll. Já tinha 18 anos, precisava se decidir logo.

A ajuda do cretino realizaria seu sonho e daria a ela um futuro. E se fosse uma grande musicista, poderia mudar o destino de sua mãe também.

Respirou fundo novamente. Érica ameaçou desligar o telefone caso a amiga não falasse nada, então Valentina concordou. Mas não sem antes fazer a promessa silenciosa de que, assim que pudesse, devolveria cada centavo para o homem que se dizia seu pai.

Ainda em silêncio, decidiu que em breve contaria sua decisão para a mãe, que ficaria decepcionada por ser contra, e também para o cretino do pai.

— Vou fazer minhas malas. Vou aceitar a grana e vou ser a melhor musicista daquele lugar. E ele vai se arrepender de não ter feito parte da minha vida.

Despite all the complications, you could just dance to that rock and roll station and it was alright.

(Apesar de todas as complicações, você poderia apenas dançar conforme o rock and roll daquela rádio e tudo ficaria bem)

2

NO MORE DREAM

(BTS)

Valentina colocou a cabeça para fora do carro, dançando, sem ouvir o motorista pedir que fechasse a janela. The Runaways tocava a toda altura em seus fones de ouvido; quando isso acontecia, ela tentava se perder na música. Era tudo o que tinha naquele momento. Se deixava levar pelo sentimento e a sensação que a música causava, e era delicioso! Estava escuro lá fora, um breu total, então era fácil viajar para seu próprio mundo, aquele a que ninguém mais tinha acesso. Sentia o grave da música, as batidas divertidas e o som da guitarra, como se tudo na vida valesse a pena.

No fundo, queria que aquele sentimento de ansiedade e animação durasse muito tempo. Não queria se lembrar de quem era e do que passou para chegar até ali. O cabelo loiro voava com a velocidade do carro, chicoteando ao vento, enquanto ela mantinha os olhos castanhos fechados. Talvez a maquiagem preta e o lápis de olho borrassem, como sempre, mas não se importava. Era a única coisa que tinha aprendido com o cretino do seu pai: a não se importar. Seria ela mesma e faria o possível para, dali em diante, ser tudo o que sempre quis ser na vida. E ninguém poderia impedir.

Afinal, estava a caminho da Academia Margareth Vilela, o maior conservatório particular de música do Brasil! (com exclamação, porque isso era totalmente demais!) dentro de um carro importado que seu pai havia enviado para buscá-la, já que ele tinha dito que não se chegava àquela parte da pequena cidade em transporte público. Valentina achava que o pai estava com vergonha de sua filha chegar ao conservatório mais ilustre do país de ônibus, com uma guitarra debaixo do braço. Era possível que uma cidade fosse tão esnobe a ponto de não ter transporte público?

A algumas horas do Rio de Janeiro, a Academia Margareth Vilela tinha criado uma pequena cidade em torno de si mesma chamada Vilela. Ao longo dos anos, a cidadezinha foi crescendo para comportar os estudantes do Brasil e de fora que faziam cursos ali e, mesmo agora, era conhecida como uma grande arena para jovens que tinham a música como hobby e como sonho; além de ser palco para músicos de todo o país em festivais e pequenos concertos.

Dali saíam instrumentistas, compositores, maestros e músicos incríveis e renomados. Era uma verdadeira Cidade da Música, como era conhecida. Seu pai tinha estudado lá, como ele mesmo havia repetido algumas vezes nos últimos dias. Não de forma simpática, com lembranças boas e querendo incentivar Valentina a se divertir. Falava de um jeito educado, mas como um aviso de que ela deveria ser extremamente boa para carregar seu sobrenome. E Valentina tinha certeza que ele estava descrente de que isso pudesse acontecer.

— Que buraco é esse? — a garota perguntou, tirando os fones de ouvido e se apoiando entre os bancos dianteiros, tentando absorver tudo o que via do lado de fora do carro, logo depois de passarem por uma placa superiluminada com os dizeres "Bem-Vindos à Cidade da Música Margareth Vilela".

O motorista diminuiu um pouco a velocidade enquanto passava pela rua principal da cidade, que estava toda iluminada. Era como sair do total breu da serra e entrar em uma fábrica de sons, cores e luzes brilhantes, como nas propagandas de Natal que passavam na televisão.

As casas pareciam todas enfeitadas, e os jardins brilhavam com holofotes coloridos. A rua principal, com vários bares, estava lotada de jovens rindo e bebendo, e muitos carros importados. Ela tinha visto filmes sobre cidades europeias e principados que se pareciam exatamente com Vilela naquele momento.

O motorista acelerou novamente, entrando por uma estradinha com árvores compridas e alinhadas nas laterais, e Valentina reparava em tudo que podia. Iriam direto para o prédio do dormitório do conservatório, e ficou muito animada quando notou que era exatamente como em fotos na internet.

O dormitório da Academia Margareth Vilela era como a Casa Branca dos Estados Unidos. Não que ela já tivesse ido até lá, mas era como aparecia sempre nos filmes. Com um estilo meio grego, mas totalmente moderno, a construção se estendia por uma propriedade imensa, iluminada por holofotes verdes até onde ela podia enxergar. A entrada, protegida por um portão de ferro, era supervisionada por alguns seguranças de terno e fones de ouvido. Alguém ali tinha sérios problemas de grandeza.

— Parece um filme de espionagem norte-americano! — A garota sorriu sozinha, notando que o motorista nem dava bola para o que ela falava. Queria que Érica estivesse ali e visse aquilo tudo junto com ela! Seria totalmente incrível, e ela mal podia esperar para descrever cada centímetro para a amiga. Era impressionante. Valentina estava ao mesmo tempo assustada e maravilhada, não conseguia saber qual sentimento era mais forte. Os portões se abriram e o carro passou pelos seguranças, que falavam por rádios. Ela queria soltar alguns palavrões, pular e cantar alto, porque sentia que poderia explodir de felicidade. O nervosismo era palpável, subia e descia pela barriga como uma borboleta (e ela finalmente entendeu de onde vinha essa expressão). Fazia cócegas, mas a deixava enjoada. E se fizesse algo errado? E se não fosse boa o suficiente?

Respirou fundo, mordendo os lábios, pensando que se o lado de fora era incrível assim, era difícil imaginar como seria a parte de dentro. Realmente não conseguia imaginar, porque até então o lugar mais bonito e suntuoso que conhecia era o Museu da República, no Rio de Janeiro, e sabia que era bastante ultrapassado.

— Chegamos, senhorita — o motorista anunciou, parando o carro em frente a uma escadaria com uma porta de vidro moderna, que incrivelmente combinava com a Casa Branca. Ela sabia que precisava avançar, mas suas pernas travaram por alguns segundos. E se seu nome não estivesse na lista de alunos e tudo aquilo fosse uma grande mentira? — Senhorita?

Subiu as escadas com o case da guitarra debaixo do braço, sua preciosa Fender velha, enquanto um rapaz de uniforme carregava sua mala. Seu coturno velho batia no mármore límpido do chão fazendo com que, pela primeira vez, ela quisesse ter limpado os sapatos antes de sair de casa. Balançou a cabeça, tentando voltar para a realidade. Não iria se render facilmente!

O case estava pesado, mas ela não se importava, porque apesar do frio que fazia, sentia as mãos suarem de nervosismo. Ajeitou a franja mal cortada que teimava em cair no rosto, apertou o casaco militar no corpo e marchou para dentro do que logo viu ser o lugar mais bonito em que já tinha colocado os pés. Muito mais bonito que o Museu, diga-se de passagem. Definitivamente menos velho e bolorento. Primeiro, ficou parada no saguão de entrada encarando as pinturas e os afrescos nas paredes. Uma música clássica tocava baixinho ao fundo, ecoando pelo mármore branco e limpo. Música de elevador. Inacreditável. Quase tropeçou nos próprios pés andando até o balcão da recepção e entregando seus documentos.

— Seja bem-vinda ao dormitório da Academia Margareth Vilela, senhorita Valentina Souza Gontcharov! — o recepcionista falou com uma sinceridade tão profunda que fez a menina querer vomitar. Que pompa à toa. Além do mais, detestava ser chamada pelo nome completo, principalmente por causa do sobrenome esquisito do pai; então, apenas sorriu e tomou o cartão, que era a chave do seu quarto, da mão dele e marchou para o elevador segurando o nervosismo. O rapaz já tinha subido com as malas, o que fazia tudo parecer que acontecia em passes de mágica. Ela queria agradecer, mas não o viu mais por perto.

Enquanto o elevador subia, pegou o celular e começou a digitar para Érica. Atrás dela, se estendia um enorme espelho que cobria toda a parte traseira do cubículo, que era maior do que o banheiro de sua casa. E esse era só o elevador. A primeira frase que escreveu no celular foi: "tudo é tão capitalista", e riu sozinha por agora fazer parte daquilo. Sua alma punk rocker estava sofrendo. Voltou a digitar quando parou no 2º andar e duas garotas entraram conversando, ignorando a presença dela. As meninas eram lindas como modelos de revistas de moda, com aquele biotipo que a mídia faz a gente engolir todos os dias, e pareciam arrumadas demais para estarem numa faculdade.

— Acho até que a Juliana vai se mudar. Pediu transferência, aquela idiota escandalosa. Com razão.

— Vai mesmo? Mas e o Marcus?

— Ele quer mais é que ela suma, claro. Ela pagou um mico enorme chorando na frente de todo mundo na aula de tênis, você viu. Foi vergonhoso!

— Fiquei com pena. O Marcus estava ignorando ela depois de eles... — a menina baixou a voz — dormirem juntos?

— Ela não precisava ser tão grudenta! Mulher não pode ser assim. Quem me dera o Marcus saísse comigo e...

— Esse Marcus parece machista, amigas — Valentina disse em voz alta, voltando a digitar no celular. As garotas rolaram os olhos, em silêncio, fazendo cara de nojo. — E vocês também.

O elevador parou no 4º e penúltimo andar e, logo que a porta se abriu, as garotas saíram, olhando para trás e cochichando entre si. Valentina deu de ombros e seguiu pelo corredor, guardando o celular no bolso do casaco e procurando seu quarto. Número 47, um número de Keith, como ela descobriu fazendo a sequência Fibonacci em sua cabeça. Como é que ela sabia dessas coisas? Por que tinha que ser tão nerd?

Valentina quase não conseguiu passar pela sua porta, figurativamente falando. Uma energia pairava no ar, como se estivesse empurrando sua parte rock'n'roll para longe dali. Tudo no quarto a julgava! O carpete azul royal, as paredes muito brancas com molduras vazias para quadros, os dois sofás pretos de couro, a enorme televisão, o frigobar, o micro-ondas e as duas portas para os dormitórios. Era como um pequeno apartamento. Tudo era tão rico, tão limpo e arrumado que nem se ela tentasse poderia detonar aquilo, como os rockstars têm o costume de fazer; nem mesmo em uma semana. Era o que as pessoas pensavam. Artistas provavam que isso era apenas uma teoria o tempo todo, pelo mundo inteiro. *Challenge accepted*!

A menina parou no meio da sala com o case da guitarra no ombro, parecendo um pequeno ponto de sujeira na mobília nova e lustrosa. O coração batia forte, e ela não sabia bem o que fazer primeiro, embora já tivesse fechado a porta e visto sua mala num canto. Respirou fundo, sorrindo. Então era isso, essa era sua nova vida. Um quarto maior do que sua casa, cujas molduras na parede custavam mais do que a roupa barata de lojas de departamento.

Ficou parada por um tempo e soltou alguns palavrões. Jogou a mochila e a guitarra no sofá de couro e sentou no chão. Teve vontade de deitar no carpete sedoso, se jogar como se fosse uma piscina, mas ouviu um barulho de porta batendo atrás de si e isso fez com que se levantasse em um pulo. Se havia duas portas, devia ter outro quarto além do dela, e isso significava que tinha uma *roomate*! Que animador! Foi andando lentamente até a porta, pois percebeu que a luz estava acesa já que escapava por baixo e resolveu bater. Chamou e pediu desculpas, mas ninguém respondeu. Decidiu deixar para lá, provavelmente depois teria mais tempo para conhecer quem estaria, dali para frente, morando com ela. Pegou suas coisas, com mais cuidado do que deveria, e caminhou até seu quarto de verdade.

♫

Valentina estava elétrica e precisava tomar um ar, se mexer, gastar energia. Decidiu dar uma volta pelo prédio. Saiu do quarto e ficou encarando o corredor por alguns instantes, alisando a jaqueta militar e passando as mãos pelos cabelos embolados. Deveria comprar um casaco novo?

Com as mãos nos bolsos, seguiu pelo carpete de hotel, analisando as portas e prestando atenção aos barulhos. Ainda ouvia de leve a música clássica ambiente. Quem seria o DJ daquele lugar? Ele precisava seriamente de CDs novos. Não que imaginasse que aquele pessoal tinha bom gosto para playlists, de qualquer forma. Margareth Vilela, enfim! Parou no final do corredor, notando que estava sozinha, e então começou uma silenciosa dança da vitória. Sacudia os cabelos e balançava os braços, animada. Era extremamente infantil, mas a fazia se sentir bem.

Ouviu um barulho alto e um palavrão. Olhou para os lados, assustada, e não viu ninguém por perto, então decidiu seguir pelo corredor lateral. Se deparou com a imagem mais inesperada de todas: um garoto esguio, vestido com um blazer cinza, estirado no chão em frente a um dos quartos. Ele parecia vacilante, com a expressão fechada e autoritária, e a sua posição desajeitada indicava que tinha caído.

Tinha os cabelos pretos e curtos, bagunçados daquele jeito de quem passou horas para conseguir o efeito. Mas era bonito. A pele era levemente morena e, daquela distância, Valentina não conseguia distinguir se ele tinha ascendência asiática ou se estava apenas espremendo os olhos, tentando enxergar de longe.

Era do tipo bonitão e popular, e provavelmente rico, aquele terno com certeza custava uma fortuna. O rapaz tentava se levantar sem nenhuma agilidade, então ela chegou mais perto, sentindo as pernas vacilarem, cruzando os braços apertados diante do corpo. Ele era uma visão e tanto, e, claro, seria melhor se não estivesse naquele estado, visivelmente bêbado.

— Filho da... aishhh quefe drogaf! — ele falou sozinho, mexendo no cabelo. A voz era grave, mas enquanto reclamava, mudava para aguda em segundos. Era engraçado. Ele se colocou de pé com toda a lerdeza do mundo enquanto esticava a mão que segurava o cartão-chave do quarto. Ela quis sorrir, mas acabou perdendo o equilíbrio quando precisou segurar o braço do garoto para que ele não caísse de novo.

Sentindo um cheiro de perfume amadeirado misturado com uísque, ela o encarou de perto. Ele definitivamente era bonito, muito bonito. Tão bonito que Valentina perdeu o fôlego por alguns segundos. E era asiático, com os olhos escuros pequenos e cílios grandes. Achou que poderia passar a noite toda olhando para ele.

— Quê? — o garoto perguntou de um jeito grosseiro, como se estivesse acostumado com essa reação da parte do público feminino, o que irritou Valentina profundamente. Sempre havia se orgulhado de não ser igual a ninguém. — Não encosta em mim! — ele gritou.

— Não pretendia encostar em você, mas não aja como se estivesse lidando muito bem com a situação — ela rebateu também de forma grosseira. Ele fez uma careta que incluía um bico engraçado e as sobrancelhas unidas. Valentina não podia rir, embora quisesse muito. Era fofo e trágico.

— O quefe tá faxendo me espionandooo? — ele perguntou com a voz embargada, trocando algumas letras. Tentou fazer a menina largar seu braço, mas isso quase fez com que tombasse para o outro lado. Valentina bufou de frustração.

— Você está no meu caminho — a garota respondeu. Ele mordeu os lábios, ainda com a testa franzida, se esforçando para pensar em alguma resposta.

— Abra a porta — falou, de repente. Soava como uma ordem. Estendeu o cartão para Valentina, que o pegou com a mão livre. A outra ainda estava no cotovelo dele.

— Isso é sério? — perguntou surpresa. Ele tentava, em vão, mexer no cabelo e parecer indiferente, mas ela reparou que ele a olhava o tempo todo, confuso.

— Abra a porta, por que é tão difícil? Quer que eu durma aqui fora?

— O que eu tenho com isso? Caramba... — a menina reclamou, se aproximando da porta e passando o cartão. O garoto caminhou para dentro lentamente e Valentina o acompanhou, ainda segurando o cotovelo dele para que não caísse, e fechou a porta atrás de si.

Os próximos segundos pareciam ter parado no tempo, e Valentina achava que nada mais a impressionaria naquele dia! O quarto dele não era nada que ela já tivesse visto, nem mesmo em filmes. Menos parecido com um apartamento e mais com um enorme aposento imperial. Tinha uma cama gigantesca no fundo, sofás brancos, uma tela de TV tão grande que mais parecia de cinema e coisas que ela não teve tempo de processar, porque o garoto tombou para a frente, se segurando nela. Suas mãos grandes e quentes, ela percebeu, apertavam seu ombro, buscando apoio. A garota, tão pequena, não podia servir como bengala de alguém alto como ele, e tentou se soltar.

— Agora pode me soltar, já está em casa — disse, ríspida. Tirou as mãos dele de si e o encostou no sofá. O garoto perdeu o apoio e caiu deitado, tomando um enorme susto. Valentina, sem querer, correu para perto dele. — Ahhhh, como pode ser assim? Fica direito, preciso ir embora! Quantos anos você tem? Meu Deus... — reclamou, sentindo-se nervosa. Viu que ele tinha deitado no sofá e tentava tirar os sapatos com os próprios pés, dando chutes no ar. Valentina balançou os cabelos, respirando fundo. Estava lidando com uma criança?

— O mundo está girando! Que saco! — o garoto reclamou, ainda chutando o ar. Ela o encarou e quis rir alto. Quem quer que fosse, provavelmente não fazia isso com frequência. — Para de rodar! Agora!

— Espero que o mundo te obedeça, porque eu estou dando o fora! — ela disse, girando nos calcanhares e se preparando para sair.

Maior conservatório de música uma ova! A Academia Margareth Vilela era um grande antro de malucos, isso sim! E olha que era só o primeiro dia.

— Ei, você! — o garoto gritou, se sentando. Valentina parou perto da porta, apertando o casaco militar junto ao corpo. Fazia frio, como em todo o prédio do dormitório. Definitivamente, precisaria de um casaco novo. Não estava acostumada com tanto ar-condicionado, e a cidade era bem mais fresca que o Rio de Janeiro. Olhou para o rapaz sentado e percebeu que, de repente, o rosto dele começou a ficar pálido. Isso era esquisito. Ele pôs as mãos no pescoço e começou a tossir de forma descontrolada, fazendo a garota se aproximar, assustada. Ele ia vomitar? Morrer? Deveria chamar alguém?

Segurando a cabeça dele junto ao vaso sanitário, Valentina fazia caretas sem entender por que estava naquela situação. Que pecado estava pagando? Era sua primeira noite no dormitório mais luxuoso de sua vida e ia passá-la no banheiro com um desconhecido arrogante e bêbado? Desculpe, um desconhecido *gato*, arrogante e bêbado? Riu. Que história para contar...

Os cabelos dela, agora amarrados de qualquer jeito, teimavam em sair do rabo de cavalo enquanto segurava os ombros do garoto, que se forçava para baixo vomitando pura bebida alcóolica. Era horrível. Quem quer que ele fosse, ia pagar com uma bela ressaca no dia seguinte.

— Vamos, não passou vergonha o suficiente? — perguntou. Ele xingou baixinho e voltou a se debruçar sobre o vaso. Valentina soltou a testa do garoto, levantando-se para procurar uma aspirina no balcão do banheiro. Se deu conta de que o aposento era do tamanho de seu antigo quarto, e isso a deixou desconfortável. Distraída, examinou os ladrilhos claros e a quantidade de vidros enfeitando o ambiente. Uma banheira enorme ficava no canto, e ela conseguia ver dali a cama através da parede envidraçada. Era surreal. Apesar de toda a impressão de aposento imperial, era todo moldado de um jeito moderno e minimalista, como tudo parecia ser por ali. Por que as pessoas gostavam tanto da combinação de branco e azul?

Abriu o armário em cima da pia, embora o garoto tivesse começado a protestar, tossindo. Ele tinha gritado algo como "sai fora" e "não mexa aí", como se ela fosse dar ouvidos a alguém naquele estado. Infelizmente, não encontrou nada útil, nenhum paracetamol ou remédio para enjoo, apenas objetos de higiene e um pequeno vidro de comprimidos que ela não sabia para que eram. O rótulo tinha um nome grande e complicado, além das informações da receita. Poderia ser algo sério ou então qualquer tipo de droga. Ela não queria nem saber. Olhou de volta para o rapaz, que tinha sentado no chão de frente para ela, parecendo frágil e vulnerável, e cruzou os braços.

— O que faço com você? — perguntou. Ele fez uma careta mostrando os dentes, raivoso.

— Você está invadindo meu quarto — resmungou, com a voz rouca. Os cabelos, embora ainda quase perfeitos, grudavam na testa suada, enquanto a boca estava branca e rachada.

— Se você morrer e eu estiver no local, provavelmente será cobrada uma taxa que eu não posso pagar! — Valentina deu de ombros. Ele pareceu apavorado.

— Morrer?! Você por acaso sabe quem eu sou?

— Você sabe quem eu sou? — ela perguntou, no mesmo tom arrogante. Ele negou. — Estamos quites – disse ela, e saiu lentamente do banheiro, pegando o casaco de cima da enorme cama pelo caminho. Ouviu o garoto reclamar e parou. Ele parecia tentar se levantar.

—Ei, você! — gritou. Ela fez careta. — Ei!

— Peça por favor, não sou obrigada a ficar aqui — Valentina rebateu. Ele tinha se arrastado para a porta do banheiro, atordoado, e olhava diretamente para ela. A garota ficou de frente para ele. — Não sou sua escrava nem sua amiga, que seriam as duas únicas coisas que me prenderiam aqui, agora. E uma delas, graças a Deus, é proibida no país faz muito tempo.

— Eu... eu... — ele relutava em dizer algo. Parecia mesmo desnorteado. Valentina ficou ligeiramente preocupada. Era só o que faltava, conhecer um alcóolatra, talvez até viciado em drogas! Não era o tipo de problema que precisava em sua vida, logo agora que ia realizar seu maior sonho. Ele mexia nos cabelos e apertava os olhos. Apesar de tudo, ela não pôde deixar de reparar em como era bonito. Nem a roupa dele parecia amassada, embora ele estivesse visivelmente em um estado deplorável. — Hum, des... culpa — ele fez uma careta —, preciso que me leve até a cama.

— Você tem dois pés. — Ela cruzou os braços. Os cabelos embaraçados continuavam saindo do rabo de cavalo. Totalmente irritante.

— Vai embora então! Não tá vendo que não consigo? Não tô me sentindo bem!

— Quanto você bebeu? Não parece saber o que está fazendo. — Ela rolou os olhos, se sentindo ansiosa.

— Não posso beber... muito. Remédios. — Ela ouviu algumas palavras soltas depois, como "tarja preta" ou algo assim, mas não estava prestando atenção. Bufou alto. Ele estava de brincadeira? — Ahhh, tanto faz. Apenas vá embora, não preciso da sua ajuda! — ele gritou, malcriado, fechando os olhos. Apalpava a roupa como se estivesse mais preocupado com seu blazer do que consigo mesmo. Valentina abriu a boca sem saber o que falar, ou fazer. Decidiu segurar o braço dele e o arrastar até a cama.

— Seja lá quem for, vai me pagar por isso — ela disse baixinho. Ele riu quando encostou no colchão. Deitou, abrindo os olhos pequenos lentamente.

— Isso não vai ser um problema.

— Satisfeito? — Valentina perguntou. Ele sorriu de uma forma doce e infantil que fez o coração dela querer sair pela boca. Era irritante, mas não se sentia desse jeito há muito tempo. Ele balbuciou algo e parecia prestes a dormir, então ela decidiu ir embora.

Lentamente, fechou a porta atrás de si e, segurando o casaco militar junto ao corpo, sorriu enquanto caminhava pelo corredor, pensando que gostava de novos desafios, de mistérios e de caras bonitos. Se esse tipo de coisa era comum na Margareth Vilela, ela já tinha começado a gostar muito do lugar.

3

WELCOME TO THE JUNGLE

(GUNS N' ROSES)

Um barulho muito alto, seguido de um grito, fez com que Valentina pulasse da cama. Ouviu a porta sendo esmurrada por quem quer que dormisse no quarto ao lado e, sem entender muito, mexeu nos cabelos, preguiçosamente. O barulho continuou. Um solo de bateria saía do seu celular. Era o alarme que estava tocando. Ainda sonolenta, pegou o aparelho e verificou as horas. Eram 8h20, e ela tinha apenas dez minutos para chegar ao auditório para o primeiro horário, que seria uma cerimônia de apresentação do conservatório.

Valentina se sentou, confusa. O cérebro tentava despertar, mas ainda projetava borrões de um banheiro chique, um garoto mal-educado e música de elevador. Analisou o quarto, sacudindo a cabeça. Auditório? Aula? 8h20? Arregalou os olhos e a ficha finalmente caiu. Ela estava no maior conservatório de música do país. Do país! E estava prestes a perder seu primeiro grande momento porque tinha ido dormir tarde graças a um desconhecido idiota e bêbado que provavelmente não veria nunca mais. Abriu a mala no canto do quarto com rapidez e jogou todas as roupas para fora. O que vestiria não era importante. Não era como se fosse para alguma entrevista de emprego ou festa de casamento, certo? Pelo menos tinha tomado banho antes de se deitar, então o cabelo não ficaria tão rebelde.

Vestiu um short jeans escuro que parecia desfiado de propósito, embora fosse culpa da máquina de lavar ruim mesmo, e uma camiseta branca comprida que a fazia parecer quase pelada. Fez uma careta. Não tinha muito tempo para pensar em combinar roupas. Enfiou meia dúzia de colares e anéis, pegou seu único par de óculos escuros e encaixou os pés descalços nos coturnos quase sem cadarços que estavam jogados perto da porta. Correu para o banheiro para escovar os dentes enquanto ouvia o coração bater disparado com a adrenalina. Ah, droga de vida, por que sempre tinha que se enrolar?

Caminhou rapidamente pelo corredor quase vazio, desceu no elevador ainda arrumando o cabelo e fechando a bolsa de couro com franjas, e seguiu pela porta lateral do dormitório, que dava em um pequeno parque. Tentava acompanhar as informações do panfleto que encontrou em sua escrivaninha, mas que não teve tempo de olhar por causa dos acontecimentos da noite anterior. Que burrice! Devia ter parado para avaliar o mapa, agora provavelmente ficaria perdida.

Além do mais, Valentina queria ter tido tempo para apreciar o caminho de pedras, os jardins enormes e os prédios que se estendiam à sua frente. Um deles, logo depois da Casa Branca dos dormitórios, era um prédio anexo onde se encontrava a cafeteria, a biblioteca, o refeitório e outras salas de convívio dos alunos. O segundo, mais à frente, era enorme, com a faixada de mármore e vidros com uma aparência totalmente futurista; o mapa dizia que era ali o tal auditório onde ela já deveria estar sentada.

Saiu correndo em direção a ele, subindo a escadaria principal e tentando não tropeçar e esbarrar nas dezenas de alunos que circulavam por ali. Muitas pessoas caminhavam despreocupadas àquela hora e ela não podia imaginar o motivo. Alguns estavam espalhados pelos gramados, fazendo exercícios físicos ou meditando. Tinha até um grupo de garotos concentrados em instrumentos de sopro esquisitos que ela nunca tinha visto na vida. Muitos falavam outras línguas, e isso era bem legal, mas quem, em sã consciência, iria passear pela faculdade tão cedo assim? Também reparou que recebia olhares de reprovação por onde passava. Valentina sabia que poderia causar esse tipo de reação, afinal era uma garota punk no lugar mais chique e conservador do país, certo? Sabia que com certeza não seria a única pessoa diferente naquele lugar, mas, definitivamente, seria a com mais senso de estilo.

— Bom dia, pode me dizer onde fica o auditório principal? — perguntou para uma garota negra que usava um turbante amarelo assim que entrou no saguão do prédio. Ela olhou Valentina de cima a baixo e indicou uma escada lateral. Ainda bem que tinha criado coragem para perguntar, porque não fazia ideia que aquele outro corredor existia! Agradeceu e andou o mais rápido que pôde até alcançar a porta enorme por onde outros estudantes entravam. Parou no batente por alguns segundos, respirou fundo e entrou.

O auditório era enorme, com paredes de madeira clara, cadeiras acolchoadas e um palco grande e redondo, e estava abarrotado de alunos. Logo na entrada, recebeu de um monitor a programação da aula inaugural, e localizou uma cadeira vazia ao fundo. Apressada, ela tentou passar entre as fileiras e cadeiras sem esbarrar em ninguém. Ali dentro havia pessoas de todos os tipos e de diferentes idades e nacionalidades. Era incrível perceber tantas personalidades em um só ambiente. E agora Valentina fazia parte desse mundo!

Escutou dois garotos ao seu lado discutirem sobre como os painéis do auditório se moviam para modificar a acústica do local dependendo do que seria apresentado ali. Valentina ficou impressionada! Então era nesse auditório que aconteciam as apresentações de música? Era gigante. Devia caber umas quinhentas pessoas sentadas e, pelo que dizia no mapa, ali naquele prédio só estavam os auditórios menores. Ela nem conseguia imaginar o que poderia ser maior. A garota sentiu as mãos suarem, será que um dia se apresentaria para um público enorme assim?

Deu uma conferida no panfleto. Era um pequeno livro com o logo do conservatório na capa. Dentro, havia textos enaltecendo as atividades curriculares, acompanhados de imagens de alunos e professores praticando diversos instrumentos, além de fotos das aulas de canto e de dança. No final, estava a programação do que seria apresentado na aula inaugural. Valentina estava ansiosa. Será que haveria um coral? Uma orquestra? Uma banda de zumba?

As luzes diminuíram e o palco foi iluminado por um holofote central. A plateia se levantou, aplaudindo e gritando com animação. Valentina tentou acompanhar, ficando de pé rapidamente e quase derrubando suas coisas no chão. Reparou que muitos alunos vestiam camisas com o símbolo do conservatório. Será que teria que usar uniforme também? Ela preferia tocar banjo o ano inteiro do que matar seu estilo sombrio de moda.

Uma mulher de meia-idade caminhou pelo palco. Pela postura, dava para perceber que se achava importante. Valentina pensou que a expressão esnobe dela combinava muito com todo o clima do conservatório.

— Bom dia, estudantes, formandos, corpo docente e recém-chegados. — A voz da mulher era grave e seca. Atrás dela, o painel se acendeu exibindo um vídeo sem som de crianças tocando piano. O nome "Maria Lúcia Vilela, sócia-diretora" apareceu no canto da tela.

— Ahhhh... — Valentina falou em voz alta, se dando conta de que já deveria imaginar quem era a mulher em questão. Ela usava um terno azul-escuro de corte reto e os cabelos eram curtos e bem cortados. A garota riu baixinho porque, se a diretora estivesse de rosa, seria uma cópia da Dolores Umbridge, de Harry Potter. Na verdade, fisicamente ela era bem parecida. Só que menos simpática, por incrível que pareça.

— Sejam bem-vindos à Academia Margareth Vilela. Aqui, prezamos os bons modos, os estudos clássicos, a prática incessante e o sucesso acadêmico — Maria Lúcia recitava, como se repetisse as mesmas palavras todos os anos. Os alunos, então, começaram a se sentar e Valentina imitou. — Não é à toa que somos a melhor escola de música do país, quiçá, de toda a América Latina. Temos programas de inclusão de alunos em grandes academias pelo mundo, como Juilliard, Berklee, The Boston Conservatory, Royal Academy of Music, Conservatorium van Amsterdam e mais, além de proporcionar aos nossos estudantes oportunidades de trocas artísticas e experiências acadêmicas com alunos de dança e teatro. Recentemente, como todos sabem, abrimos as portas para o curso de Dança Clássica e Moderna, o que proporcionou aos nossos alunos uma ampliação de conhecimentos, preparando-os assim para serem os melhores em apresentações e festivais. Lembrem-se: sem dedicação e disciplina, é impossível ser um artista completo. E nós, da Academia Margareth Vilela, esperamos que vocês deem o máximo de si e se superem como artistas, honrando o nome deste conservatório.

Valentina ficou nervosa. De repente, não sabia se iria se encaixar naquele lugar. Parecia exigente demais, certinho demais, disciplinado demais. Estava acostumada com o caos do punk rock, em ser impulsiva, em mostrar o que sente em forma de acordes de guitarra. Olhou ao redor. Mas ela amava música, certo? Era a única coisa que sabia fazer direito, que tinha nascido para fazer. Sua mãe dizia que ela tinha um grande dom e um dia iria tocar a vida das pessoas. Era nisso que Valentina tentava acreditar. Queria fazer a diferença através da sua música, se expressar para o mundo e fazer todos entenderem o que sentia.

Perdida em pensamentos, não percebeu que a diretora já tinha parado de falar e agora descia do palco, fazendo o auditório aplaudir calorosamente. Valentina achou aquilo um exagero, afinal, a mulher não era nenhuma ganhadora do Prêmio Nobel da Paz. As luzes voltaram a se acender e alguns estudantes subiram ao palco carregando diversos instrumentos, iniciando uma apresentação impressionante, descrita como música de câmara. Valentina nunca tinha ouvido algo tão bonito e animado antes, com tantos sons e notas diferentes. O programa dizia que os músicos eram da divisão de jazz do conservatório, alunos do 4º e 5º períodos. Era incrível. Ela precisava saber mais sobre aquele estilo musical, com certeza serviria de inspiração.

Logo depois, subiu ao palco um coral com dois cantores de ópera, ou o que parecia ser ópera, e fizeram uma apresentação digna dos filmes clássicos com o Gene Kelly, que sua mãe tanto adorava. Eram todos tão talentosos!

— A próxima apresentação é a do Kim! — Ouviu o rapaz ao lado falando para o outro. Pela forma como se olhavam animados, os dois deviam ser fãs. Valentina conferiu a programação: haveria uma apresentação de piano e balé. Não estava preparada para o que veria em seguida. O pianista, provavelmente o tal Kim por quem o garoto do lado dela não parava de hiperventilar, estava sentado em frente a um enorme piano preto na parte escura do palco, e mal dava para ver seu rosto. Mas parecia jovem e esguio, vestido em um terno elegante. A apresentação incrível mesmo foi a de balé, com cinco garotas que pulavam e dançavam por todo o palco. Valentina ficou arrepiada. Conseguia reconhecer todas as notas mesmo nunca tendo escutado aquela música antes. A melodia tinha uma subida harmoniosa incrível, que deixava a coreografia das bailarinas muito mais mágica. Parecia um conto de fadas.

No fim, depois de outras duas atrações e vídeos acadêmicos sobre as aulas e o corpo docente, uma monitora subiu ao palco para falar sobre algumas regras e eventos do conservatório. Valentina se perdeu um pouco no início da explicação, as pessoas ao seu lado não paravam de conversar, mas ficou atenta ao que parecia ser uma grande chance de mostrar a que tinha vindo.

— ...e muitos perguntaram sobre as apresentações de final de semestre. Voltamos a informar que vocês podem fazer perguntas aos monitores que circulam, identificados, pelo campus. Não há a mínima necessidade de fazer com que seus pais venham até aqui pra isso, certo? As apresentações não são obrigatórias e foram criadas como provas práticas, nas quais os alunos poderão se apresentar em duplas ou grupos e serão avaliados pelo corpo docente, podendo ou não acrescentar notas e anular provas teóricas. Aos alunos interessados: favor se inscrever antes na secretaria para aprovação e informações, obrigada.

Valentina, animada e pensativa, se viu caminhando sozinha pelo corredor à procura da sala em que teria a primeira aula do dia: História da Música I. Era uma matéria obrigatória para todos os estudantes e seria uma introdução aos estudos teóricos de música, que ocupava os dois tempos da parte da manhã. Mas como tinha havido a apresentação de início de semestre, ela só assistiria ao final da aula. Tinha recebido uma grade de aulas e, mais tarde, precisaria ir à secretaria para fechar as matérias eletivas. Sua cabeça era um misto de confusão e deslumbre com tantas informações, cores, sons e notas musicais. Mas ficou decepcionada por não ter ouvido sequer uma apresentação de rock. O mais próximo foi jazz. Aquele conservatório ainda não tinha visto nada do que ela poderia mostrar.

♩

Ele achou que fosse morrer. Estava cansado, o corpo inteiro doía, e fazer aquela aula era a pior ideia de todas. Por que era obrigatório? Odiava História, odiava falatório, e aquele professor não parecia nada profissional. Quem usava óculos com armação de tartaruga hoje em dia? Nem sua avó! Embora ele não a conhecesse, o que não era importante para sua discussão mental.

Depois de dois anos no conservatório, percebia que tinha tomado a decisão errada ignorando História da Música I.

Teoricamente, ninguém podia ignorar; mas *ele* não era ninguém. Agora, no entanto, precisava fazer a matéria para destrancar a próxima da sua grade. E, como se não bastasse, ainda tinha que dividir a sala com vários novatos idiotas e um professor esquisito que só falava sobre jazz e revoluções indies londrinas, como se fossem notícias diárias. Pior, como se fosse interessante. Saco.

— Kim? — Ouviu Júlio sussurrar da mesa de trás. Marcus, na cadeira ao lado, também olhou. Os amigos acompanhavam Kim para onde quer que ele fosse e, embora não estivesse realmente com paciência para bater papo, era melhor do que ficar ouvindo o falatório sobre a matéria. Os três engajaram em uma tentativa de conversar quando o professor tossiu alto.

— Sua saúde não parece boa — Kim provocou, irônico.

Alguns alunos riram enquanto Rodrigo, na frente da sala, encarava a turma com uma coragem ingênua. Normalmente os professores tinham medo daquele grupo de alunos, que ficava tentando chamar atenção. Embora jovem, com seus recém-completos 30 anos, Rodrigo não compartilhava o amor, ou o medo, que a maioria tinha dos três alunos.

— Obrigado pela preocupação, você tem alguma dúvida sobre a matéria? — perguntou sorrindo. O garoto, vestido com um colete de cashmere listrado, deu de ombros, despreocupado. Aquelas não pareciam roupas para alguém da sua idade.

— Acho que não entendi essa última parte sobre o pessoal drogado, se não for desconfortável repetir... — Kim acentuou. Sorriu satisfeito vendo o professor respirar fundo enquanto escrevia Sex Pistols no quadro branco. Ia começar a falar quando a porta se abriu bruscamente e entrou, como em marcha, a garota mais estranha que Kim já tinha visto. E a mais ralé. Parecia estar usando somente um blusão, e ele tinha certeza de que seus cabelos não tinham sido penteados. Eram loiros e compridos e, como seus sapatos, pareciam sujos.

— Era exatamente disso que eu estava falando! — o professor gritou de repente. A garota parou perto das cadeiras e olhou para a frente da sala. Rodrigo parecia extasiado. Sacudiu as mãos, apontando para a novata. — Movimentos rebeldes ingleses em meados da década de 1970 desencadearam perseguições políticas e sociais, enquanto os "rebeldes" buscavam somente a liberdade de expressão pela música! — Apontou para o quadro. — O Sex Pistols, por exemplo.

— Ah, genial! — Valentina disse alegre. Sentiu-se um pouco envergonhada por estar parada diante da turma, que a encarava boquiaberta, mas era animador ver algo que ela conhecia. De Sex Pistols ela entendia muito bem. Já tinha gostado daquele professor com camiseta do The Decemberists e óculos de grau vintage.

— Sinto muito, professor — Júlio interrompeu, franzindo a testa, parecendo genuinamente consternado, sem olhar para onde a garota estava. Kim, atrás dele, se deitou na mesa cobrindo o rosto, completamente entediado, mexendo nos cabelos que tinha passado um bom tempo arrumando em frente ao espelho para parecerem bagunçados, já que eram sempre lisos demais, o que era extremamente incômodo. — O senhor... Desculpa, você contratou o circo pra se apresentar durante a aula?

— Ou trouxe ela de algum bandejão? — o amigo Marcus completou. A turma explodiu em gargalhadas, fazendo a garota, que ainda estava de pé, respirar fundo. Valentina sorriu, encarando Júlio, o garoto mauricinho que usava uma camisa polo horrorosa, com a expressão mais fofa que conseguiu fazer. Com esse papo todo, ela não podia acreditar que eles tinham conseguido sair do ensino médio.

— Ah, um babaca. Achei que fosse ver alguns desses por aqui, olá! — Ela acenou, enquanto transformava a mão em um xingamento com o dedo do meio. O garoto e a maioria da turma pareceram chocados, embora tenha visto o professor dar uma risada baixa.

Marcus, que ficava a apenas algumas mesas de distância dela, ainda estava sem fala. Kim, ainda deitado na carteira ao seu lado, com os olhos fechados, franziu a testa, com uma sensação de *déjà vu*. Era estranho. Conhecia aquela voz e aquela garota de algum lugar, embora não se lembrasse de onde. De que forma poderia conhecer alguém como ela, que parecia tão estranha e, bom, tão diferente dele mesmo? Existiam alguns rebeldes malvestidos pelo campus, mas ele não se lembrava exatamente de ninguém, já que não eram importantes. Por que aquela sensação? Era perturbadora.

Valentina não queria olhar para os lados e ver que a turma a encarava. Seria inútil se preocupar com isso. A aula de História da Música I parecia interessante, e o professor falava de idas e vindas de épocas, instrumentos e modas como se fosse a coisa mais fascinante do mundo. Ele parecia estar introduzindo um pouco da matéria que daria dali pra frente, e ela estava feliz por ser algo tão legal.

Abriu discretamente o formulário com as matérias que deveria escolher para preencher seu horário de aulas e ficou assustada com as opções. Quando quis se matricular no conservatório, tudo o que pensava era nas aulas de canto e violão. Mas ali o mundo era diferente.

— Teoria e Percepção Musical — ela leu baixinho passando o dedo pela listagem. — Psicologia da Música, Música para Cinema, Harmonia e Contraponto, Composição e Letras... — Sorriu. Tantas opções! O que fazer primeiro?

Saindo da sala de aula ainda com o papel nas mãos e a caneta enfiada entre os lábios, Valentina sentiu alguém encostar em seu ombro. Uma garota de pele negra e cabelos volumosos e crespos sorria. Era ligeiramente mais baixa que Valentina e usava discretos óculos de grau. Seu sorriso era lindo, com os lábios cheios pintados com batom vermelho.

— O negócio é começar pelas prioridades na hora de escolher as matérias. E também, acima de tudo, se desafiar — a menina opinou. Primeiro, Valentina ficou assustada com a aproximação, mas depois sorriu de volta, concordando.

— Obrigada...

— Meu nome é Sarah e esse é meu segundo semestre aqui! Já conhece o conservatório todo? — a garota perguntou, animada. Valentina negou, parando de andar e mordendo os lábios. Esticou a mão com as unhas mal-pintadas de preto e esperou que a menina a apertasse.

— Me chamo Tim e não faço ideia nem de onde fica o banheiro!

— Oh, primeiro passo importante na vida acadêmica de uma garota! — Sarah disse, apertando a mão dela, e as duas riram. As unhas da menina eram douradas, benfeitas e polidas. — Você toca algum instrumento?

— Violão e guitarra, e sei cantar! — Valentina respondeu. Estava adorando a espontaneidade da garota. Finalmente alguém simpático com quem conversar!

— Se inscreve pra treinar na sala 42, de prática de banda! A gente poderia usar alguém como você — Sarah sugeriu quase sussurrando, e sorrindo. Valentina só conseguiu pensar em Douglas Adams quando a garota disse 42 (a resposta para tudo!) e precisou sacudir a cabeça para voltar a entender o que ela falava. — Bem, existem poucos grupos e orquestras de música clássica interessados em praticar juntos, principalmente em pequenos grupos. Todo mundo quer fazer parte das orquestras principais.

— O quê? — Valentina perguntou interessada. — Quer dizer que não tem nenhuma banda de verdade por aqui?

— Hum... não oficialmente. Não *banda*, mesmo. Mas a gente se esforça. Não aceitaram nossa inscrição para as apresentações do fim do ano passado, que ajudam nas notas finais do semestre. Só porque tentamos mesclar reggae com Bach! Então, realmente precisamos de mais gente esse ano!

Estamos até colocando anúncios nos murais espalhados pelo conservatório, mas as pessoas rasgam e jogam fora. Não estão levando a sério.

— Isso parece muito legal! Não o fato de jogarem fora os panfletos, mas reggae com música de elev... música clássica, pode ser interessante! — Valentina sorriu, Sarah não parecia ser fã de rock, mas ninguém era perfeito. Poderia ser algo bem legal mesmo. Continuaram andando pelo corredor, vendo todo tipo de gente correndo para todos os lados. — Qual instrumento você toca? Piano? Você tem cara de pianista...

— Violino! — Sarah respondeu com os olhos brilhando. Valentina sorriu, contando as muitas bandas de rock que usavam violino em suas músicas e como adorava o som. Parecia distraída e não reparou quando bateu com a mão em alguém que estava parado no corredor.

— Desculpe, eu... — ela começou a dizer quando viu que estava diante do garoto mais bonito que já tinha visto na vida. E, sem clichê, era o mesmo da noite anterior. Só que agora estava com um colete, por cima da camisa social e uma calça jeans escura e justa. Os cabelos eram pretos e tão macios que ela teve vontade de passar a mão neles de novo, e se viu sorrindo, um pouco abobada. Levantou a mão em um cumprimento inseguro, antes de reparar que ele estava ao lado dos babacas da aula de História da Música I. — Ah, olá. Você ainda está vivo — disse.

— Você acabou de me bater? — o garoto perguntou, sarcástico. Sarah, ao lado de Valentina, parecia apavorada e envergonhada. A menina não entendeu a razão, fora o motivo óbvio da beleza estonteante dele.

— Eu não saio batendo nas pessoas de propósito. A não ser que elas mereçam — Valentina respondeu, cruzando os braços, sem saber para onde aquela conversa estava sendo direcionada.

O garoto tentava manter o rosto sério, sem expressão, mas estava falhando miseravelmente nos dois. Os olhos iam dos cabelos de Valentina até a bota velha e encardida, enquanto sua mente funcionava o mais rápido que podia. Ele a conhecia? Ah, que desgraça. Não, não, não, não...

— Você! — Ele apontou para Sarah. Não podia olhar diretamente para a menina sujona que estava na sua frente. Seu coração parecia que sairia pela boca com o medo que estava sentindo. Não sabia o quanto a garota tinha visto na noite anterior, mas estava tentando se lembrar. Sarah, vendo o dedo de Kim apontado quase diretamente para seu rosto, arregalou os olhos e mexeu a cabeça, como se esperasse uma ordem. — Como é o seu nome?

— Sa-Sa-Sarah. — ela disse, vacilante. Valentina, ao seu lado, não estava entendendo nada. Alguns alunos andavam mais devagar em volta deles, como se quisessem ouvir o que estava acontecendo.

— Que tipo de nome é esse? — Kim perguntou, franzindo a testa de um jeito insuportável. Marcus, ao seu lado, fez um barulho esquisito com a boca, como se concordasse com o amigo. Valentina só conseguia pensar que eles pareciam muito idiotas. — Qualquer que seja, Sa-Sa-Sarah, você está proibida de andar com gente da ralé dessa novata.

Sarah mudava o olhar de Kim para Valentina, sem saber o que responder. Valentina processava o que tinha ouvido. Como assim, aquele cara estava dando ordens para alguém não falar com ela?! Virou a cabeça de lado, ainda de braços cruzados, percebendo que o tal garoto da noite anterior não olhava diretamente para ela. Era isso, então? Ele tinha algum tipo de reputação a zelar? Deu um sorriso malicioso, causando ainda mais confusão no rosto de Sarah.

— Quem é você pra dizer que... — Valentina começou a falar, quando o garoto e os dois amigos simplesmente se viraram e saíram andando. Ela ficou muda, com a boca aberta, por alguns segundos, até a consciência retornar e ela encarar Sarah de um jeito irritado. — O que acabou de acontecer aqui?

— Ah droga... — Sarah tirou os óculos com as mãos meio trêmulas e limpou as lentes na camiseta. — Ele se chama Kim, é o melhor pianista que o conservatório já teve e, bom... a mãe dele é a diretora da Margareth Vilela. E ele é muito lindo! Uau! Ele falou comigo!

— Kim? — Valentina repetiu, incrédula, observando ele e os amigos sumirem no final do corredor. Ele era o Kim, o famoso pianista que fez os garotos hiperventilarem na aula de abertura? — KIM? — gritou. Viu que o menino, mesmo de longe, titubeou, parando e quase olhando para trás. Mas desistiu e continuou seu caminho, sumindo ao dobrar o corredor. Ele deveria estar realmente com muito medo dela. Valentina sorriu e olhou para Sarah, que ainda parecia confusa, tentando se decidir se saía de perto dela ou não. — Pode ir, a gente se fala depois!

Mas, primeiro, ela pensou, enquanto via Sarah descer a escada na direção contrária à sua, precisava ir até a secretaria finalizar a matrícula e fechar seu horário de aulas. Depois cuidaria de Kim. Ele que a aguardasse.

4

FAKE PLASTIC TREES

(RADIOHEAD)

Na secretaria, Valentina acabou descobrindo que algumas matérias eram obrigatórias no primeiro semestre, pois eram pré-requisitos para outras mais à frente. Além de História da Música I, Canto, Violão, Composição e outras matérias teóricas com nomes chatos, precisou se matricular em um instrumento clássico. Isso a pegou de surpresa. Ela não sabia dessa exigência, afinal, só queria estudar seu instrumento favorito: violão. Passou uns bons quinze minutos pensando em qual seria mais fácil, e acabou por escolher piano. Afinal de contas, sabia tocar *Für Elise* e a famosa música do comercial de iogurte. Não seria difícil aprender todo o resto, né? Conhecia as notas musicais, apesar de não ler partituras muito bem, já que tudo o que sabia tinha aprendido pela internet. Era só uma questão de um pouco de esforço e passaria na matéria, seguindo seu plano de se tornar a melhor guitarrista daquele lugar. Mas qual era a obsessão dessa escola por instrumentos clássicos?

Também não entendia a fissura de todo mundo pelo tal Kim. Fora, obviamente, o fato de que ele era muito lindo, como um astro de K-Pop. Depois de andar com calma pelos corredores, ela pôde ver que realmente devia ser a única pessoa ali dentro que não sabia quem ele era. A cara do garoto estava estampada em diversos pôsteres e propagandas sobre a excelência da Academia Margareth Vilela; ela, inclusive, tinha visto algumas fotos dele grudadas nos murais de avisos com recados, corações e telefones de pessoas interessadas. Que doideira!

Verificando no mapa, seguiu alguns alunos até o refeitório do prédio anexo. O edifício era o menor do campus e seguia o padrão de azul royal com mármore branco. Era ali também que ficavam os escritórios dos professores e funcionários, a biblioteca, a cafeteria e o centro de informática. O lugar estava gélido, provavelmente com o ar condicionado no máximo. Valentina tremeu de leve, xingando mentalmente por ter esquecido o casaco militar no quarto.

Encaminhou-se para a fila do self-service escutando os alunos na sua frente conversarem sobre grades de aulas. Valentina também queria discutir com alguém sobre suas matérias e sentiu falta da melhor amiga. Se estivesse ali, Érica iria surtar com o ar esnobe e metido do pessoal do conservatório. Sorriu, pensando em ligar para a amiga durante o almoço e contar tudo o que tinha acontecido. Ainda estava irritada com a audácia do mauricinho de tentar proibir alguém de falar com ela. Afinal, ainda estavam no ensino médio? Era ridículo.

O refeitório estava lotado, e, embora a maioria fosse de jovens cheios de energia, o ambiente era silencioso. No máximo, alguns sussurros. Era como se todo mundo fosse tão importante e educado que não era permitido descontrair. Parecia uma comunidade de idosos em um retiro religioso. Qual o problema dessa gente? E a guerra de comida?

Comprou o almoço no bufê principal e se sentou na única mesa vazia, próxima à porta de saída. Tudo o que consumia era magicamente descontado no cartão do quarto, e isso era incrível, embora ela e a mãe tivessem decidido que as despesas de alimentação e qualquer outra coisa que não fosse a mensalidade seriam pagas por elas mesmas. Na verdade, a mãe tinha exigido isso. Quanto menos dependessem do cretino do pai de Valentina, melhor a vida seria. Pegou o celular para ligar para Érica quando viu uma mensagem da mãe perguntando se ela estava se alimentando direito. Valentina sorriu tirando foto do seu prato com uma mistura suntuosa de macarrão com brócolis.

> *Tim Souza:* Neste momento, estou almoçando esse delicioso caviar na companhia do meu novo namorado milionário. *12:25*

Enviou a mensagem com a imagem anexada. Sabia que a mãe riria da piada. Sabia também que estava sendo barra pesada para ela ver a filha sair de casa, ainda mais com a ajuda financeira do homem que a tinha abandonado há dez anos e que, até hoje, se recusava a admitir a culpa e cumprir seu papel de pai.

"Pai é quem cria, dá amor e compartilha os momentos da vida, sejam eles bons ou ruins. Não é só quem divide o DNA", sua mãe sempre dizia quando, no início da adolescência, Valentina perguntava sobre seu progenitor. Mesmo que nunca tivesse parado para conversar seriamente com a mãe sobre o sumiço do pai, sabia que ela ainda não havia superado. Vez ou outra ouvia sua mãe chorando baixinho trancada no quarto, ou chegando tão cansada do trabalho que parecia um zumbi. E Valentina respirava fundo e tentava ajudar o máximo possível, sendo a melhor filha que ela poderia ter. Mesmo sua mãe sempre tentando parecer forte demais para precisar de ajuda.

Quando ficou mais velha, Valentina começou a entender melhor o que era ter o coração partido. Começou a namorar e percebeu como era se apaixonar e se decepcionar com alguém que, na teoria, era em parte responsável por te fazer feliz; como promessas quebradas doíam, e que nem sempre as pessoas tinham as melhores das intenções.

Lembrou-se do primeiro namorado. Tinha sido no 1º ano do ensino médio; ele era um garoto estranho, cheio de espinhas, magrelo, alto e com um ótimo gosto musical. Mas, para Valentina, era lindo, uma reencarnação do Sid Vicious! Hoje, tinha noção de que o garoto só falava bobagens e fazia besteiras, mas na época ela não conseguia ver nada disso. Sua mãe tinha sido contra desde o começo, dizia que ele não parecia alguém que poderia fazer sua filha feliz, e Valentina obviamente ignorou esse conselho, porque é exatamente isso que adolescentes fazem. Acham que sabem de tudo! E, bom, meses depois, o garoto ficou com outra em uma festa e, mesmo que todo mundo tentasse fazer com que Valentina ficasse contra a tal menina, ela ficou foi de coração partido. Terminou o namoro, claro, e acabou ficando amiga da tal garota. Ele também tinha mentido para ela, e Valentina tinha aprendido com a mãe, desde cedo, que garotas não eram inimigas, e que a culpa era sempre de quem estava errado. Ou seja, nesse caso, do namorado. E foi muito difícil confiar em alguém de novo. Na verdade, ainda era.

Respirou fundo, desanimada, e encarou o prato de comida. Precisava se alimentar bem para se manter o mais saudável possível. Queria deixar a mãe orgulhosa. Abriu o aplicativo de músicas no celular e plugou os fones de ouvido. Fechou os olhos quando o riff de guitarra começou e o rosto de Kim se formou em sua mente. Era surreal como, em menos de 24 horas, eles haviam se encontrado tantas vezes e em situações dramáticas dignas de novela mexicana. Achava que essas intrigas de colégio só aconteciam nos filmes e dramas coreanos que assistia! Então as pessoas ali realmente tinham medo do tal Kim? Lembrou-se de como Sarah ficou nervosa perto dele. Era por ser tão bonito? Por ser o melhor pianista do conservatório? As pessoas ficavam felizes só de ele falar com elas! Realmente surreal.

— Exte cadeirar extá ocupado? — alguém perguntou com sotaque arrastado, interrompendo seus pensamentos. Valentina tomou um susto e tentou sorrir para disfarçar, sabendo que sua expressão provavelmente parecia a de um serial killer carente em ação. O garoto de pele muito branca e cabelos muito loiros, como se fosse um líder viking, continuou encarando, esperando por uma resposta. Ele devia ser um estudante estrangeiro, e segurava uma bandeja e vários livros apoiados nos braços. Valentina concordou, rapidamente, observando-o sentar-se próximo a ela e ignorar sua existência segundos depois. Se a garota queria puxar papo para fazer amizade, agora sabia que não ia acontecer.

Pegou o celular novamente e viu que Érica estava online. Enviou um resumo do seu dia e aguardou ansiosa pela resposta da amiga.

> *Érica Sanchez:* Será que esse garoto é uma celebridade? De revista adolescente? Disney Channel?
> *12:34*

Valentina riu com a mensagem. Com certeza a amiga iria imaginá-la vivendo um grande roteiro de drama japonês. Érica era obcecada por cultura asiática, tinha até uma tatuagem com o símbolo de seu grupo de K-Pop favorito, o Big Bang. E, apesar de Valentina já ter lido alguns mangás e assistido a dramas coreanos, era o máximo que ela conhecia desse universo.

> *Tim Souza:* Estou oficialmente impressionada de você saber o que é Disney Channel. Tem versão japonesa ou tailandesa?
> *12:34*

> *Érica Sanchez:* Se tivesse seria MUITO mais divertido, não me teste! QUERO FOTOS DO DEUS ASIÁTICO, OBG.
> *12:35*

Valentina revirou os olhos. Era típico de Érica só registrar que ela tinha dito que o garoto era bonito. Nunca que iria tirar uma foto dele escondida! Era só o que faltava pagar de fã agora.

Uma parte do salão parecia mais cheia do que o resto, e isso chamou sua atenção. Reparou que na mesa central estavam Kim e os Bostinhas. Decidiu que esse seria o nome da banda fictícia que tinha criado em sua cabeça, formada por aqueles mauricinhos tocando triângulo, reco-reco e pandeiro. Eles realmente pareciam celebridades. Era ridículo como tanto garotas quanto garotos passavam por perto sorrindo, jogando o cabelo e tentando aparecer e, pelo visto, Kim, sentado no meio com seu porte de realeza, ignorava a todos, sem distinção.

Valentina queria sentir raiva daquele garoto, mas algo em seu semblante a atraía. Observou o perfil dele por alguns segundos. Era perfeito. O nariz reto, a bochecha retangular, o maxilar rígido. Os olhos pequenos estavam mais estreitos, e ele parecia entediado. Não, mais do que isso. Ele parecia perdido.

Marcus não parava de falar sobre o último campeonato europeu de futebol, como se fosse a coisa mais importante do planeta. O garoto estava indignado porque sua mãe o tinha proibido de viajar para assistir aos jogos, só porque não podia perder o início do semestre no conservatório. Júlio concordava que era ridículo o amigo não poder ir. Eles tinham 21 anos, já eram donos de suas próprias vidas, certo? Kim não escutava uma palavra do que os dois diziam. Não tinha paciência para essas crises de filho mimado. Sua mente estava confusa, e ele tentava organizar os pensamentos. Além do mais, não fazia ideia de por que eram amigos. Na maioria das vezes, parecia ser apenas conveniência e fingimento. Simplesmente era assim desde que os três eram crianças. Estudaram no mesmo colégio, suas famílias faziam parte do mesmo círculo social e compartilhavam o mesmo destino: fazer parte das melhores orquestras do mundo. E para ele era mais fácil assim. A ideia de passar tempo perto de Marcus e Júlio era mais tolerável do que passar perto de qualquer pessoa. Todo mundo era insuportável.

Sua cabeça funcionava de forma meio lenta. Nunca pôde se gabar dessa sua condição, embora poucas pessoas notassem algo diferente em seu raciocínio demorado. Mas o que faltava em sagacidade era compensado em talento como pianista e boa aparência. Aliás, se fosse esperto o suficiente, teria conseguido se livrar de ter que comer no refeitório com todos os outros estudantes. Sua mãe fazia questão de frisar a importância de ele participar da vida coletiva do conservatório como qualquer outro aluno, e isso incluía refeitório, campos de treinos, salas de aula e dormitório. O que era uma péssima ideia quando ele acabava encontrando alguém que não queria. Principalmente, quando esse alguém via algo que não deveria ver. Kim passou as mãos nos cabelos, com raiva. Sentia o olhar das pessoas sobre ele. Muitos estavam curiosos com sua presença. No seu primeiro ano, não tinha aparecido no refeitório nenhuma vez e, agora, estava ali, diante de todo mundo, como o centro das atenções e fofocas.

Não devia ter bebido na noite passada, simples assim. Ele sempre se arrependia depois de uma mancada e, agora, remoía o problema que tinha criado. *Aquela garota*. Como não a reconheceu quando ela entrou na sala de aula? Não era como se fosse normal ser estranha daquele jeito ou como se muitas pessoas se vestissem daquela forma desleixada e suja pela Academia. Não que ele conhecesse ou se importasse com as pessoas que frequentavam o conservatório. Maldito cérebro lento. Tinha passado a noite sonhando com um rosto que mal conseguia se lembrar no dia seguinte. E preferia realmente não ter se lembrado de nada, assim poderia simplesmente ignorar e fingir que nada tinha acontecido.

Não que isso fosse difícil. Ignorar e fingir eram suas especialidades.

Valentina tinha o próximo horário vago, pois não havia se inscrito em Percussão ou Harmonia e Contraponto. Não tinha interesse em estudar mais a fundo essas matérias e iria morrer de tédio. Resolveu, então, usar esse tempo para conhecer melhor o campus e tentar decorar pelo menos o caminho do dormitório para as salas de aula. Só esperava não esbarrar com Kim novamente. Se tinha algo que a irritava profundamente era essa moral sem sentido que pessoas populares tinham. Não é como se a vida fosse igual ao filme *Meninas Malvadas*. Ele tinha uma reputação a zelar? Problema dele. Valentina não tinha nada a ver com isso e não precisava estar envolvida de forma alguma nesse drama. Agora, será que nem amigos poderia fazer porque o garoto estava com medo dela? Ele achava o quê? Que ela ia sair espalhando pelo conservatório inteiro que ele parecia uma criança quando bebia e que até vomitando era extremamente bonito? Que tipo de gente se preocupa com essas fofocas? Ele devia ser seriamente perturbado. Ou ter muito a perder.

Saindo do refeitório, a garota olhou para trás instintivamente, no mesmo momento em que Kim levantou a cabeça. Os dois se encararam, e ela notou que o rosto dele não parecia nada com o da noite anterior. Além de confuso, ele estava desconfortável. Nada agressivo, nada infantil ou mimado. Seu olhar era conflituoso, como se estivesse travando uma guerra mental. Ela sustentou o olhar. Não queria nem piscar. Queria mostrar para ele que não tinha medo e que precisava de muito mais para ficar impressionada. E era bom ele nem tentar, porque Valentina estava ali para estudar e se tornar uma grande musicista, não para brincar de gato e rato com alguém tão tentadoramente bonito.

Os olhares foram interrompidos quando o celular de Valentina vibrou, indicando uma nova mensagem de Érica. A garota voltou a encarar o cronograma de aulas e, pegando o celular e seu headphone da bolsa surrada, atravessou a porta do refeitório, seguindo vários alunos. Não olhou para trás, mas sentia que estava sendo observada. *Que se dane, Kim, olhe o quanto quiser.*

Sentada num banco de madeira, Valentina aproveitava o sol fraco do início da tarde e tentava absorver tudo ao seu redor. Estava em um dos muitos jardins do campus, perto do caminho de pedras que levava aos dormitórios. Em sua breve caminhada, tinha visto dezenas de estudantes praticando sozinhos ou em grupos. As pessoas pareciam talentosas demais, concentradas demais. Eram músicos, dançarinos, artistas completos. Ela não pôde evitar de reparar que o movimento de cada um ali entoava um ritmo. Como se o conservatório fosse uma grande orquestra e cada aluno, um instrumento. Tudo se encaixava perfeitamente. Era poético. E um pouco assustador.

Avistou cinco garotas sentadas debaixo de uma árvore enorme. Elas faziam aquecimento vocal, e a harmonia era maravilhosa. Um pouco distante delas, sentados em outro banco, dois rapazes cantavam um tipo de ópera. Valentina não entendia que idioma era aquele, mas sentia a emoção em suas vozes. Provavelmente era alguma obra romântica italiana. Perto de onde estava, um casal treinava flauta, e a melodia suave tomou conta do lugar. Todos eram extremamente talentosos e brilhantes. Cantavam, se corrigiam e faziam anotações em cadernos e tablets.

A atmosfera do conservatório era impressionante, de uma forma que a garota não tinha imaginado quando resolveu se inscrever. Valentina não tinha noção da grandeza daquilo, parecia um universo paralelo. Ela sabia que amava música mais do que tudo, mas não havia sido criada em um mundo cheio de classe, instrumentos e partituras. Tudo o que conhecia era devido a sua curiosidade e ao seu ouvido absoluto. Ser aceita na Academia Margareth Vilela era diferente de realmente ser uma artista. Naquele momento, um ponto solitário no mundo gigante que era o conservatório começou a roer as unhas se sentindo inseguro. E se ela não fosse boa o bastante?

Com os cabelos loiros bagunçados pelo vento, pegou um caderno de dentro da bolsa. Quem sabe esse sentimento todo não viraria música? Nos fones de ouvido grandes e vermelhos, Radiohead tocava no volume máximo. Ela estava de pernas cruzadas, fazendo o coturno bater em seu joelho no ritmo lento da música. Fechou os olhos por um instante e se sentiu em casa. Não no velho e apertado apartamento onde sua mãe estava e tudo era difícil e complicado. Mas sim no único lugar em que ela podia ser quem quisesse: na sua mente. Era melancólico, ela sabia. A música que ouvia estava certa sobre a vida naquele lugar: parecia de plástico. *Primeiro dia de aula, um sucesso!* Pensou, irônica.

She looks like the real thing,
she tastes like the real thing,
my fake plastic love

(Ela parece ser real, ela tem sabor de real,
meu amor artificial de plástico)

♫

Kim desistiu de falar com a mãe depois de tentar pela décima vez naquele dia. Ela não atendia o telefone e só retornava quando podia, o que era quase nunca. Frustrado, coçou a cabeça, soltando um palavrão, e parou no caminho entre os jardins que separavam os prédios do conservatório. Respirou fundo, olhando para cima, deixando o sol bater no rosto por alguns instantes. Era cansativo pedir atenção, mas era pior ainda ver que nada que fazia dava resultado. Talvez se ele deixasse de frequentar as aulas de novo, quem sabe?

Guardou o celular no bolso e deu meia volta em direção ao dormitório, planejando cabular as aulas da parte da tarde e aproveitar para dormir um pouco. Se surpreendeu ao avistar a garota roqueira sentada em um banco no jardim, com os olhos fechados, usando um headphone maior do que ela. O sol batia diretamente na garota, passando entre as árvores em volta. Kim não sabia se estava mesmo irritado por vê-la ali de repente, mas sentiu a adrenalina correr nas veias e uma vontade incomum de gritar e chutar alguma coisa. O semblante dela era pacífico e em harmonia com a natureza do lugar, por mais difícil que isso parecesse. Os cabelos compridos e loiros balançavam com o vento, deixando a cena ainda mais etérea e melancólica.

Imediatamente, sua mente se agitou. Bufando e xingando, Kim puxou o celular de volta e começou a anotar algumas notas musicais e sons que vinham à cabeça como uma avalanche. Ele sabia que nesses momentos precisava colocar em ordem a sinfonia que se formava antes que seu cérebro explodisse. Tudo era inspiração, até a garota irritante que ele não sabia de onde tinha saído.

5

NO FEELINGS

(SEX PISTOLS)

A aula de Psicologia da Música parecia promissora. Valentina nem sentiu o tempo passar e ficou maravilhada em como a música pode influenciar diversos comportamentos humanos, e até animais. Não imaginava que fosse se interessar pela parte teórica e estava muito curiosa com o que iria aprender dali para a frente. Decidiu voltar para o dormitório e começar a pesquisa para o trabalho sobre a importância da melodia em rituais indígenas (o que parecia muito maneiro!) que a professora tinha pedido.

Já estava no fim do primeiro dia de aula, e os corredores estavam lotados de alunos saindo e entrando das salas. Sabia que muita gente ali estava em semestres avançados, e isso significava que tinham escolhido instrumentos e, talvez, uma carreira para a vida. Valentina só sabia que queria tocar guitarra e fazer arte. Até pouco tempo atrás seu objetivo de vida era não atrapalhar mais a mãe e conseguir um emprego no mercado local, com um salário de verdade. Agora, tinha um corredor enorme à sua frente e, embora o objetivo no momento fosse encontrar um banheiro, ela pensava sobre como as coisas tinham mudado em apenas uma semana. Como a vida muda rápido e como tudo é inconstante.

Encontrou um grupo vestido com um figurino que supôs ser de alguma dança, embora fosse bem próximo ao que três meninas estavam usando mais cedo quando disseram, nas escadas, que iam jogar tênis. Valentina ficou confusa. Notou os bailarinos conversando e usando o espaço do corredor para se aquecer e se alongar. Era interessante, na verdade. Eles pareciam em sintonia e nem um pouco desconfortáveis por estarem à vista de quem passava por ali. Enquanto caminhava, ouviu os dançarinos conversando entre si. Não quis ser xereta, mas parecia algo que deveria ouvir.

— A Milena não voltou esse semestre. O Rubens e o Carlos também não. Isso é totalmente perturbador, Luís! — uma das garotas falou, choramingando, enquanto puxava a perna por cima da cabeça. Ela deveria choramingar é por essa elasticidade: Valentina não podia nem se imaginar fazendo isso um dia.

— Não é exatamente novidade. Vocês são novas por aqui, mas vão ver que requer muito mais do que vontade pra continuar na Academia Margareth Vilela. Ou em qualquer lugar importante no mundo! — disse o rapaz em frente à garota, de forma superior e direta. — É de praxe, só fica aqui quem é corajoso e tem dinheiro de verdade, talento e um caminho certo na vida. Querer ficar aqui apenas por brincadeira vai te levar pro fundo do poço! E pra rua.

Valentina continuou andando, pensativa. Ela não tinha metade do que o garoto disse ser necessário, o que iria fazer? Mas sabia que precisava tentar e não deixar a ansiedade tomar conta.

Entrou na Casa Branca com o álbum dos Sex Pistols a toda altura nos fones de ouvido. Com o volume alto da música, deixava de notar as pessoas e o que elas comentavam e, talvez, fosse o que estava precisando. Sempre tinha gostado de se isolar um pouco, achava que era algo totalmente positivo e necessário. Saiu do elevador no seu andar, respirando fundo, revirando os olhos e tirando a chave do quarto do bolso na hora em que percebeu uma comoção vinda do corredor. Não desligou a música, então compreendeu somente alguns barulhos em meio à gritaria do Johnny Rotten na sua cabeça.

Olhando bem, reparou que algumas pessoas andavam apressadas, outras abriam as portas dos dormitórios e espiavam. Por alguns segundos, Valentina pensou que Justin Bieber estivesse passando por ali, até perceber que era só o tal do Kim. Por Deus, o que esse garoto fazia para deixar as pessoas assim, fora o fato de ser o pianista mais bonito do lugar e ter os cabelos sedosos e... não! Valentina balançou a cabeça.

**I got no emotions for anybody else
you better understand,
I'm in love with myself, myself,
my beautiful self**

*(Eu não tenho sentimentos por mais ninguém, é melhor você entender,
eu estou apaixonado por mim mesmo, por mim, o meu lindo eu)*

A banda punk gritava em seus ouvidos. A garota soltou uma risada ao perceber a ironia de que a música parecia estar sendo cantada por Kim enquanto caminhava elegantemente entre as pessoas, ignorando todo mundo. Não achava que tinha rido tão alto até perceber os outros encarando-a, incrédulos, e Kim parado no meio do corredor fuzilando-a com o olhar.

O garoto tinha saído da prática de piano totalmente entediado. Tinha ignorado as últimas ligações de Marcus e Júlio, pois estava sem saco para lidar com eles e fingir que estava tudo bem. Como as pessoas conseguiam fazer isso o tempo todo? Era muito mais fácil ficar sozinho do que ter que lidar com as porcarias das outras pessoas. Ele, sinceramente, não era obrigado. Não a isso.

Decidiu voltar para o quarto e tomar um remédio. Ainda estava com dor de cabeça pela noite passada, e sabia que era por ter bebido mais do que poderia enquanto estava em tratamento. Não que soubesse quando o tratamento terminaria. Então não era como se fosse ficar esperando a vida toda para ser normal e deixar de beber para conseguir dormir. Era o único jeito, já que sua cabeça entrava em um turbilhão de imagens desconexas e ele não conseguia desligá-la sóbrio. O problema é que tinha que fazer isso no restaurante dos professores, depois do toque de recolher dos alunos, porque nem a mãe e nem ninguém deveria saber sobre seus problemas. Ninguém tinha nada a ver com isso. E ele sabia exatamente os horários em que os lugares ficavam vazios.

Estava perdido em pensamentos, caminhando pelo corredor e encarando os sapatos lustrados quando ouviu uma risada alta. Não uma risada qualquer, de conversa entre amigos. Não sabia se era exatamente com ele, mas ao se virar e dar de cara com a garota esquisita da noite passada, sua cabeça ficou confusa. Ela parecia um pouco assustada, e ele franziu a testa, genuinamente consternado. Por que ela o estava perseguindo? A humilhação da noite anterior não tinha sido o suficiente, ela precisava ficar jogando isso na cara dele o tempo todo?

— Está com algum problema? — perguntou, vendo a menina ficar imóvel. Ela piscou os olhos algumas vezes, batendo os cílios compridos e cheios de rímel quase que em câmera lenta. Kim franziu mais a testa. A garota, então, tirou os fones de ouvido e fez uma careta.

— Como é? Você falou comigo? Não consegui te escutar por cima da música incrível que estava ouvindo.

Kim suspirou, exausto. Estava começando a ficar irritado, mas não podia deixar de pensar na garota e em como só queria mantê-la afastada. Ele estava em desvantagem, já que ela conhecia seu segredo. Ninguém sabia que ele misturava álcool com medicamentos. Ninguém sabia como muitas vezes era doloroso ter um cérebro como o dele. Caminhou na direção de Valentina, lentamente. Chegou bem próximo a ela, fazendo com que a garota recuasse até encostar na porta do quarto e não ter mais para onde fugir.

Seu primeiro pensamento foi que ali era o dormitório dela e que ele deveria evitar o lugar sempre que pudesse, embora não fosse fácil, pois ficava na saída do único elevador do andar e ele se recusava a usar as escadas. O próximo pensamento foi que a menina tinha um cheiro doce que o lembrava da peça de Schumann, "Träumerei". Kim conseguia ouvir cada nota e sentir toda a emoção daquela música. Era sua favorita. Sem conseguir se conter, o coração bateu mais forte e ele teve vontade de sair correndo. O que estava acontecendo ali?

Valentina encarou Kim de perto sem saber o que fazer. Sentiu a respiração quente dele em seu rosto, e seu estômago deu um pulo. O que ele estava fazendo? Por alguns segundos, enquanto caminhava em sua direção, achou que o garoto fosse gritar ou fazer uma piada. Mas ele só ficou parado, com o corpo bem próximo ao dela. Se estava tentando intimidá-la, naquele momento, estava conseguindo. As pessoas em volta acompanhavam a cena em transe, e ela conseguia imaginar vários cenários em que ele a humilhava de diversas formas, mas nenhum em que ela reagia. Valentina estava paralisada pela beleza dele. Kim estava tão perto que ela podia notar cada parte do seu rosto. Seus lábios finos pareciam tão macios... e *concentre-se!*, pensou. O que quer que ele fizesse, teria troco.

Kim continuava a ouvir mentalmente a melodia de Schumann e, de repente, da peça para piano começou a ouvir uma orquestra inteira. Sentiu a combinação de cada nota, cada instrumento, cada pausa. Era incrível. Sua cabeça normalmente funcionava devagar, mas isso só significava que ele podia manter os pensamentos que queria por mais tempo. Nesses casos, quando envolvia a magia da música, não era algo ruim. Queria fechar os olhos e continuar ouvindo a peça inteira, se teletransportar para aquele mundo só seu. Mas não podia se mostrar tão vulnerável, principalmente perto daquela garota estranha. Ele soltou um longo suspiro, deu alguns passos para trás e voltou a caminhar em direção ao seu quarto. Estava extasiado pela sinfonia que conseguia ouvir tão alta e perfeitamente, que era como se estivesse sendo tocada nos alto-falantes por todo o prédio. Kim mal conseguia perceber a própria respiração. Naquele momento, não existia mais ninguém à sua volta. Nada era importante.

♫

Valentina não conseguiu dormir direito, estava ansiosa com tudo o que tinha acontecido. E ansiedade era algo que acabava com suas unhas e com seu sono; por isso, levantou-se minutos antes do despertador tocar. Ainda não acreditava no que tinha acontecido no corredor na noite passada. Lembrou que tinha demorado alguns segundos para notar que Kim tinha virado as costas e ido embora, deixando-a lá, com cara de idiota, sem entender nada. Os alunos que observavam a cena não paravam de encará-la e, por isso, ela correu para se trancar em seu quarto. Não queria ter que falar com mais ninguém e ficou grata ao ver que a porta do quarto de sua misteriosa companheira estava fechada, como sempre.

Tentou se acalmar treinando em sua guitarra, sua velha melhor amiga. Não entendia bem o que estava sentindo. Normalmente, nada a intimidava tanto assim. Tinha passado por mudanças demais em poucos dias, mas sabia que iria se ajustar. Precisava acreditar nisso. Porém, ficava difícil quando o pianista resolvia aparecer em seu caminho toda hora.

Decidiu tomar um banho rápido para despertar de vez. Eram 8 horas da manhã, praticamente um insulto à sua vida de rock'n'roll. Acordar cedo estava entre as piores coisas do mundo para ela, junto com o machismo, o café com leite e esportes; mas ali, no conservatório, ela precisava seguir as regras e os horários das aulas. E uma delas começaria em breve, dando tempo apenas de passar na cafeteria do dormitório para não correr pelo campus de barriga vazia. Valentina saiu do banheiro já enfiando uma calça jeans justa e surrada, o coturno de guerra e uma camiseta preta da banda 30 Seconds to Mars. Estava pronta.

Seguiu pelo corredor sentindo o corpo pesado por causa do cansaço. Enquanto esperava o elevador, puxou o papel com os horários das aulas do bolso da calça, junto com o mapa do conservatório arrancado de dentro do caderno de instruções. Teria que ir ao prédio de aulas para Teoria e Percepção Musical.

Estava animada, teoria não era o seu forte, principalmente ler partituras. Nunca tinha feito aula de música, sua mãe não tinha dinheiro para isso, então tudo o que sabia devia ao maravilhoso mundo da internet. Finalmente, havia algo que ela poderia aprender e que a ajudaria a realizar seu sonho.

Entrou no elevador, ainda olhando para o papel, sentindo que alguém entrava logo depois dela, como um vulto. Quando levantou o rosto para apertar o botão do térreo, deu de cara com Kim usando óculos escuros, camisa social e uma calça jeans que provavelmente caberia nela também. Ele não tinha noção de moda? Isso estava começando a parecer perseguição pessoal. Ela iria mesmo esbarrar com o garoto o tempo todo? Se Kim viu que ela estava ali, fingiu muito bem, pois permaneceu parado na mesma posição. Valentina ficou incomodada. Não sabia se era educada, se falava alguma grosseria ou se simplesmente ignorava o fato de que ele estava ali e dividia oxigênio com ela. Será que colocava o pé para ele tropeçar? Quando pensou em dizer algo, a porta se abriu e Kim saiu caminhando normalmente, como se tivesse limpado o pé em um capacho e deixado a sujeira para trás. Valentina fechou os olhos, se achando muito idiota por ainda pensar em falar com ele! Ainda não eram nem 9 horas da manhã, por que o universo conspirava contra ela assim tão cedo?

Caminhou até a cafeteria, que ficava no prédio anexo, batendo o coturno no piso de mármore para se livrar um pouco da raiva. Procurou o cartão do dormitório na bolsa e parou na pequena fila de alunos sonolentos que tinha se formado na frente do caixa. Enquanto checava o horário pelo celular, percebeu quando um garoto, o primeiro da fila, deu o lugar para alguém passar na sua frente. Valentina ficou na ponta dos pés para ver quem era e, claro, não se surpreendeu ao avistar Kim se adiantando e fazendo o pedido sem nem pedir licença para quem já estava na fila. A raiva da situação foi maior do que o bom senso.

— Larga de ser otário, cara! Por que está dando a vez pra ele? — reclamou, cutucando o garoto na sua frente. Viu que algumas pessoas arregalaram os olhos e que o menino ficou branco de repente, fazendo sinal para que ela ficasse quieta. — Vocês são todos iguais! É por isso que esse aí é metido assim...

Enquanto Valentina resmungava e recebia olhares curiosos das pessoas, Kim pegou o café calmamente e o bebericou logo em frente a ela. Por um momento, Valentina achou que ele fosse virar o copo em cima dela ou fazer algo saído de um filme adolescente, mas não: o garoto apenas sorriu, irônico, e continuou andando para fora do prédio, como se estivesse muito entediado para sequer responder às provocações. "Me veja sendo incrível", ele parecia dizer enquanto caminhava.

Valentina ficou decepcionada, estava esperando por uma reação, uma desculpa para descarregar o nervosismo. Na sua vez, pegou um café e andou o mais rápido que pôde até a ligação entre os prédios. Atrapalhada, segurando a bolsa, os papéis de aula e o copo, notou que Kim estava parado no meio do caminho, diretamente embaixo de um facho de luz do sol. Valentina parou também, um pouco atrás dele.

Ao longe, podia ouvir o som de um violino e o barulho de passos apressados indo em todas as direções. Respirou fundo e voltou a andar, olhando para a frente, pronta para encarar o garoto caso ele fizesse alguma gracinha.

— Você tá me seguindo? — Kim perguntou baixinho assim que a garota passou por trás dele, se esforçando para não chegar muito perto. Ela parou por alguns segundos, confusa, mas decidiu continuar andando. — É melhor isso parar por aqui.

Valentina bufou, preparada para responder, mas viu que algumas pessoas tinham parado por perto e observavam os dois. Ele queria armar um show, era isso? Para poder humilhá-la o quanto quisesse? Ele não sabia com quem estava mexendo! Ia começar a falar alguns palavrões, mas Kim voltou a caminhar para o prédio de aulas parecendo entediado, deixando a garota parada no meio do jardim com pensamentos homicidas, como estava se tornando costume. Era essa a forma que ele tinha para irritar as pessoas? Deu um grito abafado, batendo os pés e torcendo para que não tivesse a próxima aula com ele. Não queria ser expulsa do conservatório na primeira semana.

♩

A aula de Teoria e Percepção Musical acontecia numa sala enorme com várias mesas compridas, computadores e teclados midi. Valentina entrou devagar, com outros alunos, e escolheu um dos lugares vagos no fundo da sala, percebendo com alívio que Kim não estava lá.

Como era a primeira aula nos computadores da escola, foi aconselhada a criar seu próprio login no sistema, e ela perdeu os longos minutos antes de o professor chegar tentando entender como fazer aquilo. Nunca tinha visto um computador tão grande e moderno antes.

— Para começar a explicação, quero que me digam agora, em voz alta, quais são as sete notas musicais — o professor já entrou na sala falando, assustando duas garotas que estavam sentadas logo na frente. Alguns alunos pareciam perdidos e se entreolhavam, enquanto outros começaram a falar, fora de sintonia, as notas dó, ré, mi, fá, sol, lá e si. Valentina tentou acompanhar, mas só conseguiu dizer o si junto com a turma. O professor parecia ter mais de 50 anos, porque faltavam cabelos no topo da cabeça e sobrava grau nos óculos. Fez com que a turma repetisse as notas musicais algumas vezes, até que estivessem em uníssono, pedindo logo depois que ligassem o teclado e mostrassem na prática o que estavam falando.

Não foi a pior aula do mundo, já que Valentina sabia o básico sobre notas musicais. Mas tinha ficado com a impressão de que não seria sua aula favorita, porque depois de um tempo tentando acompanhar a turma com o teclado, tinha ficado completamente entediada. Enviou uma mensagem para Érica, mas sabia que a amiga provavelmente estava ajudando os pais na loja de calçados da família.

A próxima aula era de Composição e Letras e, felizmente, ficava no mesmo prédio. Seria horrível ter que atravessar os imensos jardins em menos de dez minutos para chegar a tempo. Enquanto seguia em direção às escadas para o 2º andar, trombou com Rodrigo, o professor de História da Música I.

— Desculpa, não estava prestando atenção! — Valentina disse, visivelmente preocupada. Esbarrar com alunos metidos era uma coisa, mas com um professor? Isso não era má sorte? Viu que Rodrigo riu sem graça, ajeitando a camisa social quadriculada.

— Está tudo bem, não se preocupe. Como foram seus primeiros dias de aula? Fez amigos?

— Ah sim, vários. — Valentina sorriu debochada, vendo o professor rir também. Ele parecia mais jovem que os outros funcionários do conservatório, ou talvez fossem as roupas descoladas que usava. — Tantas pessoas aqui querem falar comigo que sou quase uma celebridade!

— Imagino que seja difícil chegar em um lugar tão diferente quanto a Margareth Vilela. — Rodrigo colocou a mão no ombro dela. Valentina contraiu um pouco o braço, porque não esperava a aproximação repentina. — Mas você se acostuma. As pessoas aqui são legais, só precisam passar da fase da primeira impressão!

— Vocês têm alunos que não queiram se formar em música clássica ou ir daqui para Juilliard?

— Até existem alguns, mas normalmente eles desistem ou não se formam. Mas tenho esperança em você, não me decepcione! — Rodrigo fez sinal de positivo com as mãos e saiu, deixando Valentina pensativa no meio do corredor.

Então era como uma maldição da Margareth Vilela? Se você não quisesse ser discípulo de Bach ou John Williams, seus dias no conservatório estavam contados? Balançou a cabeça e apertou o passo: agora que não queria mesmo chegar atrasada a aula nenhuma.

6

MAKE ME WANNA DIE

(THE PRETTY RECKLESS)

O dia seguinte começou muito frio. O céu estava nublado, e parecia que ia chover a qualquer momento. Valentina custou para sair da cama, como normalmente acontecia em dias assim. Prendeu os cabelos de qualquer jeito e se arrumou lentamente, vestindo um moletom surrado e calça jeans.

Ainda sonolenta, saiu do prédio de dormitórios e viu que os jardins estavam vazios devido ao mau tempo. Atravessou o caminho de pedras a passos largos, praguejando contra o clima louco de fim de verão. O Rio de Janeiro podia ser conhecido como o estado do inferno, mas quando se tratava das cidades na serra, tudo era imprevisível.

De mau humor e sentindo as mãos congelarem, Valentina entrou na cafeteria. O local estava lotado, mal dava para caminhar sem esbarrar em alguém, e dezenas de estudantes conversavam animados e riam alto, totalmente alheios ao que uma manhã fria significava. Era o horror, o pior pesadelo, equiparado a um filme de Hitchcock com trilha sonora depressiva do Muse com a Lana Del Rey.

Desistiu de encarar a fila para conseguir um café, ela comeria uma barrinha de cereal que estava esquecida no fundo da bolsa. De jeito nenhum ficaria mais tempo ali com toda aquela agitação sem sentido. Deu meia-volta e seguiu para o prédio de aulas, enfrentando o vento gelado e cortante. Não ia fazer nenhum esforço para correr. Não queria fazer esforço nem para respirar. As aulas nem tinham começado e ela já estava tendo um dia horrível. Aliás, tinha até esquecido de passar maquiagem. Péssimo sinal.

A primeira aula do dia era a que Valentina mais temia desde a matrícula: Piano. Mesmo sem nunca ter visto o instrumento de perto na vida, não achava que seria ruim nessa matéria. O problema era que não queria exatamente entrar nos padrões de música clássica do conservatório. Mas, se aquilo era algo que ela tinha que fazer para passar de período e se formar, daria um jeito de se acostumar com a ideia. Se acostumar! Nunca abriria mão do rock'n'roll.

No caminho pelos corredores, tentando esquentar as mãos nos bolsos do jeans e sendo acompanhada pelo rosto de Kim nos pôsteres colados nos murais, Valentina tentava imaginar como seriam essas aulas. Era muito esperar que cada aluno tivesse um piano só seu para praticar? Ou, quem sabe, seria como nos filmes, centenas de pupilos em volta de um tutor tocando virtuosamente sem ligar se alguém entendia o que ele estava fazendo? Ou seria como em *Sociedade dos poetas mortos*, um professor incrível que os ensinaria a viver de música? "O Captain! My Captain!" Ela não fazia ideia, tudo ali era incrivelmente novo.

Pelo caminho, tentou lembrar onde cada nota musical ficava no teclado, até que chegou à porta da sala indicada em sua folha de matrícula e teve uma surpresa ao mesmo tempo agradável e medonha.

A sala era enorme, e havia dois pianos de cauda e apenas dez carteiras. Alguns alunos já estavam sentados, folheando cadernos e mexendo nos celulares. Assim que Valentina cruzou o batente, vários deles a encararam, mas logo voltaram ao que estavam fazendo, como se ela não fosse interessante o bastante e sabendo que, definitivamente, não era a professora. O celular parecia mais chamativo do que ela.

Sentou-se numa carteira vazia na fileira do fundo da sala, colocou os fones de ouvido novamente e tentou absorver The Pretty Reckless, com Taylor Momsen gritando "*You make me wanna die, I'll never be good enough*", o máximo que podia para ignorar as pessoas à sua volta.

A estratégia deu certo até a professora de piano entrar na sala, se apresentar e fazer a chamada. Ela era esguia, magra e assustadora. Parecia mais um personagem do Tim Burton, embora para Valentina isso fosse um elogio. Todos os movimentos da mulher eram rápidos e calculados, como se ela não quisesse perder tempo com nada desnecessário. Os alunos pareciam tanto apavorados quanto maravilhados, e Valentina escutou um deles cochichar que ela era a pianista brasileira mais famosa no mundo. Celina alguma-coisa. Ela deveria saber quem era? Pelo visto, a professora causava comoção, já que uma garota de tranças dava gritinhos toda vez que ela abria a boca. Definitivamente, Valentina precisava pesquisar mais sobre ela.

Celina chamou o primeiro estudante à frente, junto a um dos pianos, para ler a partitura da "Sonata ao Luar", de Beethoven. Valentina assistiu, assustada, um garoto chamado Álvaro seguir trêmulo até a frente da sala e ficar longos e silenciosos minutos encarando a partitura e o piano sem mexer um músculo do corpo. Ela estava na dúvida se era porque ele não sabia tocar ou porque estava nervoso com a presença da professora. A segunda opção era mais provável, o que tornava Valentina a aluna mais sem noção da história da música.

Todo mundo parecia extasiado, menos ela. Torcia para que isso não fosse perceptível ou teria que fingir hiperventilar também. A professora, então, pediu que ele voltasse a se sentar e chamou outro aluno. Valentina torceu para que seu nome não fosse chamado, porque o mico seria colossal. Imagina só? Ela nem sabia o que estava fazendo ali! Quando foi que tinha pensado que escolher piano seria uma boa ideia? Ela nem fazia ideia do que era "Sonata ao Luar".

Obviamente, já tinha ouvido falar em Beethoven, mas isso não a tornava apta a acompanhar uma partitura num piano de verdade! Só sabia que o famoso pianista tinha ficado surdo, e ela agora tinha certeza que deveria estudar sobre compositores eruditos.

Uma garota de nome Isabela, que tinha cabelos pretos superlisos, foi até o piano e tocou sem sequer olhar para a partitura, de forma virtuosa e agradável. O som era harmonioso e bonito, como provavelmente deveria ser, Valentina não sabia dizer. Alguns alunos olhavam animados e estupefatos e ela sentiu uma emoção muito grande ao ouvir a música sendo tocada tão de perto, com um som tão belo e notas que ecoavam tão lentamente. Estava prestes a aplaudir quando a professora interrompeu a aluna grosseiramente, pedindo que se levantasse.

— Alguém pode me dizer o que a estudante fez de errado? — perguntou, encarando a turma boquiaberta. Alguns se entreolharam e murmuraram baixinho. – Ninguém?

— Ela não tocou a décima nota corretamente? — um aluno esticou a mão e disse rapidamente, sorrindo satisfeito. Valentina fez careta, impressionada por alguém ter percebido que uma nota, no meio de tantas, estava incorreta. Poderia aplaudir esse aluno também, mas a professora negou veementemente.

— Ela tocou a décima nota de forma perfeita. Alguém mais quer tentar me dizer o que a estudante fez de errado?

— Ela... não tocou "Sonata ao Luar"? — a garota de tranças perguntou, incerta. Alguns alunos riram e a professora fez cara de que preferia estar morta ou em qualquer outro lugar que não ali naquela sala de aula. Essa era uma expressão que Valentina reconhecia, porque devia ser a mesma que estava no seu próprio rosto.

— Quem não sabe que essa é a "Sonata ao Luar"? — o garoto ao lado de Valentina perguntou, rindo e visivelmente zombando do deslize. Valentina concordou, dando um sorriso sem graça e fingindo que sabia que música era aquela. Se perguntassem, ela diria que era qualquer música de elevador que já tinha ouvido na vida. Será que todo mundo ali sabia todas as músicas de Beethoven de cor? Ela definitivamente precisava estudar mais.

— A resposta correta e óbvia é... ela não leu a partitura — a professora disse, cansada. Encostou na lateral de um dos pianos, de frente para a turma. Os alunos lentamente abriram a boca, impressionados, e Valentina ficou claramente chocada. A garota sabia a partitura, por que precisaria ler? — Eu pedi para que ela viesse aqui na frente *ler* a partitura de "Sonata ao Luar" e foi a única coisa que a estudante não fez. Se você não acompanhar a partitura enquanto está aprendendo, nunca será o pianista que espera ser! Qual o problema de vocês? Acham que estou aqui de brincadeira?

A professora continuou com um sermão nada motivador, dizendo o quanto estava decepcionada, e chamou os alunos em pares até os pianos, para ler e acompanhar as partituras, como castigo mesmo. Em minutos, a sala caiu em um clima de tensão. Todos sabiam exatamente o que estavam fazendo, embora algumas duplas tocassem em tempos diferentes, o que era um erro descomunal. A impressão que dava era que estavam cometendo erros somente por estarem próximos à professora, e não por falta de talento ou conhecimento, o que era ainda mais esquisito.

Valentina, um ET claramente perdido ali naquele mundo, queria se afundar cada vez mais na cadeira, mas estava se esforçando para decorar o início, repetindo para si mesma as notas que eram tocadas e tentando reproduzir o teclado do piano em sua mente, visualizando onde ficava cada tecla.

Fechou os olhos e se concentrou enquanto Iago, um garoto magricela e quase albino, se sentava na posição correta, estalava os dedos e acompanhava de forma impecável a partitura, sem tirar os olhos do papel, até que Valentina e outro aluno foram chamados.

A garota andou devagar até a frente da sala e se acomodou ao piano, esperando que seu par começasse a música para, depois, acompanhar de ouvido, fingindo que estava lendo a partitura no tempo certo. Com o nervosismo que estava sentindo, aquilo ali era só um papel com linhas paralelas e desenhos rebuscados de notas musicais que as pessoas normalmente tatuavam. Ela não conseguia entender nada do que precisava fazer.

— O que você está fazendo? — A professora parou, de braços cruzados, atrás de Valentina.

Ela era uma fraude. A garota congelou, sentindo os olhares da turma em cima dela. Respirou fundo, engolindo seco. Aquele era o momento que tinha tanto medo de acontecer. Já tinha pensado em como estava arrependida?

— Eu... nunca li partitura... enquanto tocava. Nunca toquei piano na vida — confessou baixinho. A professora continuou encarando suas costas de forma fulminante, ela podia sentir. Valentina tinha certeza que alguns alunos estavam rindo da situação. Ela teria rido da situação. Era humilhante.

— Você nunca tocou piano antes? — A voz de Celina era repleta de descrença e decepção. Ou pior, era escárnio. Com isso, sem esperar resposta, a professora mandou que parassem e voltassem aos seus lugares, sem falar mais nada sobre o assunto.

Valentina tinha certeza que seu rosto estava mais vermelho do que o blush da menina da primeira fileira. Seguiu até sua carteira pensando que nunca tinha sentido tanta vergonha em toda a vida. Que humilhação! Todo mundo era obrigado a ter tocado piano antes? E a ler partituras junto? Ela tinha certeza que não era a única ali sem essa habilidade sobrenatural de nascença! Ela nunca tinha tido dinheiro para encarar um piano de verdade! Por que deveria se sentir culpada?

— Vocês vão estudar essa partitura até a semana que vem! E não quero mais desculpas surreais como essa. Aprendam a ler se quiserem ser pianistas! Ou deixem essa aula, porque não vão passar de jeito nenhum. Talvez seja melhor tentar tocar reco-reco! Agora saiam, estão dispensados — a professora vociferou, recolhendo suas coisas rapidamente e saindo da sala sem olhar para trás.

Valentina deitou a cabeça na carteira, ouvindo os alunos se levantarem e saírem para o corredor, murmurando sobre a peça de Beethoven. E claro, sobre como a aluna esquisita teve coragem de dizer que não sabia tocar piano na frente de uma das pianistas mais reconhecidas do universo da música clássica. Que absurdo! Afinal, quem queria ser músico profissional sem saber o básico?

A garota continuou com a cabeça na carteira, respirando fundo e pensando em mil respostas que poderia ter dado à professora. Isso não era certo e não era justo. Estava ali para aprender! Será que ninguém concordava com ela, ou só tinham medo de falar o que realmente pensavam?

Quando levantou a cabeça e se viu sozinha na sala de aula, decidiu que provavelmente a primeira opção era a mais correta. Cabisbaixa, recolheu a bolsa e o caderno de partituras que tinha sido entregue a todos e caminhou devagar para o corredor, tentada a abandonar a aula e escolher outro instrumento que não precisasse de poderes sobrenaturais para passar de ano.

Afinal, ela teria como aprender tudo isso em uma semana? Valentina sabia que era inteligente o suficiente, e só de ouvir os colegas tocando, tinha certeza de que poderia reproduzir mais da metade da música sozinha. Mas como competir com quem nasceu com o instrumento em casa e com o privilégio de ter tido aulas desde criança?

Assim que chegou ao corredor vazio, pôde ouvir de longe um piano tocando. O som era emocionante de um jeito que ela nunca tinha ouvido. Era agressivo e rebelde, mas, ainda assim, clássico e educado. Ouviu um mi e um fá... um fá de novo e uma mistura impressionante de notas. Aquilo certamente impressionaria sua professora, porque não era nada ordinário. Foi seguindo o som, procurando entre as salas de aula vazias e trancadas, algumas com pianos de cauda e órgãos antigos que ela só tinha visto em filmes. Uma ou outra sala tinha alunos praticando outros instrumentos clássicos, mas ela passou direto, seguindo o som que queria ouvir mais de perto, ignorando tudo à sua volta.

De repente, o sinal tocou anunciando o fim do primeiro horário de aulas, e o corredor começou a se encher de gente saindo e entrando nas salas. Todos passavam conversando, se acotovelando e, às vezes, correndo. De alguma forma curiosa, pareciam em harmonia. Valentina ficou parada, encostada na parede, prestando atenção nas pessoas e em como pareciam felizes e animadas.

O próximo tempo também seria de aula de piano, mas como a turma foi dispensada, ela não tinha o que fazer. Tinha? Ficou pensando se deveria dormir mais um pouco ou se procurava alguém para perguntar se poderia usar algum piano fora de sala de aula. Então, percebeu que não ouvia mais o som agressivo de antes e que uma cena digna de novela mexicana se desenrolava ali perto.

Kim, de óculos escuros e blazer, atravessava o corredor com um grupo de alunos à sua volta. Ele mantinha os braços cruzados, quando uma garota morena e linda se aproximou com um copo de café nas mãos, obviamente querendo falar com ele.

Valentina ficou na ponta dos pés para tentar enxergar a cena completamente e se arrependeu logo depois. Kim olhava fixamente para a frente e não notou a presença da menina ali, esbarrando no ombro dela. O copo de café caiu no chão, respingando em alguns alunos e fazendo a garota gritar. Ele pareceu nem perceber o que tinha acontecido e continuou a andar, sem pedir desculpas. Valentina abriu a boca, espantada. Era possível que pessoas assim existissem no mundo real? Ele precisava ouvir uns bons palavrões.

Se desvencilhou de alguns alunos, que pareciam tão indignados quanto maravilhados com a cena, e seguiu Kim pelo corredor até a escadaria do prédio de aulas. Apressou o passo, ficando ao lado dele.

— Você é sempre mal-educado assim quando as pessoas são gentis com você? — ela perguntou, tentando se manter próxima a ele enquanto caminhava.

— Eu não tô interessado nisso — ele respondeu calmamente, sem parar de andar e sem olhar diretamente para Valentina. Quem ela achava que era e por que continuava perseguindo-o?

— Mas a garota só queria ser simpática!

— Estou falando de você e desse papo. Me deixa em paz.

— O quê? — Valentina disse, passando as mãos nos cabelos e parando por alguns segundos até voltar a andar rápido, seguindo o garoto. — Isso é ridículo, quantos anos você tem? E, independente da sua atitude infantil e do fato de que não importa o seu interesse, você precisa saber que o que fez foi completamente errado!

— Tanto faz. Por que você se importa? — Kim perguntou, parando de forma abrupta e se virando para a garota. Ela não ia embora nunca?

Valentina parou ao lado dele, um pouco ofegante, percebendo que já estavam no meio do jardim que dava acesso ao prédio de dormitórios. Ela encarou o garoto. Céus, ele era tão bonito. Como alguém com tanta beleza e talento poderia ser tão mesquinho? E por que ela não conseguia simplesmente ignorá-lo e se afastar? Kim estava sempre tão cansado, como se viver fosse esforço demais. Ele mantinha a pose de rei do mundo, mas Valentina sabia que havia algo de errado. E ela se importava com o que acontecia com os outros porque tinha empatia, mesmo quando a situação não era problema dela. *Ele* não era problema dela.

— Eu me importo porque tenho sentimentos, não sou uma pessoa fria — falou em voz alta, mas quase que para si mesma. Viu que algumas pessoas observavam os dois de perto, curiosos, embora a maioria os ignorasse solenemente.

— E só queria deixar claro que alguém nesse conservatório acha você um completo babaca. — Ela voltou a andar. — E esses pôsteres com a sua cara também são babacas!

Na mente dela, a cena tinha sido incrível como nos mangás que lia quando mais nova, mas tinha certeza que estava pálida e que sua voz tinha saído tremida. Estava nervosa e achava que poderia vomitar, mas não ia ficar calada. Não era de seu feitio aguentar esse tipo de atitude quieta. Ao atravessar o jardim e entrar no prédio de dormitórios, olhou discretamente para trás a tempo de ver Kim ainda parado no meio do caminho, confuso. Sorriu, quase tropeçando em um rapaz que andava na direção contrária, pensando que o sentimento de vitória era incrível. Ponto para o rock'n'roll.

7

O GUARANI

(CARLOS GOMES)

Valentina passou algumas horas em seu quarto sem saber o que fazer primeiro. Precisava estudar tanta coisa! Tinha feito até uma listagem do que, pelo visto, todo mundo ali sabia, menos ela. Não ia se sentir excluída como na aula de piano mais cedo. Mesmo quando era realmente ignorada, como tinha acontecido bastante durante o ensino médio, ela não havia se sentido daquele jeito. Era uma sensação nova de humilhação e inferioridade que ela mal sabia que existia.

Tinha tomado banho, arrumado algumas roupas no armário e, então, decidiu enviar uma mensagem para Érica. Precisava falar sobre o começo do dia com alguém e, até agora, não tinha feito amigos.

> *Tim Souza:* Minha professora de piano é ultra blaster famosa. Estou me sentindo numa convenção de fãs de Star Trek com fãs de Star Wars, tipo uma batalha épica.
> *19:30*

A melhor amiga demorou para responder.

> *Érica Sanchez:* LOL, chuta o piano dela no melhor estilo rock'n'roll! Afinal, quem gosta de Star Trek?
> *19:55*

A garota fez uma careta e jogou o celular de lado. Sabia que não ia adiantar falar disso com a amiga, que devia estar ocupada vivendo a própria vida e encarando os próprios professores monstruosos. Se sentiu como Percy Jackson, enfrentando monstros logo no começo do ano letivo. Só que não tinha a sorte de o seu pai ser alguém tão incrível quanto Poseidon, mesmo sabendo que ele tinha certo poder.

Decidiu abrir o laptop e pesquisar "Celina Leina", que era como estava escrito o nome da professora na grade de aulas, e, como em um mundo mágico que ela não fazia ideia que existia, milhões de páginas apareceram mostrando notícias em várias línguas sobre a grandiosidade da pianista que dava aulas na Margareth Vilela. Valentina mal pôde acreditar. A mulher era famosa de verdade! Famosa de lotar teatros na Áustria e esgotar ingressos de turnê! Era como a Adele da música clássica ou algo assim. Impressionante.

Resolveu pesquisar os outros professores no Google porque queria adiar o máximo possível o momento de assistir aos vídeos de aula online sobre partituras. Ela precisava aprender a tocar piano e ler as malditas partituras ao mesmo tempo sem usar seu grande poder de dedução das notas musicais. Se jogou no sofá sem saber o que fazer. Como isso tinha se tornado o maior problema da sua vida?

Voltou para o Google e pesquisou sobre Kim. Como filho da diretora e sócia majoritária, ela imaginou que ele teria o mesmo sobrenome e foi uma surpresa quando encontrou mais de 70 mil resultados com o nome dele. Algumas entrevistas, blogs falando sobre seu talento crescente, sites de música clássica mostrando vídeos de apresentações e aulas em que ele tinha participado, e muitas outras informações. Ela resolveu assistir a alguns vídeos e acabou passando a noite olhando para a cara entediada de Kim em todos aqueles frames. Ele realmente era incrível no que fazia.

Valentina pegou no sono ali mesmo no sofá, na sala que dividia com sua companheira de quarto que ainda não tinha dado as caras. Acabou levantando atrasada, seguindo apressada para a aula de Teoria da Percepção Musical. Ainda com a cara amassada de sono, tentava compreender o glossário de palavras usadas pelo professor. Algumas eram em italiano e a garota não conseguia anotar tão rápido quanto o professor falava.

Exausta, deixou a sala após o primeiro sinal do dia tocar e encontrou um garoto de 20 e poucos anos no corredor. Ele tinha uma plaquinha com a palavra monitor presa à camisa polo com o logo da Academia e contou que fazia parte da divisão de saxofone. Valentina pediu informações sobre como reservar salas de piano para treinos. Afinal, ela precisaria praticar em um instrumento de verdade e parar de imaginar teclas invisíveis na hora de estudar sozinha.

— Não te falaram na secretaria? — Ele olhou Valentina de cima a baixo, como se ela não fosse capaz de compreender como o conservatório funcionava. A garota negou, não se lembrava de nenhuma orientação sobre isso. — Você pode usar as salas de prática em qualquer momento desde que não seja no horário de alguma matéria do seu cronograma, do contrário, seu cartão dará inválido. É só escolher uma sala vazia, passar seu cartãozinho e *voilà*... fácil assim. Fica reservado pra você por até três horas — explicou, mostrando o próprio cartão. — Só não deixe a porta aberta quando sair, nem sujeira ou marcas de dedo no instrumento. Seria tremendamente rude.

Ela concordou, agradecendo. Ainda estava receosa, parecia fácil demais. Obviamente, o conservatório não ligava de deixar instrumentos caros nas mãos de todos os alunos, porque, aparentemente, todos tinham tido ótima educação e não iriam depredar o que não era deles. Ah, se fizessem isso na antiga escola de Valentina! Até os vasos sanitários eram pichados, imagina o que não fariam com um piano novinho e brilhante? Seria tela branca para a arte de quem provavelmente já pichava os muros do bairro desde cedo. Valentina sabia bem o valor que um instrumento tinha, porque tinha se matado de trabalhar para comprar sua guitarra velha. Ela usaria o piano com muito cuidado, e tinha ficado feliz em saber que poderia estudar nas salas de prática sempre que precisasse. Mas sem marcas de dedo, claro. Seria tremendamente rude.

Decidiu passar o resto da manhã perto do campo de esportes do conservatório, que ficava atrás do prédio de aulas e em frente a um enorme auditório. Ela não sabia como era, porque nunca tinha passado por lá antes. Seguiu o mapa, que carregava sempre na bolsa. Depois da chuva do dia anterior, o Sol voltou a dar as caras, mesmo que ainda soprasse um vento geladinho que parecia ser normal por ali. Estava gostando de não morrer de calor, como acontecia no Rio de Janeiro durante todos os meses do ano.

Com o headphone vermelho enorme, ouvindo Janis Joplin, ela caminhou entre as pessoas nos corredores até a saída lateral do prédio de aulas, que dava para um caminho de pedras e, enfim, ao grande campo. Reparou primeiro no enorme auditório, feito de alguma pedra escura e que parecia uma construção europeia antiga. Lindo; ela mal podia imaginar como era por dentro. Já o campo, que se estendia por muitos quilômetros à frente, era dividido entre quadras prontas, onde alunos já se espalhavam de formas diferentes, em subdivisões sociais e musicais. Um grupo de pessoas jogava tênis em um canto próprio para isso, enquanto um só de meninas tocava violino em outro.

Ela tinha certeza de que havia passado por alguém fazendo mágica, e dois amigos tocando algo que parecia flauta, mas menor e com um barulho potente, quando encontrou um local inabitado direto na grama, próximo a alguns bancos onde mais alunos estavam. Sentou-se, esticando as pernas e prestando atenção em tudo à sua volta, ao som de The Pretty Reckless, que começava a tocar no celular. A música era "You", uma das favoritas de Valentina.

Sem timidez, ela começou a cantar e acompanhar a letra em voz alta. Nunca tinha tido vergonha de cantar na frente de ninguém e isso não aconteceria ali. Até porque outras pessoas faziam o mesmo, e ela sabia que era algo comum e regular no conservatório. Sem julgamentos, o que era ótimo e diferente do mundo normal.

O vento batia em seus cabelos loiros compridos, o que sempre os deixava embaraçados, e ela mantinha os olhos fechados, concentrada na letra. A música estava muito alta em seus ouvidos, o que fazia com que ela não escutasse nada à sua volta, e isso era perfeito para se concentrar só no que queria, sem distrações.

You can't see me, no,
like I see you

(você não consegue me ver, não,
como eu vejo você)

Cantou, afinada. O violão da música, quase folk, era muito bonito e simples. Nada de acordes monstruosos e virtuosos, era triste e limpo.

Tinha se deixado levar pela música; sentada, largada, com os olhos fechados. Valentina cantava muito bem. Sua voz, um pouco rouca, era doce e continha a tristeza certa para esse tipo de música. E, mesmo os alunos que nunca tinham ouvido rock daquele jeito antes, podiam dizer que ela realmente sabia o que estava fazendo. E que era muito bonito de assistir. Alguns, inclusive, tinham parado de tocar instrumentos e estudar partituras para admirar a garota.

Valentina só parou de cantar quando viu, ao longe, um helicóptero descer pela propriedade do conservatório e parar em uma parte distante do campus que parecia própria para isso. Ela nem tinha notado aquele heliponto antes! Tirou os fones de ouvido e escutou alguns alunos comentarem que era assim que a diretora da Academia Margareth Vilela chegava para trabalhar todos os dias. Valentina fez uma careta, achando aquilo incrível e inatingível. Ela devia ser realmente poderosa. Mas aí pensou, sorrindo, que Kim devia ficar muito bravo com o fato de que a mãe chegava daquele jeito no trabalho e ele não tinha como fazer uma entrada mais triunfal do que caminhar pelo corredor. Pobrezinho.

♩

Saindo da última aula do dia, Valentina decidiu finalmente procurar por uma sala vazia para ensaiar e praticar, já que precisava ficar craque em "Sonata ao Luar" até a semana seguinte. E não fazia ideia de como conseguir isso. Se lembrou de Sarah falando sobre a sala de prática de banda número 42 e, embora soubesse que talvez a menina não quisesse andar com ela por questões puramente sociais, achou que seria bacana passar por perto para saber mais do projeto rebelde que eles tinham em andamento, que era totalmente a cara de Valentina.

Chegando no 4º andar, localizou a sala, mas viu que estava vazia apesar da porta destrancada e das luzes acesas. As pessoas que tinham reservado o espaço não deviam estar longe. As paredes da sala eram acolchoadas com caixas de som pregadas em diversos cantos. Não faria mal algum entrar para verificar os equipamentos e instrumentos sensacionais que estavam presos em pedestais e apoios de chão, certo? Eram incríveis!

— Olha essa Fender Select Stratocaster Exotic Maple Quilt! — Valentina disse animada, em voz alta. Segurou a guitarra, que estava apoiada próxima ao pequeno palco que a sala ostentava. A guitarra, ela sabia, custava mais de 3 mil dólares, muito mais do que Valentina poderia pagar em um instrumento, mesmo se economizasse a vida inteira. Era linda, toda feita de madeira, com a escala adornada, como uma obra de arte. Nunca tinha segurado uma, só namorado pela internet, então precisava tocar para saber o som que fazia! Não tinha problema, certo? Havia outros modelos espalhados pela sala, por que quem treinava ali se importaria?

Pegou o cabo preso a um amplificador e acoplou na guitarra, sentando em uma cadeira de costas para a porta da sala. Com leveza e cuidado, passou os dedos nas cordas. Sentiu a adrenalina correr pelo corpo como sempre acontecia quando estava conectada a um instrumento. Na verdade, não queria admitir, mas se sentia como Harry Potter na primeira vez que viu a Firebolt.

Começou a tocar algumas notas. Era incrível! Do jeito que tinha imaginado que seria! Ficou arrepiada, ouvindo anjos aplaudirem dos céus. Fechou os olhos e dedilhou a música do The Pretty Reckless que estava cantando mais cedo, perdendo noção do tempo, totalmente mergulhada no som que a guitarra fazia. Só parou quando ouviu a porta da sala bater, levando um susto.

— Nandão, eu disse pra ir com cuidado! Essa porta sempre bate! — Sarah reclamou com as mãos na cintura e a testa franzida. Estava usando um vestido tribal vermelho até os pés e uma faixa nos cabelos crespos. Ao lado dela, estava a dupla de rapazes mais estranha que Valentina tinha visto no conservatório até então, o que era um sopro de ar fresco e empolgação. Um deles era baixinho e forte, com os cabelos claros recortados na cabeça como se tivesse feito sozinho em casa. Ele estava aparentemente feliz, já que mostrava os polegares na direção de Valentina e sorria de forma abobalhada. O outro era ruivo e tinha uma cabeleira longa, usava roupas de couro e visivelmente levava broncas de Sarah com frequência, embora estivesse com uma expressão de que não apreciava nada daquilo.

— Não sei quem é esse Nandão, meu nome é Fernando — ele disse dando de ombros e andando até o centro da sala, curioso quanto a Valentina. A garota se levantou, deixando a guitarra no lugar onde a tinha encontrado, com bastante vergonha de ter sido pega mexendo nos instrumentos sem autorização. Olhou de Sarah para os dois meninos sem saber o que dizer. Então, apenas levantou a mão, sorrindo.

— Você veio! — Sarah disse, feliz, correndo até Valentina e abraçando-a de forma amistosa.

— Eu... fiquei curiosa! E não sabia se você iria querer falar comigo desde que o Kim...

— Aquele trouxa não tem que dizer com quem a gente anda! — o garoto mais baixo disse, consternado. – Aposto que é da Sonserina.

— E a gente precisa de mais contingente — Fernando completou. — A garota é visivelmente boa, além de ter escolhido uma das melhores guitarras da sala para fuxicar.

— Ah! Foi mal...

— O som dessa guitarra é muito bom, não é? Tenho uma dessas em casa, então fiquei feliz que o conservatório também tinha no inventário – disse Fernando.

Valentina concordou. Ele tinha uma em casa, ou seja, era tão rico quanto qualquer pessoa que estudava por ali. Por alguns minutos, tinha se deixado levar pelas aparências e pensado que aquelas pessoas talvez fossem como ela. Não eram. O que era um saco, porque ainda se sentia um peixe fora d'água.

— Espera... você é que é a filha do Alexander Gontcharov, não é? Vi a secretária falando outro dia e ela basicamente te descreveu... — Sarah perguntou de repente, envergonhada e animada. Valentina fez uma careta.

— Basicamente, sim — respondeu, com os ombros caídos. Os três se entreolharam.

— Uau... — Pedro disse, abismado.

— É muito mais do que uau! — Sarah foi para perto da garota novamente e seus olhos estavam brilhando. — Seu pai é meu ídolo. Ele é tão incrível quanto parece? Ele te ensinou a tocar violino? Ele te levou a grandes concertos no exterior? Uaaau...

— Ele... hmm... uau, claro. Tudo isso que você tá falando — Valentina concordou rapidamente, sem pensar.

As pessoas realmente gostavam do cara que ela tinha que chamar de pai, mas ninguém tinha nada a ver com a história entre eles. Ninguém tinha nada a ver com ele ser um cretino, certo? E Valentina queria se sentir um pouco importante também. Queria ter amigos, histórias para contar. Não pretendia mentir, mas talvez não doesse não desmentir por enquanto. Ainda que sua consciência estivesse alertando que aquele erro era inaceitável para o punk rock e que ela deveria ser verdadeira o tempo todo, Valentina mandou os pensamentos irem embora, porque entraria no personagem por alguns minutos se precisasse.

Ouviu os três comentarem sobre a carreira de seu pai e então lembrou que precisava ensaiar piano ou sua vida seria um inferno na semana seguinte, mesmo que estivesse sendo divertido conversar com alguém em voz alta, que não fosse discutindo com Kim ou através do seu celular.

— Anota o nosso telefone! A gente tem aulas essa tarde, mas de noite vamos ensaiar até depois do toque de recolher. Se quiser, você é bem-vinda — Sarah disse, sorridente, puxando o próprio celular. Valentina concordou, sentindo-se muito feliz de finalmente fazer amigos no conservatório.

Despediu-se dos três e fechou a porta da sala com cuidado ao sair. Então, se viu sozinha no corredor, caminhando lentamente até o 2º andar, onde ficavam as salas com pianos. Dessa vez não quis colocar nenhuma música para ouvir no caminho, seus pensamentos estavam alucinados sem precisar de nenhuma mãozinha dos ídolos do rock. Aquelas pessoas eram legais! Além de divertidas e receptivas e muito mais reais do que a maioria das pessoas que tinha conhecido até aquele momento. E apesar de serem como todo mundo no conservatório, com família rica e culta, provenientes de um mundo que não era o dela, Fernando, Pedro e Sarah eram mais próximos dela do que muita gente que tinha conhecido. Isso parecia promissor.

Quando encontrou uma sala vazia com piano, depois de passar o cartão e garantir que estava reservada até a hora do jantar, Valentina ficou quase quinze minutos parada, encarando o enorme instrumento preto que ocupava metade da sala. A tensão entre ela e o piano era visível, qualquer outro sentimento era superestimado. Deixou a bolsa no chão, puxando dela a partitura de "Sonata ao Luar" que tinha recebido na aula, e se aproximou com cuidado do piano, como se ele fosse altamente perigoso. Levantou a tampa que cobria o teclado sem saber por que estava com tanto medo, afinal, aquilo ali seria parte da sua vida dali para a frente. E seria uma parte que se rebelaria contra o seu lado rock'n'roll, por mais irônico que isso soasse. Respirou fundo, encaixando a partitura no suporte e sentando-se no banco gelado.

Seus dedos pairaram sobre as teclas do piano. Valentina soltou um longo suspiro. Fechou os olhos e contou até cinco, fazendo uma primeira combinação de notas que tinha aprendido pela internet. Ficou arrepiada com o resultado. O som que saia do instrumento era alto, ecoando com tranquilidade pela sala pequena. Ela conseguia sentir o tremor da nota dentro do peito, ainda com os dedos posicionados nas teclas, e isso era totalmente incrível. Testou outras combinações de notas, sentindo cada som como era de verdade, como ela sabia identificar em sua cabeça. Enquanto tocava, displicente, ia guardando na memória as notas musicais e tonalidades que saíam de cada tecla, de cada arranjo. Era um instrumento forte e robusto, intimidador. Mas Valentina adorava desafios. Só precisaria dar um jeito na ansiedade.

Aquilo poderia dar muito certo. Só que obviamente não tão depressa, porque nada era perfeito. Depois de quase duas horas na companhia do incrível futuro amor da sua vida, Valentina batia a testa nas teclas do piano sem entender por que era tão difícil seguir o ritmo correto da música enquanto lia a partitura e se preocupava com os pedais. Malditos pedais! Para que existiam? Bateu a testa de novo, fazendo um estrondo maior do que o necessário, prometendo a si mesma que, pelo menos o início, precisaria soar como uma música. O que não aconteceu na cansativa hora a mais que ficou por ali, até a sala emitir o som de um apito avisando que seu tempo de reserva tinha acabado. Suas costas doíam, e ela sentia o estômago vazio começar a reclamar. Precisava esticar o corpo e comer alguma coisa.

Decidiu, então, voltar para o quarto, aquilo ali não estava dando certo. Pegaria sua guitarra velha e faria uma bela canção, só com dois acordes, sobre como música clássica era algo idiota que DJs de elevador usavam para manter as vítimas mais ansiosas para desocuparem o espaço o quanto antes. Era a única explicação. Fora o efeito sonífero, que era claramente o objetivo principal. Todo mundo sabia.

Kim detestava ficar no elevador do conservatório mais tempo do que o necessário. Se detestava ficar lá sozinho, era ainda pior com outras pessoas. Normalmente era uma tortura gigantesca, mas nesse fim de dia isso tinha atingido outro nível. Sabia que as pessoas eram curiosas sobre ele e o fato de ser filho da dona do conservatório, e não tinha problema nenhum em admitir que isso era um saco, porque quase sempre significava que estaria sendo observado e nunca ficaria sozinho. Ele tinha crescido sozinho, por que não continuar desse jeito para o resto da vida? Era algo totalmente natural. Ele não precisava de ninguém nem do drama das outras pessoas.

Se pudesse reproduzir o que ouvia no elevador saindo da conversa de três garotas que estavam em volta dele, o som sairia chiado no estilo de "O Guarani", de Carlos Gomes, que era uma peça instrumental romântica incrível se não tivessem estragado com política. A reprodução fiel seria mais ou menos assim:

— Kim, na próxima semana é meu aniversário de 21 anos e eu PAAAAM PAM PAM PAM PAAAAAM...

— PAM PAM PAM PAAAMAMAMAMAM... você devia totalmente ir e... PAAAAAAM...

— PAM PAM PAM PAM PAMPAM-PAAAAAAAAAAM... você é lindo, casa comigo.

Kim deu risada quando parou no 4º andar e pôde caminhar tranquilamente pelo corredor vazio. As meninas continuaram no elevador, aquele nem era o andar delas! Provavelmente tinham ido até ali somente para atormentá-lo. Falando em tortura, precisava avisar à sua mãe que a escola não tinha estudado Carlos Gomes de forma profunda até aquele momento e que isso era um erro feio quando se tratava de música clássica e erudita brasileira. Não que ele realmente se importasse com a eficiência acadêmica do conservatório, mas aquilo seria dele um dia, e ele não queria seu nome vinculado a algo defasado.

Falando em sua mãe, tinha deixado a aula prática de piano porque ela enviou uma mensagem avisando que iriam jantar juntos às 20h, o que era quase um milagre. Kim pensou em dizer que estava ocupado, mas era tão raro conseguir um horário com a mãe; e ele queria pedir mais uma vez que ela o liberasse de frequentar as áreas sociais de alunos. E, se ela estava abrindo mão de algum tempo na sua agenda perfeitamente cheia, ele podia fazer isso também.

Lutava contra si mesmo, pois nunca admitiria, mas sentia falta de atenção e de conversar com a mãe. Não queria criar expectativas, mas estava internamente animado. O mais importante era chegar logo em seu quarto, precisava usar o banheiro e trocar de roupa, sabia que sua mãe prezava a boa aparência. Também tinha que carregar a bateria do celular. Não sabia se era só o seu, ou se todos os celulares do mundo tinham a bateria porcaria como o dele, mas era algo muito irritante.

Ao chegar na porta do quarto, sentiu o coração gelar enquanto procurava o cartão-chave nos bolsos. Não era a primeira vez que perdia seu cartão, mas era a única em que tinha horário marcado e que precisava urgentemente usar o banheiro. Não podia acreditar nisso! Jogou a carteira e o celular no carpete azul royal do corredor, batendo os pés de raiva. Por que tinha a cabeça tão bagunçada que não podia ser normal e lembrar onde guardava suas coisas? Por que não podia simplesmente ter uma cabeça normal?

Encostou na porta e passou as mãos nos cabelos, pensando em uma alternativa. Não podia simplesmente usar o banheiro público do restaurante do prédio de dormitórios. Seria uma vergonha fenomenal, e ninguém tinha nada a ver com seu problema. Não tinha como ir até a ala da diretoria para usar o banheiro dos funcionários, já que era longe demais e isso bagunçaria todo o seu horário. O que fazer? Continuou tentando pensar em alternativas enquanto voltava para o elevador, já que não conseguiria nada ali e precisava pedir outra chave na recepção. Quando, por algum motivo, esbarrou na menina loira esquisita que estava atormentando sua vida e seus pensamentos.

Não lembrava o nome dela. Na verdade, nem se lembrava se alguma vez ela tinha dito como se chamava, mas isso não era importante. Ela tinha um cheiro doce, e ele não queria pensar sobre isso porque era extremamente assustador. Ela estava abrindo a porta de seu quarto e reclamou quando levou uma trombada. Por que logo ela?

— Dá pra olhar por onde anda? — gritou, passando a mão no ombro. Kim bufou; ela achava mesmo que ele tinha feito isso de propósito? Ah, se ela soubesse como seu cérebro estava bagunçado! Ele, desorientado, seria perfeitamente capaz de bater em qualquer coisa que estivesse pela frente.

— É que normalmente eu ignoro pessoas que não me interessam — ele disse sem nenhuma expressão no rosto. Mas estava, de alguma forma, analisando a garota de perto.

Por algum motivo, toda vez que se aproximava dela, ele ouvia "Träumerei" mentalmente, e isso fazia a presença da garota ser reconfortante. Sem realmente sentido algum.

— Ah, uau... você continua mal-educado. Como vai a bebedeira?

— Shhh — Kim disse, franzindo a testa e chegando mais perto dela do que pretendia. Revirou os olhos, se afastando rapidamente e olhando para os lados. — Não vou falar disso com você. E você não deveria mais falar sobre isso. *Com ninguém*!

— Então você lembra de mim! — ela disse animada, batendo as mãos. Praticamente uma sociopata se divertindo com o sofrimento dele. Ele podia ver isso em seus olhos. Kim fez careta. — O que faz aqui na área dos plebeus? Ficou perdido?

— Eu só vim... — Kim encarou o celular, vendo que tinha uma mensagem da sua mãe. Parou de falar para abrir a caixa de entrada, quando o aparelho desligou do nada. Ele xingou, inconformado, sacudindo ferozmente o celular.

— Calma lá, é só um aparelho eletrônico. Não tem culpa de não obedecer suas ordens.

— Eu... eu preciso ler o que está na mensagem. Eu preciso. E não tenho como! — Kim falava sozinho, quase em um ataque de pânico. Passou as mãos nos cabelos, achando incrível como o mundo tinha essas tiradas divertidas de fazer ele se sentir um bosta.

— Olha... seu celular é da mesma marca que o meu. Mesmo fabricante, totalmente outro modelo, o seu é muito mais caro, mas meu carregador pode funcionar. Quer emprestado? Seu quarto é ali do lado, não sei por que não vai lá carregar, mas você parece desesperado.

— Eu aceito. Onde está? — Kim concordou rapidamente, entrando no quarto da garota sem ser convidado. Ele era dono de tudo aquilo mesmo, não tinha por que pedir licença. Viu que ela reclamou de sua invasão, então apenas cruzou os braços e estendeu o celular.

— Vou buscar. Por que não se acomoda, alteza? — Valentina disse, indo para o quarto. Sua cabeça estava dividida e ela não compreendia direito o que estava acontecendo. O que seu atual arqui-inimigo estava fazendo dentro do seu dormitório? Que pegadinha era essa? Alguma câmera escondida?

Kim só queria que seu celular voltasse a funcionar para ver o que sua mãe tinha dito. Ela nunca mandava mensagens à toa. Será que já estava atrasado? E por que o quarto daquela garota parecia tão feio e sem imaginação? Um sofá simples, televisão porte médio, quadros nada bonitos pendurados nas paredes. Era puramente sem graça, como ela. Será que todos os outros quartos eram assim também? E onde tinha deixado seu cartão, afinal de contas? Por que "Träumerei" continuava tocando em sua cabeça, se misturando com vários pensamentos sem que ele conseguisse ordenar nada?

Viu a menina voltar com o carregador nas mãos e deixou que ela levasse seu celular até o móvel com a televisão, onde plugou na tomada.

— Em poucos minutos, se puder esperar.

Kim concordou, tentando permanecer *blasé*, mas desesperado por dentro. Estava em um lugar desconhecido e tendo, claramente, um ataque de pânico. Que beleza! Olhou para a porta que seria a do banheiro, ele supôs, para desviar o olhar direto dela, quando teve uma ideia. Se estava preso ali, não tinha por que correr para outro lugar. E ela já sabia de parte dos seus problemas, de qualquer forma, não seria tão absurdo fazer suas necessidades. Ele tinha praticamente vomitado nela, certo?

— Vou usar o banheiro — disse, caminhando até a porta, sem esperar resposta. Valentina nem teve tempo de dizer nada, vendo que ele simplesmente entrou e trancou o banheiro atrás de si. Queria dizer que a toalha estava no chão porque sua misteriosa *roomate* fazia isso como algum tipo de protesto. Queria dizer também que as calcinhas penduradas no chuveiro não pertenciam a ela, embora isso fosse mentira. Mas por que se importaria com tudo isso? Tinha coisas mais importantes para pensar do que o que Kim acharia dela depois de ver um lugar tão íntimo assim.

Valentina sentou no sofá e respirou fundo. Tinha se distraído por alguns momentos com o garoto bonito e irritante, mas a verdade é que estava decepcionada consigo mesma por não ter ido tão bem na prática de piano como achava que iria. Como sabia que poderia ser. Não queria dar lugar à pessoa insegura da sua cabeça, que dizia que ela não era boa o suficiente, então, precisava pensar que nada daquilo a fazia ser ruim. Só, talvez, despreparada. Ela tentaria novamente no dia seguinte, até conseguir. Não era de desistir das coisas.

Kim saiu do banheiro com os cabelos molhados e arrumados para trás, fazendo a garota soluçar discretamente, porque aquilo era simplesmente incrível e sexy, além de perturbador. A manga do casaco dele estava puxada e Valentina precisou se advertir algumas vezes para não reparar demais em detalhes, como veias e dedos. Mãos de pianista.

Mãos do melhor pianista da Academia Margareth Vilela, com pôsteres para comprovar e mais de setenta mil resultados no Google sobre isso. E ele estava ali, no seu quarto, usando seu banheiro bagunçado, como se fosse algo totalmente normal. Foi quando teve uma ideia, que foi interrompida pelo barulho do celular dele indicando que estava ligado. Kim correu até o aparelho, voltando com a expressão assustadora de desespero que tinha antes. Valentina ficou sentada, observando em silêncio. Ele pegou o aparelho, abriu a mensagem e aquela expressão se transformou em algo que ela sabia muito bem o que era: decepção. Era totalmente visível, seu olhar ficou triste e distante de repente, seus ombros caíram e ele mordeu os lábios. O que será que tinha acontecido?

Kim não podia acreditar. Era idiotice achar que sua mãe abriria espaço na agenda para ele. A mensagem dizia que estava cancelando por motivos de trabalho e que voltaria a entrar em contato em breve. Em breve. Nada de boa noite, de querer saber como ele estava ou se estava vivo. Talvez vivo ela soubesse que estava, porque havia câmeras pelo conservatório, e a mãe recebia relatórios constantes dos professores sobre o desempenho dele nas aulas e nos treinos de piano. Mas, de qualquer forma, por que ainda achava que ela seria uma pessoa diferente? Ela nunca foi de outro jeito, e ele já deveria estar acostumado com isso. Com a indiferença e a solidão. Com o coração sendo partido por alguém que ele não tinha como escolher não gostar.

— Você visivelmente não está bem — Valentina comentou baixinho, quase para si mesma, sentindo que precisava falar alguma coisa, mesmo que não tivesse essa intimidade. Kim olhou para ela, voltando à expressão normal de quem era dono daquele quarto e a garota era apenas uma sujeira na mobília.

— Você visivelmente precisa tomar banho.

Valentina riu com a infantilidade da resposta. Mas aceitou, porque realmente estava imunda, e seu cabelo tinha uma aparência horrível. Viu ele puxar o celular do carregador, enfiar no bolso da calça e caminhar até a porta do quarto, com as costas eretas e a expressão entediada de volta ao rosto. Não tinha imaginado um momento de intimidade e conversa entre eles, claro, mas estava incomodada em deixar ele ir embora daquele jeito. Ela podia ver que algo estava errado e que não era certo ele ficar sozinho.

— Você não precisa se meter no que não entende. Sabe o que é "O Guarani", de Carlos Gomes? — Kim perguntou do batente da porta, com metade do corpo já para fora do quarto. Valentina franziu a testa.

— O livro?

— A música — ele disse, dando uma risada satisfeita de que estava certo sobre ela. Era uma garota qualquer, como todas as outras que tinha conhecido.

Kim bateu a porta atrás de si, sem nem agradecer a ajuda, claro. Valentina sentia-se cansada e faminta, mas levantou para pegar seu próprio celular e procurar "O Guarani", de Carlos Gomes, na internet. A música que ouviu era exatamente aquela que aparecia antes dos pronunciamentos presidenciais e que falavam de política no rádio. Entendeu um pouco a relação que ele fez com ela e o achou ainda mais imbecil por isso.

— De nada pelo carregador, seu babaca — Valentina disse para si mesma, voltando para dentro do quarto.

8

HEAD ON COLLISION

(NEW FOUND GLORY)

Valentina correu pelos jardins e escadas até chegar ao corredor do prédio de aulas em que ficava a sala onde teria a primeira aula de violão. Lá, correu ainda mais, se isso era possível, passando pelas pessoas que caminhavam tranquilas e que provavelmente não estavam tão atrasadas quanto ela, tentando não esbarrar em ninguém. Tinha dormido demais, porque havia passado a noite pensando na prática de piano e em como Kim era extremamente esquisito e frágil. E, claro, em algum plano genial que a faria convencer o garoto a ensiná-la a tocar piano como ele. O que tinha certeza que seria difícil de acontecer, talvez impossível. Ele não parecia ser o tipo de pessoa que topava ajudar os outros assim, facilmente, sem ter nada em troca. Ela precisaria de um bom motivo.

Um bom plano, talvez, fosse se utilizar do que já sabia sobre ele. Como o fato de que bebia demais, ou que usava remédios? Mas fazer isso não seria bacana, certo? Ela poderia se ajoelhar e implorar por ajuda, mas tinha certeza que Kim adoraria e que provavelmente viraria as costas e a deixaria jogada no chão. Não, esse não seria o plano certo. Teve outras ideias infantis, como pichar todos os pôsteres que têm a cara dele, mas nenhuma chegava nem perto de ser eficiente. Nada iria persuadi-lo, mas ela continuava consumida pelos pensamentos sobre a melhor forma de fazer com que ele a aceitasse como pupila.

Entrou na sala de aula e viu que o professor, de barba branca e barriga proeminente, ainda estava distribuindo os instrumentos aos alunos sentados em semicírculo. Ele a olhou feio pela interrupção, mas não disse nada e apenas apontou para onde ela deveria sentar-se. Devia ter mais ou menos dez alunos, alguns já afinando os violões e dedilhando suas cordas. Ninguém parecia interessado nela, e isso era ótimo. Não queria chamar atenção, ainda mais depois da humilhação na aula de piano. Aquela não seria uma aula de iniciantes, ela podia perceber. Excelente. Ela saberia exatamente o que fazer e não se sentiria intimidada.

O violão que tinha recebido era um Gibson lindo e acústico, de madeira clara, porém desafinado. Correu contra o tempo para afinar de ouvido o que podia antes que o professor fizesse a chamada e começasse a aula, que foi, sem dúvida, a mais divertida até então. Ele fazia um arranjo e pedia para que os alunos imitassem. Depois, solicitou que a turma criasse pontes entre os arranjos apresentados, e Valentina adorou poder colocar sua criatividade em prova. Ela sabia o que estava fazendo e sabia que era boa. Se sentindo confortável consigo mesma, levou a tarefa a sério e o professor ficou impressionado com sua habilidade de decorar as notas, embora tivesse chamado sua atenção por não seguir as ordens corretamente, já que a garota acabava criando mais do que era pedido.

— Nossa, você mandou muito bem! — um garoto de camisa xadrez disse para Valentina no final da aula. A garota sorriu, envergonhada, mas estava satisfeita com seu desempenho.

Sentindo suas esperanças sendo renovadas, ela deixou a sala de aula pensando em devorar um prato de macarrão para repor as energias, quando o celular vibrou no bolso. Tinha recebido uma notificação de que foi adicionada a um grupo de mensagens.

Sarah Albuquerque: Estamos no refeitório e tem um lugar na nossa mesa te esperando. *11:45*

Pedro Foster: A gente também tá te esperando, claro. *11:46*

Sarah Albuquerque: Isso era meio implícito, né. *11:46*

Sarah Albuquerque: Fernando, para de olhar para o cara da mesa ao lado. O cabelo dele não é maior do que o seu. E é definitivamente menos sedoso. *11:46*

Fernando Sartori: Ele parece um clássico cantor de heavy metal, pena que se veste como um tenista. As pessoas não sabem aproveitar a vida. *11:46*

Fernando Sartori: Valentina, vem ou não? Posso pegar minha comida? Por que a gente tá conversando por mensagens e não ao vivo? *11:47*

Valentina sorriu discretamente, balançando o celular nas mãos e pensando que seria a primeira vez desde que tinha chegado ali que não comeria sozinha e isso era fantástico. Mas ela precisava avisar aos seus novos amigos que odiava ser chamada pelo nome. Valentina era pomposo demais e nada punk rock, por isso seu apelido era Tim. Para a primeira semana de aulas, o conservatório se parecia cada dia mais com sua nova casa. Bagunçada e caótica, mas como aquela frase que o poeta Tom Fletcher certa vez disse em uma música: "a nossa casa é onde o nosso coração está", e o coração de Valentina certamente estava por ali. Aproveitou o caminho até o refeitório para ligar para sua mãe e atualizar Érica de como era realmente boa no violão e que deveria comprar um Gibson assim que tivesse dinheiro.

Érica Sanchez: Quem se importa com um violão, você ainda não me mandou foto do Deus Asiático, qual o seu problema??? *12:10*

Valentina bateu o coturno no chão, parou em um mural que estava em seu caminho e, discretamente, tirou uma foto de um dos pôsteres de divulgação do conservatório, enviando diretamente para a amiga. Continuou caminhando, se sentindo ridícula. Não acreditava que tinha mesmo tirado uma foto da cara esnobe do garoto.

Érica Sanchez: OMG! ONDE ELE ESTAVA ESCONDIDO ESSE TEMPO TODO QUE AINDA NÃO TINHA APARECIDO NA SUA VIDA? NÃO ME IGNORE E ME RESPONDE LOGO: VOCÊS JÁ DERAM UNS AMASSOS EM CIMA DO PIANO?! *12:12*

Valentina obviamente ignorou.

— Vocês acreditam que ainda é a primeira semana na aula de flauta transversal e eu já estou quase reprovando? — Pedro perguntou aos amigos da mesa, entre uma abocanhada e outra no sanduíche. Valentina tinha acabado de se sentar e pegou a conversa dos três pela metade.

— Acredito, porque você deveria ter seguido em instrumentos de percussão, mas é teimoso demais. Que ideia idiota de estudar um instrumento de sopro foi essa? — Fernando rebateu, como se já tivesse repetido isso milhares de vezes. Valentina encheu a boca de macarrão tentando entender os novos amigos.

— Você sabe que tem instrumentos clássicos mais próximos de bateria do que flauta, certo? — Sarah perguntou, com uma calma aparente. Valentina quis rir, mas continuou pensativa, já que ela não se sentia íntima o suficiente para participar da zoação.

— Tô louco pra chegar logo no terceiro semestre e poder participar de aulas de Orquestra Prática! — Fernando disse, virando-se para Valentina. A garota concordou, sem muita certeza de que queria o mesmo e sem nem saber o que seriam essas orquestras. Parecia chato e cansativo. Era onde a música de elevador se perpetuava, certo?

— Você já escolheu um instrumento pra sua formação? — ela perguntou, com a boca cheia.

— Contrabaixo, com certeza. Eu toco desde criança, acho que foi coisa passada de geração, sabe? Meu avô também era superligado a instrumentos de corda. Embora meu pai quisesse que eu tivesse escolhido violino. Ele e minha mãe tocam na Orquestra Sinfônica de São Paulo. E você? — ele perguntou, fazendo sinal negativo para um garoto que tentou se sentar na mesa deles. O garoto simplesmente se virou e foi embora, decepcionado.

— O primeiro semestre é introdutório, eu sei. E eu acabei escolhendo piano como instrumento clássico.

— Piano? — Sarah parou de falar com Pedro e encarou Valentina. Os outros fizeram o mesmo. — Você já tocava piano antes?

— Não. Eu nunca tinha encostado em um piano até essa semana... — Valentina pareceu cansada, revirando a comida com o garfo. Admitir isso em voz alta parecia ainda pior do que realmente era. — Só achei que não seria tão difícil. Não sei o que realmente quero fazer.

— Isso é... humm... normal, eu acho. Fica tranquila. — Sarah deu um sorriso vacilante, mas tentava acalmar Valentina, que ficou realmente agradecida. — Não tem nada que a gente não possa aprender.

— Não engana a garota, Sarah. Não é nada normal nem nada fácil — Fernando disse, recebendo um olhar reprovador da amiga. — Isso é sério, você precisa ser realmente boa no instrumento pra poder passar de semestre! Se reprovar, isso vai pro seu currículo. E um currículo bom daqui pode te colocar em qualquer orquestra brasileira, ou até em outros países!

— Tenho certeza que flauta transversal é ainda mais difícil — Pedro apontou metade do sanduíche para a garota, que apenas sorriu, ainda encarando Fernando, sem saber muito o que falar.

— Você tem até o terceiro semestre pra se decidir de verdade, porque dali em diante são aulas mais específicas. Como tá indo com o piano? — Sarah perguntou de forma doce, ignorando os amigos.

— Sou péssima! — Valentina coçou a cabeça, respirando fundo, sentindo que seu ombro tinha ficado pesado de novo. — O Fernando tem razão, é muito difícil. Eu sei todas as notas e sons, mas parece muito mais complexo do que imaginei. Quem inventou aquele maldito pedal, sabe?

— Bom, o John Broadwood foi o primeiro a...

— Isso foi uma pergunta retórica, Pedro — Sarah interrompeu, abanando a mão.

— Isso é um bom sinal — Fernando completou, pensativo. Os outros três amigos ficaram esperando, mas ele voltou a comer e não disse mais nada.

— Você não vai explicar por que diabos algo ser difícil é um bom sinal? — Sarah perguntou. Ele negou com a cabeça, sacudindo a cabeleira ruiva.

— Mas posso mostrar pra vocês, o que acham?

Terminaram de comer mais rápido que o habitual, antes de as aulas da tarde começarem, e seguiram Fernando para o prédio de aulas. Valentina estava feliz por não ser mais o centro das atenções sozinha, embora soubesse que os quatro juntos atraíam muitos olhares. Eram quatro pessoas diferentes que resolveram se juntar por um objetivo em comum, o que era muito legal.

Sarah, em algum momento da caminhada, enganchou o braço no de Valentina como se as duas se conhecessem há anos, e isso, inicialmente, tinha deixado a garota espantada e sem saber o que fazer. Valentina raramente tinha tido isso na vida, uma amiga próxima desse jeito, com tanto contato físico. Érica era sua melhor amiga, mas pelo telefone e por mensagens, já que se conheceram pela internet, então era novidade poder andar assim com alguém que ela já considerava tanto. Continuou caminhando, prestando quase mais atenção aos braços dados do que ao que a garota falava.

— Pra onde estamos indo, Fer? — Pedro perguntou, sorrindo para duas alunas vestidas com collant de balé que passaram por eles. Era algo que ele fazia com frequência, mas que nem sempre tinha resposta positiva, já que as meninas viravam a cara, ignorando-o. Valentina não sabia se conversava com Sarah sobre isso, pois já tinha percebido um clima entre ela e Pedro. Não sabia se os dois tinham ou já tiveram algum rolo, mas não queria que a nova amiga saísse machucada.

— Já estamos chegando, seja paciente, padawan.

Valentina entendeu a referência a Star Wars, mas percebeu que Pedro parecia confuso, o que foi muito engraçado de ver. Ela finalmente tinha conhecido pessoas com os mesmos gostos que os seus! Estava animada demais para perguntar para onde estavam indo, já que seguiam o caminho normal do prédio de aulas, onde ela realmente deveria estar em poucos minutos para assistir a Composição e Letras. Pelo menos não precisaria sair correndo. Entraram, então, em um corredor vazio onde se ouvia música clássica a toda altura, o que, apesar do lugar onde estavam, não era normal.

— Isso é "O quebra-nozes"! — Sarah disse animada, soltando o braço de Valentina e correndo mais à frente onde Fernando estava. Pararam na porta de uma sala repleta de bailarinos, espelhos e barras de ferro acopladas às paredes, que tinha um enorme vidro tornando tudo visível a quem passava pelos corredores. Valentina ainda não tinha assistido às aulas de balé do conservatório, embora quisesse muito. Nunca teria imaginado que era algo tão incrível e difícil, porque sempre que assistia a aulas assim em filmes, tudo parecia calmo e sereno, como se todos tivessem talento de sobra.

Ficaram algum tempo em silêncio, observando os alunos repetirem passos e movimentos, esticando seus corpos com a postura perfeita e se mantendo em uma incrível sintonia. As meninas eram maravilhosas, algumas com sapatilhas de ponta; outras descalças, ainda se alongando. Valentina achou que se existisse céu, provavelmente estaria repleto de bailarinas, como o interior de uma caixinha de música.

O professor, ao contrário deles, não parecia satisfeito com o que estava vendo. Vez ou outra gritava em francês, batia as mãos de forma grosseira e, em um momento, interrompeu dois solos de garotos diferentes, apontando somente defeitos na performance. Defeitos inexistentes na opinião de Valentina, pois ela estava encantada com a leveza dos movimentos dos dançarinos. Tinha certeza que se alguém gritasse com ela daquele jeito teria que fingir ter um cisco no olho para não admitir que ia cair no choro. Era quase uma humilhação pública. Achou sua professora de piano um anjo.

Fernando, então, puxou os três amigos de volta para o fundo corredor, longe do vidro.

— Se não for difícil, não tem esforço. E, se não tiver esforço, ninguém se torna mais do que medíocre — concluiu, cruzando os braços, parecendo mais sábio do que sua idade aparentava. — Se estiver fácil demais, você está fazendo errado.

— Desde quando você assiste às aulas de balé? — Sarah perguntou com a testa franzida, curiosa. Valentina riu, cobrindo a boca com as mãos.

— Isso foi bem profundo, cara — Pedro parecia pensativo e emocionado.

— Sua postura correta nunca me enganou! Você já fez balé? O que não contou pra gente? Quem é você? — Sarah continuou o questionário, vendo o amigo fazer careta e andar apressado pelo corredor.

— Se eu pudesse faria as aulas de dança, deve ser como voar... — Pedro seguiu o amigo dando pulinhos e rodopios.

Valentina caminhou atrás dos três pensando no que Fernando tinha dito. Tocar piano era difícil, mas parecia certo, como se estivesse completando um quebra-cabeça de sentimentos. Ela sentia lá no fundo. Só precisava engolir a insegurança e continuar se esforçando, como sempre fazia em momentos de dificuldade. Nada fazia Valentina desistir.

A última coisa que queria era ser medíocre. E, afinal de contas, ainda era a primeira semana, certo? Tinha muito tempo pela frente.

♫

Naquela tarde, ela teve aulas de Composição e Letras, na qual começou a estudar formatos de músicas clássicas já existentes, e Rítmica, que era, basicamente, um estudo profundo do que é ritmo, e ela não tinha nenhum problema com isso. Mas sabia que dali para a frente falariam sobre células rítmicas dentro da música, e aí seriam outros quinhentos.

No fim do dia, Valentina se pegou caminhando sozinha pelos corredores do prédio de aulas enquanto ouvia a playlist especial que havia feito para se lembrar de onde tinha vindo. Eram aquelas músicas que todo adolescente roqueiro já tinha ouvido e que eram praticamente hinos para os sofrimentos da vida. Green Day, Blink-182 e Forfun faziam parte da lista, com músicas grosseiras, nervosas, sem sentido, muitas com poucos acordes. Se viu balançando a cabeça no ritmo de "Head On Collision", do New Found Glory, ainda que a letra não tivesse nada a ver com seu estado atual. A música também falava pelo ritmo, não só pelo que dizia explicitamente na letra. E a vontade de sacudir a cabeça normalmente era maior do que a de pensar o tempo todo, então era muito mais fácil se entregar.

Só parou quando encontrou Sarah sentada em um dos muitos bancos do jardim, na passagem entre o prédio de aulas e a Casa Branca, debaixo de um facho de luz de um dos postes. Ela estava serena, tocando violino e fazendo anotações em seu caderno, perdida nos próprios pensamentos. Valentina tirou os fones de ouvido discretamente, se aproximando sem querer assustar a amiga ou atrapalhar. Pôde ouvir um pouquinho do que ela tocava antes que ela percebesse a presença de alguém e acenasse, contente. A garota era incrível.

— Você é a melhor violinista que já conheci! — Valentina disse, sentando ao lado dela no banco, com visível entusiasmo pelo que tinha ouvido. Ela era realmente muito boa. Melhor que o cara que tocava no Yellowcard.

— Uau, isso é um elogio e tanto vindo da filha do Gontcharov! — Sarah sorria animada, realmente lisonjeada. Valentina balançou a cabeça. Ela tinha esquecido totalmente de desmentir tudo o que tinha dito sobre seu pai, e isso a fazia morrer de vergonha. Ela nunca o tinha visto tocar violino na vida, quanto mais viajado ao exterior. Ela nunca tinha sido filha dele antes. Era até absurdo pensar nisso. E, mesmo que isso tivesse feito ela se sentir especial no momento, era uma mentira. Precisava falar a verdade.

— Sobre isso, Sarah... — Valentina começou a explicar, mas a amiga a interrompeu segurando seu braço.

— Ah! Antes que eu me esqueça... — A menina disse, sorrindo. — A gente realmente precisa de você na banda. Você ainda não falou se topa fazer parte, claro, mas a gente meio que já te considera dentro. Eu te considero dentro.

— Eu quero! Vai ser um prazer, mal posso esperar! — Valentina sorriu, se sentindo parte de alguma coisa grande. Até tinha esquecido sobre o que iria falar, porque, de repente, ficou muito animada.

— Sabe, eu realmente precisava de uma amiga por aqui. Aquilo que o Kim fez no início das aulas não foi muita novidade pra mim. Eu entendo de pessoas que pegam no nosso pé, isso aconteceu muito comigo também. Eu só tenho o Fer e o Pedro, sabe? Nunca tive uma amiga, o que fez tudo ser mais difícil.

Sarah respirou fundo e contou, devagar e envergonhada, sobre sua época na escola. Contou que era a única menina negra da sala em um colégio prestigiado. Seus colegas de classe eram filhos de empresários, políticos, artistas, pessoas privilegiadas por causa da conta bancária. Ninguém entendia como ela podia estudar lá, ter dinheiro para a mensalidade. A garota vivia isolada sendo alvo de piadas sobre o cabelo crespo e volumoso, sobre a cor da pele. Sarah não entendia por que não podia ser aceita do jeito que era. Ela não tinha feito nada de errado, era vítima da crueldade alheia só por não parecer com eles fisicamente. Enquanto crescia, desenvolveu sérios problemas de autoestima. Tentava se enquadrar no padrão exigido pelos colegas, pelo círculo social de nível alto em que sua família convivia. Alisou tanto o cabelo que quase perdeu os fios de vez. Foi quando procurou ajuda médica, começou a fazer terapia e descobriu, em sites e canais do YouTube, meninas iguais a ela que passavam pelos mesmos problemas. Isso renovou suas forças e ela pôde finalmente enxergar quem realmente era. Não era fácil, às vezes ela ainda se sentia inferior. Era uma luta diária.

Valentina sentiu os olhos se encherem de água. Não tinha ideia do que era ser discriminado por causa de cor de pele, sabia que jamais compreenderia todo o sofrimento pelo qual Sarah tinha passado e ainda passava. Não era seu papel questionar e procurar razões para atitudes racistas como essa. Ela, como ser humano, só precisava mostrar apoio e ter empatia. Era um absurdo que pessoas ainda tivessem essa mentalidade, especialmente em um país tão miscigenado como o Brasil. Era ridículo, revoltante. Ainda por cima fazer mal a alguém tão bom como ela. Sarah deixou de confiar nas pessoas porque passou confiar somente em si mesma. E ter essa confiança não era nada fácil.

— Eu dei sorte porque minha família é muito carinhosa, e eu cresci com segurança e cuidados. Com dinheiro, sabe? — Sarah continuou, sua voz saiu tímida. Valentina quis abraçar a amiga. — Nunca contei isso pra ninguém. Não me senti confortável pra falar com os meninos. Não é que eles sejam más pessoas, pelo contrário! Só não estou preparada. Mas conversar com você é fácil.

— Te entendo. Quando se é mulher, falar com outra mulher é muito mais confortável. Fico feliz que você tenha confiado em mim. — Valentina sorriu, verdadeiramente grata por essa aproximação. — Mulheres precisam se unir, né?

— Isso é verdade! Nem imagino como é pra garotas negras crescerem lá fora, no mundo, sozinhas. Eu tive a sorte e o azar de estudar nas escolas mais elitistas do Rio de Janeiro.

— Azar? — Valentina franziu a testa, sem entender. Quem dera ela tivesse tido a oportunidade de estudar nas melhores escolas e ter vivido perto de um piano a vida toda.

— Os negros normalmente são empregados, faxineiras, motoristas... não colegas de classe. — Sarah olhava para as próprias mãos, e Valentina compreendeu. Se sentiu envergonhada por questionar, mesmo que o tivesse feito apenas em sua cabeça. Ela queria saber o que dizer para fazer Sarah se sentir melhor, mas sabia que qualquer coisa seria inútil. Apertou as mãos da amiga novamente. — Eu estou generalizando, claro! Tenho certeza que não é todo mundo que pensa assim, mas é só que...

— Você tem esse direito — Valentina concordou calmamente, olhando Sarah com outros olhos. A garota era ainda mais forte do que ela havia pensado. Do que todo mundo que fazia essa maldade pensava. — E você é incrível. Eu sei que encontrei a melhor pessoa desse conservatório para ser minha amiga!

As duas se abraçaram, sorrindo como se compartilhassem um segredo só delas, com companheirismo e sororidade. Quando se soltaram, fizeram caretas e riram juntas, tentando espantar qualquer tristeza que tivesse ficado por ali.

— Ah! O Kim ainda está te perturbando, né? — Sarah se lembrou, com um pouco de vergonha. Valentina concordou, pensativa, organizando os pensamentos sobre o garoto.

— Sobre isso, precisamos conversar. Necessito de uma aula completa sobre o aclamado pianista da Margareth Vilela, porque tenho uma ideia. Uma grande e ambiciosa ideia.

— O que você pretende fazer, Cérebro?

—Pink, preciso de um plano para fazer Kim aceitar me dar aulas de piano.

9

GOOD RIDDANCE (TIME OF YOUR LIFE)

(GREEN DAY)

— ISSO É IMPOSSÍVEL! — Sarah caiu na gargalhada, sentindo até os dedos do pé formigarem.

— Não é! — Valentina repetia para a amiga, enquanto caminhavam juntas em direção ao prédio anexo. Já estava de noite, e elas precisavam jantar antes do toque de recolher, porque o refeitório fecharia em breve. — No primeiro dia em que cheguei ao conservatório, encontrei o Kim em uma situação, digamos assim, complicada, e, por isso, ele morre de medo de mim. Você mesma presenciou como ele me trata!

— Ele é grosso com todo mundo, isso não significa que tenha medo de você — Sarah apontou, entrando na fila do self-service.

— Ele... foi no meu quarto esses dias — Valentina contou, cruzando os braços, querendo parecer que tinha uma confissão. Só que não tinha. Sarah olhou na direção da menina com cara de espanto, quase tropeçando quando a fila andou.

— No seu quarto? — sussurrou.

— Não exatamente dentro do quarto, foi na sala, mas o ponto é: tem algo que não consigo desvendar. E eu preciso de algum expert no assunto pra tentar entender melhor e achar uma brecha. Preciso dessas aulas de piano! Por favorzinho?

Sarah concordou em silêncio, criando algum plano mirabolante na cabeça. Sua mente funcionava rápido, e ela tentava juntar todas as informações que já tinha sobre Kim no pouco tempo em que estava no conservatório. Mas conhecia alguém que poderia ajudar melhor nessa investigação, alguém que era um centro de fofocas. Puxou o celular do bolso e discou um número, deixando Valentina curiosa.

— Me encontrem no meu quarto daqui a trinta minutos. E leve meu casaco do Harry Potter ou irei até o dormitório de vocês e a destruição não será bonita.

Pedro, Fernando e Valentina estavam sentados no sofá de couro com almofadas de gatinhos do dormitório de Sarah. O ambiente era decorado com papel de parede florido e quadros com imagens de óperas, orquestras e instrumentos clássicos, incluindo um dos pôsteres de propaganda da Academia Margareth Vilela, estampado com a cara do Kim. Valentina agradeceu mentalmente por sua misteriosa companheira de quarto não ter pendurado um desses no dormitório que dividiam, ela não aguentaria ter que olhar para o pianista o tempo todo.

— Kim Pak Vilela tem 20 anos e é do signo de escorpião — Sarah começou a palestra enquanto caminhava pela pequena sala, parecendo muito séria. Valentina estendeu a mão, querendo fazer uma pergunta.

— Vilela eu entendo ser do legado supremo da Academia, mas Pak?

— Pak é um dos sobrenomes mais comuns da Coreia do Sul, mais de três milhões de pessoas têm — Fernando explicou rapidamente, deixando a garota boquiaberta, impressionada com a informação.

— Mas ele tem sobrenome coreano e a diretora não parece nada... asiática. Ele não se parece em nada com ela, de verdade. É com o pai?

Sarah e Fernando se entreolharam, rindo, como se soubessem de segredos no mundo que só um grupo seleto tinha a sorte de conhecer.

— De acordo com a Ciência seria possível eles não serem parecidos porque o gene asiático é dominante, contudo... — Fernando fez uma pausa para parecer emocionante. Valentina não achou divertido esperar. — ...é de conhecimento de poucos que ele é adotado. Mas não tem nenhum mistério nisso.

— A parte ruim até agora é ele ser de escorpião, eu não desejo isso pra ninguém. — Sarah deu de ombros e Pedro fez cara feia. — Sua mãe é diferente, cara. Eu já disse.

— Ok... 20 anos, adotado, coreano e escorpião. Preciso de mais informações, nada disso me parece o suficiente pra criar um plano. — Valentina cruzou os braços.

— Ele está cursando o 5º semestre com formação em piano, obviamente. Só que até o 4º semestre ele não dava as caras em nenhum lugar por aqui, fora as salas de aula. Quando aparecia — Sarah continuou, sentando na mesa da televisão em frente aos amigos, com pose de protagonista de série policial. Valentina queria muito saber como ela tinha todas essas informações, mas decidiu não cortar a onda dos amigos.

— E então ele foi obrigado a compartilhar a vida com todo mundo porqueeeeeee...

— Provavelmente a senhora diretora obrigou. Não sabemos ao certo. — Fernando deu de ombros, embora parecesse difícil para ele dizer que não sabia de alguma coisa.

— E os Bostinhas? Digo, os trogloditas que vez ou outra cercam ele? Marcus machista e Júlio imbecil? — Valentina fez os outros três rirem de repente. — Eles estão na minha turma de História da Música I, infelizmente.

— Eles não são amigos, dá pra perceber, não dá? Kim provavelmente anda com eles por questões sociais e familiares. Ou talvez costume. E esse Marcus é nojento, não tem uma garota que não saiba quem ele é. — Sarah ficou pensativa.

Antes, Valentina acharia que Kim era tão babaca quanto os amigos, mas de alguma forma sabia que Sarah tinha razão. Tentou buscar na memória algo mais que queria saber e mordeu os lábios se lembrando de como o garoto tinha ficado quando foi ao seu dormitório no dia anterior.

— O Kim... ele me parece meio perdido. E triste. Quando ele foi ao meu dormitório, estava claramente triste.

— Não chegue na simpatia, por favor. Ele não merece. — Fernando puxou o celular do bolso, parecendo entediado.

— Você é que não merece simpatia, Nandão! — Sarah mostrou a língua de forma infantil, mas Fernando não tirou os olhos do celular.

— Por que a gente está dissertando sobre o cara, hein? Achei que você já tivesse superado sua crush por ele — Pedro rebateu, visivelmente enciumado.

— Superei há tempos! — Sarah colocou as mãos na cintura, irritada.

— Não é o que diz a sua parede! — O garoto apontou a cara de Kim no pôster.

— Preciso que ele aceite me dar aulas de piano. E acho que já sei como — Valentina interrompeu antes que os dois brigassem. Com certeza havia algo entre eles. Ela se levantou, parecendo animada. Os três encararam a amiga, curiosos. — Ele claramente tem medo que eu revele uma coisa às pessoas, só que eu não sei o que é. Então vou usar isso contra ele.

— Chantagem? — Fernando perguntou, interessado. Ela concordou.

— O que acham?

Pedro levantou a mão.

— A gente pode fazer uma aposta? — Os outros três concordaram. — Se a novata não conseguir esse feito, a gente permanece com a apresentação de reggae e música clássica no fim do semestre. Se ela conseguir, a gente manda um rock'n'roll. Com música clássica, claro.

Os quatro se entreolharam e Valentina sorriu. Parecia um bom plano.

— Preparem as jaquetas de couro, porque vamos arrebentar!

♪

Ironicamente, Valentina não encontrou Kim no final de semana. Parecia uma zoação do destino. Ele surgia em seu caminho nas horas mais inoportunas, e agora que ela precisava falar com ele, nada. Pensou em fazer tocaia próximo ao seu quarto, mas pagar de fã claramente não era uma opção, já que vez ou outra algumas garotas se esgueiravam por lá na esperança de o pianista aparecer e conceder um pouco de atenção. Nem morta pagaria um mico desses! Mas pelo menos eles tinham aula de História da Música I juntos, então seria uma oportunidade. A segunda semana de aulas tinha começado e ela precisava melhorar no piano, senão sua vida viraria um inferno.

Entrou na sala de aula procurando pelo garoto e, como ela esperava, Kim estava sentado na mesma cadeira, próximo à parede, com a cabeça baixa e provavelmente dormindo. Marcus e Júlio estavam sentados em volta e ela cometeu o erro de olhar na direção deles.

— A garota punk rock chegou, professor — Marcus disse, como se chamar Tim de punk rock fosse algum xingamento. A garota revirou os olhos e foi se sentar ignorando a existência do garoto, porque a vontade de arrancar a cabeça dele do corpo era enorme. Visualizou todos os *fatalities* de Mortal Kombat e, só assim, o dia ficou mais divertido. Ela não conseguia entender como alguém nos seus 20 anos conseguia ser tão infantil e ridículo. O que ela tinha feito para ele? O garoto a encarava de volta, sorrindo quase que de forma maníaca, como se estivesse achando muita graça em perder seu tempo de estudo tirando sarro dos outros. Era absurdo; como as meninas se interessavam por um cara como ele? Cadê a autoestima? Ele nem era bonito!

Valentina olhava de relance para onde Kim estava sentado, mas o garoto não levantou o rosto em momento algum, desde o começo da aula. Como chamaria sua atenção? Talvez aquela não fosse a melhor hora e ela precisasse refazer sua estratégia. Ou ele simplesmente não estava tão interessado nela da mesma forma, claro. Não que ela estivesse interessada nele *daquele jeito*, mas precisava conseguir alguma conexão. O que faria?

Assim que o sinal tocou, viu Kim se levantar rapidamente, colocar os óculos escuros e sair da sala acompanhado dos Bostinhas, ignorando qualquer pessoa que estivesse no caminho, inclusive Valentina, tirando todas as chances de contato que ela poderia ter. A garota mostrou o dedo do meio para o agora espaço vazio na sua frente, onde Kim tinha passado, recebendo um olhar curioso do professor. Deu um sorriso amarelo e saiu da sala de aula quase tropeçando.

No corredor cheio de alunos, puxou o celular do bolso para falar com Érica e desabafar. Sabia que poderia contar com Sarah, mas não queria pressionar tanto a nova amiga. Desde pequena ela sentia que era um peso na vida das pessoas, inclusive na de sua mãe, então evitava encher uma mesma pessoa com seus problemas. E Érica era muito boa em mandar ela calar a boca e se virar, por exemplo.

Enquanto caminhava em direção ao refeitório para o almoço, enviou um áudio para a amiga reclamando horrores de como se sentia injustiçada por Kim sequer olhar para onde ela estava. No caminho, encontrou um grupo de estudantes de balé conversando em voz alta no pé da escada. Valentina parou uns degraus acima para ler a resposta de Érica, que tentou comparar a situação com algum drama coreano, o que fazia com que Valentina não entendesse nada do que ela estava falando. Continuou parada ali, digitando furiosamente uma resposta malcriada para a amiga, e não pôde deixar de ouvir que os bailarinos falavam sobre Kim. Ela fingiu estar interessada no celular, mas prestou atenção na conversa. Poderia ser algo interessante que a ajudasse a se aproximar do garoto.

— Nem acredito que a Bianca vai voltar. Ela não tinha conseguido bolsa de estudos em Paris? Por que voltaria tão cedo?

— Espero que ela tenha sido expulsa! Odeio essa garota. Ela é o tipo clássico de inferno das bailarinas.

— Ela não seria louca de ser expulsa, é uma das melhores bailarinas da Academia. Você acha que o Kim e ela ainda estão juntos?

— Eles terminaram no ano passado quando ela viajou, não?

— Terminaram mesmo?

— Aliás, eles tiveram mesmo alguma coisa? Nunca ficou claro.

— Todo mundo diz, inclusive a própria Bianca. Sempre que ela vinha para a Margareth Vilela, eles ficavam juntos.

Então Kim tinha namorado uma bailarina que estava prestes a voltar para o conservatório? Valentina não sabia bem se isso era algo bom ou ruim para seu plano, embora estivesse se sentindo desconfortável demais com o que tinha acabado de ouvir. Voltou a descer as escadas antes que alguém notasse que estava espionando o papo alheio e caminhou apressadamente para o refeitório. Precisava contar isso para Sarah. Era uma fofoca enorme.

Green Day cantava em seus fones de ouvido, fazendo Valentina relembrar bons momentos de sua adolescência. Sentiu-se nostálgica. Estava longe de casa e de sua zona de conforto, tentando se adaptar a uma nova vida, e isso queria dizer que ela precisava crescer e ser adulta de vez.

Antes da aula de Psicologia da Música, usou seu tempo vago para tentar fazer as pazes com o piano, na mesma sala de treino da semana anterior. Tentou ao máximo se concentrar em como usar os pedais ao mesmo tempo em que lia a partitura, mas acabava se enrolando. Estava pensando demais, precisava esvaziar a cabeça e ter foco. Afinal, caso seu plano de ter aulas com o cara mais inalcançável do conservatório (e talvez do mundo) falhasse, ela ainda tinha uma matéria de piano clássico para passar, então não podia confiar na sorte.

It's something unpredictable,
but in the end is right.
I hope you had the time of your life.

(É algo imprevisível, mas no final dá certo.
Espero que você tenha vivido a melhor época da sua vida)

Ela parou na porta do elevador no saguão do prédio dos dormitórios, ouvindo a letra de *Good Riddance*, e respirou fundo, olhando de forma perdida para o carpete. Playlists às vezes eram mágicas.

Ela queria poder olhar para trás e relembrar toda essa experiência no conservatório como a melhor época da sua vida. Afinal, estava ali por uma piada cretina do destino, que ela chamava de pai, mas que era também uma dádiva e ela precisava agradecer muito por isso. Era uma chance que sabia que poucas pessoas teriam.

Decidida ainda mais a fazer tudo dar certo, chamou o elevador e sentiu alguém parando ao seu lado. Só quando entraram juntos notou que era Kim. Ficou nervosa de repente, enquanto ele parecia intocável e entediado, como sempre. Seu coração batia rápido e ela sentiu as palmas das mãos suarem. Deveria colocar seu plano em prática? Se não funcionasse agora, não funcionaria nunca mesmo, e ela poderia acabar logo com essa ideia ridícula e voltar à sua vida normal. De alguma forma sentia que estava ficando um pouco obcecada com tudo aquilo.

Tirou os fones de ouvido e mordeu os lábios, passando as mãos nos cabelos, nervosamente.

— Kim? — chamou quase num sussurro. O garoto moveu a cabeça levemente para a direção dela, mas não olhou diretamente para a garota. Ele estava ouvindo, do seu próprio jeito egocêntrico. — Preciso da sua ajuda.

Kim ficou paralisado, sem mexer sequer um músculo do corpo, sem saber como reagir a esse pedido inesperado. A verdade é que ninguém tinha pedido sua ajuda antes, para nada. Ninguém antes havia tido essa coragem, ou tinha realmente precisado dele. Continuou imóvel. Valentina percebeu, com o silêncio, que ele talvez não fosse falar nada e simplesmente a ignoraria, então, quando o elevador chegou ao 4º andar, ela saiu calmamente, tentando pensar no que fazer. Kim veio logo atrás, com passos largos.

— Minha ajuda? E por que acha que eu iria ajudar alguém como você? — ele perguntou, visivelmente confuso, tentando pensar em todas as possibilidades que a fariam falar com ele dessa forma. Logo ela. Valentina sorriu pelo canto da boca e se virou para ele, sentindo-se vitoriosa e já entendendo que ele era grosso assim porque tentava afastar as pessoas. Ela não iria a lugar algum.

— Porque eu claramente sei de coisas que você não quer que ninguém saiba.

Ela sorriu. Parecia encantadora. Kim franziu a testa, sem chegar muito perto, e ela só conseguia pensar em como ele era lindo e como seu cabelo estava incrível penteado para trás. Depois que soube que ele era coreano, começou a notar que seus olhos pareciam pequenas fendas e que quando ele franzia a testa eles se apertavam como um sorriso. Droga, era esse tipo de magia que fazia pessoas inteligentes como Sarah perderem a razão quando ficavam perto dele?

— Não sei do que você está falando — Kim deu de ombros depois de pensar um pouco, e Valentina notou que ele estava nervoso. Ele não saiu do lugar, não ignorou a garota como normalmente faria. E nem disse nada tão desagradável. Isso tinha que significar alguma coisa!

— Eu tenho fotos. — Mentira, ela não tinha. Mas ele estava quase caindo na dela, precisava só de um empurrãozinho.

— Você... — Ele arregalou os olhos e mordeu o canto da boca, passando as mãos nos cabelos, visivelmente desesperado. Qual era a dela? O que estava tentando fazer? Ele não tinha problemas demais para lidar? Precisava de mais uma praga esquisita na sua vida?

Kim saiu pisando duro pelo corredor em direção ao seu quarto. Valentina apressou o passo, atrás.

— Olha, prometo não dizer pra ninguém que você está me ajudando e nem que você é gente fina. E, além do mais, você vai poder praticar suas habilidades de ser mau e rancoroso comigo o tempo todo, olha que legal!

— Não sei se quero saber de que tipo de ajuda você precisa. — Ele continuou andando sem olhar para ela, mas diminuiu o passo para que Valentina pudesse acompanhar. Normalmente, as pessoas que se aproximavam dele faziam isso porque ele era filho da diretora, porque tinha dinheiro ou por qualquer questão social. Tinha certeza de que a esquisita estava ali por um desses motivos.

— Preciso passar na aula de piano — Valentina confessou, cansada, soltando um suspiro. O desespero era quase natural na sua voz, o que fez Kim parar próximo à porta do quarto e se virar de frente para ela, surpreso. A garota, que estava perto demais dele, levou um susto e deu um passo para trás.

— Eu não tenho como te dar um diploma. Ou um cérebro, habilidades, talento, dinheiro, etc.

Valentina revirou os olhos e bateu as mãos, fazendo um barulho alto que deixou o garoto desconcertado.

— Alô, eu tô pedindo aulas de piano! Por favor, seja meu mestre supremo? Você é o melhor nisso! Por favorzinho?

O rosto de Kim se transformou em uma expressão de espanto, e, ignorando o que ela disse, se virou de costas e abriu a porta do quarto. Seu coração estava batendo mais forte e ele não sabia que tipo de sentimento era aquele. Alguns segundos perto dela e ele já conseguia ouvir Schumann a toda altura reverberando na sua cabeça ao mesmo tempo em que pensava em muitas coisas diferentes. Ela queria sua ajuda? Por que ele ajudaria? Por que não ajudaria? Por que diabos ouvia sua música favorita quando ela estava tão próxima? O som que vinha da sua cabeça era tão incrível que ele não conseguia organizar os pensamentos.

Valentina ficou parada no corredor, esperando uma resposta. E Kim simplesmente bateu a porta do quarto na cara dela. A garota resolveu entender a atitude dele como um "vou pensar", já que ele também não tinha negado. Reação nenhuma era melhor do que uma reação negativa, então ela poderia esperar. Colocou os fones de ouvido e deu play novamente na música, sorrindo em direção ao seu dormitório.

10

NILLILI MAMBO

(BLOCK B)

Valentina acordou com a bateria tocando no despertador e sorriu antes de se levantar. Entrando no banheiro, percebeu que o chuveiro tinha acabado de ser usado por sua *roomate*, que ainda não fazia ideia de quem era. A porta do quarto dela estava sempre fechada, e ela não fazia questão de socializar, o que era muito estranho. Valentina já tinha tentado bater na porta e vez ou outra saía correndo do quarto quando ouvia algum barulho na sala, mas não tinha descoberto nenhuma dica de quem a outra garota era, fora o fato de que deixava toalhas no chão e nunca se lembrava de repor o papel higiênico. Deu de ombros, lavou o cabelo e demorou algum tempo passando maquiagem, já que dessa vez tinha acordado na hora certa. Gostava dos olhos pintados totalmente de preto, de muita máscara nos cílios e de batom vermelho. Nunca era cedo demais para batom vermelho.

Andou pelos corredores com os fones de ouvido enquanto escutava Billy Idol em sua playlist clássica. *Isso* era música clássica para Valentina, não exatamente o que o conservatório tentava enfiar em sua cabeça o tempo todo e o que tocava direto nos elevadores. Ela dançava e cantava, animada sem motivo aparente, sem ligar para os olhares tortos e reprovadores. Ali, se você carregava instrumentos e tocava músicas ao vivo pelos corredores, era uma pessoa normal; se estivesse pulando e mexendo os braços, era esquisito. Vai entender.

Encontrou Sarah, Fernando e Pedro no caminho entre o prédio de dormitórios e o de aulas e contou logo sobre a noite anterior e a coragem que teve de chamar Kim para conversar.

— Então ele não aceitou? — Fernando perguntou, curioso. Valentina deu de ombros.

— Não faço ideia, ele não disse nada. Então ainda estou aguardando.

— Mas ele não mandou você à merda? — Sarah ainda estava espantada. Valentina negou, sorrindo. — Isso é um ótimo começo. Aliás, vocês ouviram que a ex-namorada dele está voltando?

Valentina sabia que essa conversa viria sem ela precisar dar o pontapé inicial; Sarah não deixaria isso de lado. E o papo sobre Bianca se estendeu por vários minutos enquanto caminhavam para suas salas de aula. Aparentemente, essa era uma garota *non grata* por todo o conservatório, embora Valentina não costumasse julgar as pessoas sem motivo. Era estranho falar algo sobre alguém que não conhecia, e sabia que não era certo simplesmente assumir que ela não era uma boa pessoa só porque os outros falavam. Sabia bem como era ruim, já tinha passado por isso antes. Na adolescência, ela tinha sido, por mais de uma vez, a esquisitona do ano, e só o seu jeito de se vestir já fazia com que muita gente criasse uma barreira inicial, inventando histórias e julgando que ela não era uma pessoa legal por conta disso. Então, apesar do sentimento estranho que se alojou dentro dela sobre esse assunto, decidiu não julgar Bianca e dar a chance de saber quem ela era primeiro. Era o certo a se fazer. Despediu-se dos amigos, que foram para aulas diferentes, e continuou caminhando pelo corredor para a sala de Teoria e Percepção Musical, quando sentiu alguém encostar em seu braço de forma repentina.

— Você é a pessoa mais bonita que eu já vi aqui na Margareth Vilela — o garoto disse, ajeitando de leve o topete castanho. Era um cara comum, com roupas normais e sorriso confiante. Não exatamente bonito. Valentina, que tinha sido abordada de repente, estava com a testa franzida sem entender por que alguém faria um elogio daqueles para ela. E sem aviso prévio, sem um café ou sem sequer dizer seu nome.

— Humm... obrigada... — disse, confusa. O garoto sorriu e estendeu a mão, como se tivesse lido seu pensamento.

— Desculpa a falta de educação, meu nome é Felipe Mourão, 7º semestre.

— Valentina... Tim Gontcharov, 1º. — Ela titubeou, mas acabou dizendo o sobrenome que escondeu a vida inteira. As pessoas ali pareciam dar alguma moral para isso e, bom, era sempre legal conhecer gente nova.

— Gontcharov, tipo O *Gontcharov*? — Felipe disse, levemente espantado. Valentina apenas sorriu, quase fazendo um experimento social com essa reação. — Você deve ter incríveis indicações de músicas para o meu programa, então! Sou o DJ da rádio do conservatório.

— Ah... o DJ? — Valentina riu internamente porque finalmente dera um rosto para a pessoa que vinha xingando mentalmente desde que tinha chegado na Margareth Vilela. O tal DJ de música de elevador, que escolhia o que tocava em todas as caixas de som externas e internas do conservatório. Sensacional. — Realmente tenho várias indicações!

— Incrível. Temos um encontro, então. Quer almoçar comigo?

Valentina se surpreendeu com a rapidez do garoto, mas ele parecia legal. Ainda que ela não estivesse ali para pensar em namoro, que mal faria almoçar com ele e dar boas dicas sobre como não fazer todos os alunos dormirem com a rádio interna enquanto escovam os dentes? Por alguns segundos, sem querer, pensou em Kim e acabou comparando os dois. E isso era totalmente injusto, claro. Primeiro, porque Kim e ela não tinham nada, nem mesmo um fio de cabelo que combinasse ou que significasse algo mais. Segundo, porque era ridículo ficar pensando no cara mais enigmático do conservatório, como todos ali pareciam fazer. Ela não queria ser como todo mundo. Mas como explicar para o cérebro que comparar garotos era completamente errado?

Acabou aceitando e, falando sobre a aula a que precisava comparecer em minutos, saiu andando e acenando. Felipe Mourão. Ela achou graça de só conseguir pensar nele com o nome completo. Era muito esquisito o fato de que as pessoas ali se apresentavam dessa forma, dando tanto valor para o sobrenome. Só que, apesar da sua abordagem não ter sido das melhores, o rapaz parecia gente boa, mesmo que meio sem noção. Quem já chegava encostando e elogiando daquela forma? As pessoas realmente gostavam disso?

𝄞

Kim entrou no refeitório com as mãos nos bolsos e a mesma expressão de tédio que mantinha quando andava em público. Era quase como uma máscara, embora significasse muito do que sentia de verdade. Comparecia ao refeitório porque não podia comer nas salas de prática de piano e, mesmo que não sentisse muita fome, precisava desse tempo para se obrigar a comer direito. Ordens do psiquiatra, já que ele não tinha como mandar na própria vida e todo mundo parecia fazer isso por ele. Se o médico não desse o aval, ele não poderia estudar e fazer a única coisa que gostava no mundo, que era tocar piano. Então não tinha opção, certo?

Respirou fundo, sendo seguido por Marcus, que falava ao telefone com alguma garota que Kim não fazia ideia de quem era. Se realmente se importasse com alguém, teria até pena das mulheres que se envolviam com seus supostos amigos. Eles não valiam nada, então não tinha como não pensar que muitas delas só estavam ligando para a ascensão social. O que, obviamente, era bem ridículo. E entediante.

— ...claro, meu bem. Mas é óbvio que só tenho olhos pra você — Marcus repetia, revirando os olhos, enquanto Kim suspirava, impaciente.

Sentou-se na mesa de sempre, observando brevemente as pessoas em volta antes de se levantar para fazer seu prato no buffet. No caminho, seus olhos pousaram na garota esquisita, que não estava acompanhada dos mesmos amigos como nos dias anteriores. Ele não queria admitir para si mesmo, mas acabava procurando por ela para saber o que estava fazendo e com quem estava metida. E não de uma forma ruim, sua cabeça só queria realmente saber o que estava acontecendo, como por curiosidade.

Há poucos dias, ela aparentemente tinha ficado amiga de uma turma de excluídos, o que fazia completo sentido. E parecia tudo bem, ele não se lembrava de ter visto aquelas pessoas antes, o que significava que não enchiam tanto o seu saco. Mas desta vez ela estava sentada ao lado de um cara que Kim sabia bem que era tão ruim quanto Marcus era com as garotas. E a perspectiva disso não era nada boa.

Caminhou lentamente, disfarçando o fato de que os dois estavam chamando sua atenção pelo canto do olho. Ele não tinha que ficar prestando atenção no paradeiro da garota, e não tinha nada a ver com o que ela fazia. Tentava repetir isso para si mesmo, embora a única coisa que fizesse ao olhar para ela, ou até mesmo ao pensar nela, fosse totalmente do seu agrado, que era ouvir quase que imediatamente sua música favorita de Schumann. Ele a ouvia naquele momento, enquanto pensava que a garota deveria ficar longe de Felipe Mourão. E que ele mesmo deveria repensar sua decisão da noite anterior de ficar longe dela.

Depois do almoço, Valentina subiu as escadas correndo para encontrar Sarah, Pedro e Fernando na sala de prática de banda número 42. O tempo que tinha passado conversando com Felipe Mourão tinha sido até interessante, ainda que desconfortável. Ela falou sobre punk rock e de como as músicas tocadas na rádio do conservatório a faziam ter vontade de dormir com a cabeça dentro da privada, mas o garoto só devolvia elogios e, por algum motivo chato, ficava tentando encostar nela o tempo todo. Valentina não gostava desse tipo de pessoa.

Por outro lado, conversar com outro homem a tinha feito parar de pensar em Kim, em como ele não tinha respondido seu pedido de ajuda na noite anterior e em como isso era frustrante. Ela ainda estava torcendo para ele aceitar dar aulas de piano, mas não tinha tantas esperanças, o que era assustador. Contava com a ideia de poder aprender com o melhor pianista do conservatório e seria uma droga ter que treinar sempre sozinha.

Parou em frente à porta da sala 42 e, antes de entrar, escutou o que os amigos estavam tocando. Era algo completamente diferente do que Valentina costumava ouvir, mas bastante sonoro. Espiou um pouco até perceber que as pessoas passavam pelo corredor julgando sua esquisitice e resolveu bater na porta antes de entrar. Sarah largou o violino e correu para cumprimentá-la, animada por ver a amiga ali.

— O que diabos vocês estão tocando? — Valentina perguntou, sorrindo, acenando para os meninos. Sarah entregou uma folha para ela, com a letra da música e notas de violino. Por algum motivo a letra estava escrita em inglês e em outra língua que Valentina não sabia identificar muito bem. — Isso é japonês ou coreano?

— Coreano — Sarah respondeu animada, se posicionando novamente com seu instrumento. — A música é "Nillili Mambo" de um grupo chamado Block B, que eu adoro. É bem diferente, você vai curtir muito!

— Eu queria tocar NOFX. — Fernando deu de ombros, ajustando o baixo elétrico nos braços. Pedro só girava sua baqueta e aparentemente não tinha nada a declarar. Valentina sorriu, pensando que eles eram mais esquisitos do que tinha imaginado e que isso era totalmente incrível.

— A gente precisa de alguém pra cantar, se você quiser tentar — Sarah sugeriu um pouco sem graça, não sabendo se Valentina se arriscaria dessa forma com algo totalmente novo. Mas a amiga apenas deu de ombros, pegou o celular de Sarah, acoplou os fones de ouvido e tentou acompanhar a letra da música. Só que a missão era praticamente impossível. A melodia da voz era bem rápida, e as palavras, bastante estranhas.

— *Jinghan nomdeul nawatda, para bara bap napareul bureora...* — Valentina riu depois da primeira estrofe da música. — Isso não faz sentido nenhum!

Embora a barreira do idioma fosse complicada, foi muito divertido ouvir os amigos tocarem enquanto ela fazia algo de que gostava bastante: cantar. Aparentemente, estavam apenas se divertindo com uma música coreana que não apresentariam para ninguém, o que era interessante. Fazia muito tempo que não tocava em uma banda – as poucas de que fez parte quando adolescente eram desorganizadas e ruins demais para seu ouvido absoluto. Apesar disso, era sempre emocionante ouvir a música completa, causava um certo frio na barriga estar junto aos amigos e, daquela união, fazer mágica. No fim das contas, era isso que importava. Se divertir era a parte mais importante de tudo aquilo, e todos sabiam que não podiam perder esse sentimento. A partir do momento que fosse só para passar de ano, a mágica da música poderia se perder e nada mais faria sentido. O amor pela música sempre deveria ser maior do que a responsabilidade.

Valentina realmente achava que poderia fazer parte da banda oficialmente. Eles com certeza tinham sintonia, e seria extremamente divertido; além de ter ouvido falar que se apresentassem um número no final do semestre poderiam receber notas e eliminar provas. Estava disposta a se divertir por isso. Era algo diferente que o conservatório proporcionava aos alunos, no final de cada semestre, onde mostravam o aprendizado de forma prática e não somente teórica. Mas ela ainda precisava ganhar a aposta e isso dependia da resposta de Kim quanto à chantagem de Valentina, então precisavam esperar.

♩

Valentina ouviu o despertador tocando em seu sonho. Nele, ela estava sentada no sofá de casa com sua mãe e outras pessoas que não sabia quem eram, assistindo à televisão e vendo o próprio pai, aquele-que-não-deve-ser-nomeado, fazendo o maior sucesso pelo mundo, sem ninguém ali dentro saber quem ele era. Só Valentina sabia e sentia raiva e decepção. O barulho do despertador entrou nessa hora, fazendo o som de uma bateria muito alta no meio da apresentação de violino, e não fazia sentido nenhum, o que fez Valentina acordar desnorteada e sem saber exatamente onde estava. Sentou-se na cama, esfregando os olhos, notando que tinha dormido de maquiagem e que depois seria terrível para tirar, mas daí caiu no sono novamente e só foi acordar muito tempo depois, totalmente atrasada.

O pior de tudo era estar atrasada para a aula de piano. Logo a de piano! Se arrumou correndo, prendeu o cabelo de qualquer jeito, colocou uma legging e o coturno aberto e andou o mais rápido que podia pelos corredores até o prédio de aulas. Até ouviu alguém chamar seu nome, mas simplesmente ignorou e seguiu adiante, apressada. Tinha ficado até de madrugada estudando os pedais de piano de cauda pela internet, o que resultou em olheiras profundas que ela não teve tempo de esconder com corretivo – já tinha sido difícil limpar o rosto manchado como um urso panda. Ficou agradecida ao entrar na sala de aula antes que a professora chegasse, mas seu coração estava disparado com a ideia de tocar "Sonata ao

Luar" na frente de todo mundo novamente. Já estava sendo difícil ignorar os olhares de desprezo dos colegas de classe, que cochichavam sobre ela estar no lugar errado. Mas Valentina provaria que era melhor do que imaginavam.

Só que não para a professora Celina, superfamosa e premiada. Aparentemente, para ela, Valentina seria uma eterna decepção. Um eterno desperdício. Quando foi chamada à frente para tocar mais uma vez a música de Beethoven, fazendo o melhor que podia, recebeu mais olhares reprovadores. Depois de alguns minutos de humilhação, mesmo tocando como tinha ensaiado sozinha, acompanhando a partitura, decidiu que não seria mais saco de pancada. Fechou os olhos e deixou que a sensação das teclas e da música sobressaíssem. Celina poderia reclamar o quanto quisesse, ela estava momentaneamente cansada de não ser suficiente. Amanhã voltaria a se preocupar em passar de ano. Decidiu se divertir.

Kim caminhava pelo corredor do prédio de aulas do conservatório em direção à sala de prática de piano em que ensaiava todas as tardes. Era também para onde ia nos momentos em que precisava se isolar do mundo e fazer com que a sua cabeça parasse de misturar pensamentos, deixando-o confuso. Na maior parte do tempo, ele se escondia lá para fugir das aulas e não acabar morrendo de tédio, coisa que seu cartão de aluno não permitia, mas o outro, que era igual ao da sua mãe, fazia esse trabalho. Mas ele sempre era lembrado pela diretoria de que não devia cabular aulas. Porém, naquele momento, seu cérebro não estava preparado para ouvir, anotar, ouvir, anotar e simplesmente absorver qualquer coisa que os professores falassem. Era chato e maçante, fora que ele sempre se sentia muito perdido. Precisava de incentivos e objetivos e, no momento, seu maior propósito era não se afogar na própria mente, que estava constantemente uma bagunça.

Ele ouvia sons distintos, pensava em partituras e notas, nas responsabilidades e em quem ele queria ser. Obviamente, depois de tantos anos praticando sem realmente ter sido um adolescente normal, ele queria ser o melhor. Queria alcançar o mundo, viajar, tocar em orquestras internacionais e em teatros para milhares de pessoas. Mas ali, naquele mundinho do conservatório, que era sua casa desde que se entendia por gente, ele se sentia o mesmo de sempre. A mesma bagunça, a mesma mente perturbada, e nem os remédios pareciam dar resultado. Nunca quis ser alvo de atenção, nem modelo ou influenciador de pessoas novas e sem talento. Ele só queria fazer música e ser ouvido. As mãos estavam nos bolsos e ele evitava olhar para as pessoas e para os corredores, ainda mais porque a cara dele estava em todas as paredes e murais idiotas do conservatório, uma ideia que tinha detestado e sido totalmente contra, mas no fim sua opinião não tinha valido de nada. Nem perguntaram o que ele pensava disso!

Parou em frente a uma sala de aula que tinha uma janela baixa de vidro; algo ali chamou sua atenção. A ideia dos vidros era que pessoas de fora pudessem espiar e assistir aos alunos, um conceito educacional bem norte-americano. Kim achava aquilo estranho, encarar os outros como se estivessem em um aquário. Normalmente, ele não pararia para assistir a nada, mas ficou estático quando viu a garota esquisita sentada em um piano, com os olhos fechados, tocando. Ele não se lembrava do nome dela, mas notou que a professora, uma das pianistas mais internacionalmente famosas que a Margareth Vilela já havia contratado, tinha uma expressão de reprovação no rosto. E, por alguns minutos, Kim não sabia por que diabos ela estava reprovando aquilo. Ele podia ouvir pouco do que estava acontecendo lá dentro, mas as mãos da garota esquisita corriam rápido pelas teclas do piano e ela fazia tudo isso de olhos fechados, como se fosse natural. Para que tinha pedido aulas de piano se sabia tocar daquele jeito? Algumas notas e o tempo estavam errados, ele tinha certeza de que era "Sonata ao Luar" de Beethoven, mas mesmo assim, para uma novata, aquilo parecia muito bom.

Continuou olhando ela tocar até finalizar a música e se levantar. Percebeu a cara de insatisfação da professora, chamando outro aluno, e como a novata abaixou a cabeça na carteira, parecendo humilhada ou chateada, ele não sabia dizer. Franziu a testa porque, por algum motivo, sentiu empatia por aquilo. Então balançou a cabeça e deu de ombros, não era da conta dele. Não podia ficar pensando na garota esquisita dessa forma, podia? Respirou fundo e continuou andando, antes que alguém notasse que ele estava parado por ali. Isso sim seria humilhante.

11

REBEL YELL

(BILLY IDOL)

Valentina atendeu o telefonema de sua mãe enquanto caminhava em direção à sala de prática de piano. Depois do fiasco na aula mais cedo, precisaria batalhar por seu lugar ao sol e não podia contar com Kim para ajudá-la nisso. Pelo menos não que ela soubesse; ele não tinha dado nenhuma notícia ou sequer olhado para a cara dela nesse espaço de tempo.

— Você nunca me liga, precisa ter algo muito importante pra dizer! — Valentina disse, sorrindo.

A verdade é que sua mãe só estava com saudades e precisava fofocar sobre tudo que acontecia no bairro enquanto a garota estava fora. Contou sobre o vizinho, o chefe do mercado, uma nova calça que tinha comprado e a ideia de adotar um cachorrinho de rua. Valentina ouvia tudo, concordando, pensando que a mãe talvez estivesse mais tranquila e aceitando melhor a ideia de ela estar no conservatório, embora não quisesse admitir. Era o momento da sua mãe viver, ter uma vida social, a casa só para ela, um novo amor e, até mesmo adotar o tal cachorrinho sem ter Valentina para dizer que gatos eram mais legais. Estava feliz por ela, de verdade. E com muita saudade.

Com a conversa, pôde se distrair um pouco da frustração do piano e focar em problemas menores, mesmo que estivesse prestes a encarar o instrumento por algumas horas, como estava se tornando costume. Era quando percebia como sua vida tinha mudado e, com ela, as prioridades e as dificuldades. Pensava nisso quando foi abordada por um monitor bonitinho com um aviso da secretaria de que ela precisaria se dirigir para lá urgentemente. Valentina sentiu um arrepio passar pelo corpo, nervosa. Será que seu pai tinha parado de financiar seus estudos? Será que a professora de piano tinha reclamado dela na diretoria? Será que Kim estava fazendo algum tipo de vingança por Valentina o ter chantageado? Seus sonhos não podiam acabar tão cedo assim.

Caminhou com passos rápidos, vendo pessoas relaxadas pelos corredores e nos caminhos livres do conservatório que tocavam instrumentos e cantavam, alguns até dançavam, como se nunca acontecesse nada de mais em suas vidas. Queria gritar para elas que nada era fácil e que logo algum problema surgiria para atrapalhar aquela tranquilidade, mas percebeu que só estava sendo rancorosa. Correu, ansiosa, quando avistou a secretaria e bateu de leve na porta. Quando entrou, ouviu uma voz familiar vinda de dentro da sala da Diretora Suprema.

— Ter sua filha estudando conosco será sempre um prazer, Alexander. Você foi um grande aluno!

A risada do seu suposto pai ecoou pela sala e atingiu os ouvidos dela. Valentina sentiu um bolo subir pela garganta. Não era grito nem vômito, mas jurava que estava começando a se sentir mal. O que *ele* estava fazendo ali? Fez uma careta de desgosto antes de bater na outra porta, a mando da secretária. Colocou a cabeça para dentro a tempo de visualizar duas pessoas completamente falsas uma com a outra, embora esse fosse outro prejulgamento bem rancoroso. De um lado do ringue, Alexander Gontcharov, violinista famoso e ex-estudante exemplar da Academia, cretino e pai omisso de uma aluna que tinha o poder mágico do ouvido absoluto. Do outro, Maria Lúcia Vilela, Diretora Suprema do Universo, que chegava no trabalho de helicóptero, mãe do melhor aluno de piano do conservatório e provavelmente uma mulher muito rígida e conservadora. Os dois sorriam, tinham muito em comum. Alexander olhou para Valentina e, por alguns segundos, a imagem de um rosto cansado passou pelo seu sorriso amarelo, chamando a filha com as mãos. A menina ficou tímida subitamente e caminhou pela sala, reparando no olhar reprovador da diretora para suas roupas. Tal mãe, tal filho.

Foi a primeira vez que abraçou o pai e a experiência não foi reconfortante, muito pelo contrário. Ela não tinha memórias felizes dele de quando era mais nova – talvez a mágoa e a dor do abandono tenham apagado tudo –, então o abraço foi mecânico e frio, sem nenhum tipo de emoção ou amor. Basicamente, um precisava do outro. Valentina supria o desejo do pai de ser alguém melhor e de poder exibir uma filha talentosa por aí; e ele supria sua falta de dinheiro para estudar. Que grande relacionamento. Ela nunca tinha sonhado com algo melhor!

— Aí está ela! Bom dia, Valentina. Seu pai estava agora mesmo me contando que você decidiu por piano como seu instrumento clássico. Como está indo nas aulas? — a diretora perguntou, um tanto simpática demais, sorrindo de forma predatória. Valentina se sentou numa cadeira ao lado do pai, completamente desconfortável, sem ter ideia de como ele sabia sobre o piano, se ela nunca tinha falado com ele desde que chegou ali. Aliás, seu *querido* pai nunca tinha sequer ligado para ela, mandado mensagem ou demonstrado qualquer interesse em saber se Valentina estava viva.

— Muito bem, obrigada por perguntar.

— Insisti que ela fizesse violino, mas sabe como são os filhos — Alexander disse com pose de pai engraçadinho, o que quase fez com que Valentina se engasgasse com a própria saliva e vomitasse de verdade. Ele ia interpretar esse tipão, agora? Viu a diretora sorrir, concordando, e decidiu jogar o mesmo jogo.

— Mas você sabe como é, chegar à altura dele não seria fácil! — A voz de Valentina soou afetada e ela deu um sorriso falso. A diretora provavelmente não notou, mas seu pai esticou as costas e um sinal de pavor passou em seu rosto por um segundo. Depois gargalhou novamente, disfarçando.

— Sei que a Dona Lúcia é uma exímia pianista... — o pai começou a falar e a troca de elogios se iniciou. A diretora não parecia querer estender muito a conversa, e olhava para Valentina pelo canto do olho com uma expressão quase de desgosto, mas Alexander parecia gostar de ser elogiado e ter o ego afagado por alguém tão poderoso. A garota olhou no relógio do celular, pensando se ainda daria tempo de almoçar antes de voltar para a sala de prática e treinar no piano, quando seus pensamentos foram interrompidos.

— Você disse que gostaria de ver como anda o conservatório, as reformas que fizemos... Tenho meia hora antes do almoço, quer aproveitar que Valentina está conosco?

NÃO! Não, não, não. Valentina não poderia imaginar o horror de passear com seu pai e a diretora pelo conservatório, recebendo todos os tipos de olhares e virando o centro das atenções da Academia. Poucas pessoas sabiam que ela era filha do *grandíssimo* e *talentosíssimo* Gontcharov, e de forma nenhuma queria se passar por alguém popular e rico. E ter que interpretar a filha boazinha do grande pai que ele era? Isso era doloroso e injusto demais!

— Acho que preciso voltar para a aula e...

— De forma nenhuma! Tenho certeza que não teremos problemas se passearmos um pouco para colocar a conversa em dia. Vi no seu arquivo que você tem o tempo livre pela tarde, então não se preocupe! — Alexander insistiu e a diretora concordou, se levantando de sua mesa. Era isso. Valentina tinha perdido uma batalha crucial na sua vida acadêmica. Era melhor se render logo para não sofrer ainda mais, porque ela sabia que podia ficar pior. Respirou fundo, se levantando e acompanhando os dois sorridentes corredor afora. Cruzou os braços e, de repente, entendeu um pouco o motivo de Kim viver com a cara fechada.

♪

Valentina precisava esquecer aquele péssimo e exaustivo dia. E o que os astros do rock faziam quando estavam estressados? Isso mesmo, enchiam a cara. Foi por isso que a garota entrou no restaurante próximo à recepção da Casa Branca dos dormitórios. Ali era onde os funcionários e professores da Academia se encontravam e, provavelmente, criavam planos de tortura contra os alunos. Embora a entrada de estudantes não fosse proibida, era raro alguém aparecer por lá, até porque não era bem-visto um aluno frequentar o bar em vez de investir seu tempo praticando e sendo o melhor artista do lugar.

O ambiente seguia a linha de mármore branco com carpete e cortinas em azul royal, mas era muito mais elegante e chique. Valentina se sentiu pior, estava definitivamente malvestida para a ocasião. Dane-se! Ela não precisava pensar sobre aparências no momento, precisava era extravasar a irritação por ter tido um dia doloroso e falso ao lado de seu progenitor cretino. Caminhou até o balcão do bar e encarou as inúmeras garrafas expostas nas prateleiras. O único problema era que ela detestava bebidas alcoólicas ou qualquer tipo de alucinógeno. Não era sua praia, embora fosse do rock'n'roll, e isso soava um pouco hipócrita, ela sabia bem.

Pediu ao barman uma dose dupla de uísque. Não era isso que as pessoas ricas tomavam nos filmes? Pegou o copo e sentou em uma mesa de canto, no fundo do restaurante. Por sorte o lugar não estava cheio e ela não atrairia a atenção de ninguém. Respirou fundo e soltou o ar devagar, enquanto analisava o uísque sem vontade de bebê-lo. Seu pai tinha aparecido do nada, sem nenhum aviso, nenhuma conversa. Por qual motivo ele continuava tentando machucá-la fingindo ser alguém que nunca foi? Resolveu tomar um gole e achou que fosse morrer. O gosto era horrível. O líquido desceu ardendo pela garganta. Aquilo não ia dar certo.

Viu as poucas pessoas irem embora do restaurante ao som do toque de recolher. Talvez estivessem como ela, decepcionadas com o universo. Talvez fossem professores, isso não importava. Ainda encarava o copo de vidro como se sua mente pudesse explodi-lo em pedacinhos, tantas eram as coisas que estava pensando. As imagens do dia ainda giravam em sua mente, como um livro ruim que tinha lido e não conseguia esquecer.

Depois do segundo gole, sentiu a cabeça girar e percebeu que tinha tomado a pior decisão do mundo. Ela não era mais uma dessas jovens que queria estragar a vida por alguns momentos mentirosos de felicidade. O que estava fazendo? Quem Alexander Gontcharov era para fazer com que ficasse dessa forma? Bateu com a testa na mesa, frustrada, e, quando voltou à realidade, agora com a cabeça dolorida, viu Kim se aproximando, usando um blazer preto bonito e uma calça jeans vermelho-escura. Ele definitivamente se parecia cada dia mais com um vampiro milionário e misterioso. Isso a fez lembrar de como a diretora não se parecia em nada com ele e em como ela tinha participado do teatro da sua vida por alguns instantes. Ele se sentou à mesa sem pedir licença, de frente para ela, e cruzou os braços, parecendo entediado como sempre.

— O que está olhando? — ela grunhiu, irritada. Era só o que faltava para sua noite ficar incrível!

— O que está fazendo?

— Não é da sua conta — Valentina levou o copo à boca novamente, fazendo uma careta ainda pior do que antes. O cheiro era horrível e ela já estava se sentindo tonta demais para continuar com aquilo. Era autopunição.

— Você não quer fazer isso.

— Quem é você pra... — Ela colocou o copo na mesa, aliviada por poder falar e não precisar mais beber. — ...pra dizer o que eu quero ou não fazer? Tá maluco?

— Você pode parar de gritar, não tem mais ninguém aqui pra assistir ao seu show — Kim rebateu, respirando fundo.

Valentina olhou para os lados e viu que era verdade, nem o barman estava mais por lá. Como ele conseguia fazer essas coisas? Ele tinha tanto poder assim?

— EU NÃO ESTOU GRITANDO! — disse, de repente, notando que sua voz estava mais alta que o normal. O garoto revirou os olhos, sendo incrivelmente lindo. Irritante. Ela quis dizer ir-ri-tan-te.

— O papo pelo conservatório é que a filha estranha do famoso Gontcharov está estudando aqui. Sabe alguma coisa sobre isso? — ele perguntou, sorrindo pelo canto da boca. O coração de Valentina deu um pulo. Como ele conseguia parecer bonito e grosseiro ao mesmo tempo?

— Quero que esse Gontcharov vá à mer... — Ela soluçou antes de terminar a frase. Ficou irritada. Nem xingar o cretino ela conseguia!

Kim pegou o copo de uísque dela e segurou nas mãos por um tempo, pensativo. Valentina ficou olhando para a cena até vê-lo colocar o copo novamente na mesa, sem beber nada.

— Você é alcoólatra ou algo assim? — perguntou. O garoto sorriu, negando.

— Você é rica mesmo ou só está no lugar errado?

— EU SOU RICA, TÁ? RICAAAA! — Valentina gritou, pensando que isso era totalmente próximo do punk rock. Não tinha ninguém para ouvir mesmo, ele que aguentasse seu mau humor. Por que tinha que aparecer do nada e irritá-la mais ainda? Ele nem falava com ela! — Não sou nada rica, nem sei o que estou fazendo aqui. Só queria estudar, só queria aprender música e... você não entenderia. Nem sei por que está falando comigo.

— Provavelmente, sou a única pessoa aqui na Margareth Vilela que vai entender você com essas questões — Kim disse em voz alta, se arrependendo logo depois. Sua cabeça estava cheia de pensamentos diversos e estava sendo muito difícil impedir ele mesmo de começar a ouvir "Träumerei" só porque Valentina estava ali na sua frente. Ainda bem que ela tinha bebido um pouco e talvez frases como essas passassem despercebidas. — E não sei por que estou falando com você.

— Eu só queria... que ele me deixasse em paz. Sabe? Fez o favor de me dar uma educação superior de qualidade porque ele precisa se sentir bem com a pessoa merda que foi a vida inteira, então agora só quero que ele me deixe em paz. Por que é tão difícil?

Valentina sentiu que poderia chorar se continuasse falando. E, definitivamente, não queria chorar na frente de Kim, que ela nem sabia o que estava fazendo ali sentado. Valentina nunca falava sobre seu pai e como aquilo machucava, e não achava que era hora de começar. Era melhor guardar tudo para si mesma, como sempre.

— Não sei se acredito em você ou no que ouvi o dia inteiro. De como ele é um pai incrível para uma filha que não merece.

A garota abriu os olhos e se sentiu agradecida por Kim ter levado o copo para perto dele, porque ela seria capaz de jogá-lo na parede.

— O QUÊ? Ele abandonou a minha mãe! Ele me abandonou! Foi um pai incrível uma ova! O cretino!

E ela não se segurou mais. Contou sobre sua vida, sobre como viveu e cresceu contando apenas com a mãe, como tinha odiado o pai sem saber quem ele era, como tinha odiado ainda mais ao saber quem ele era, e que mesmo assim nunca tinha dado as caras. E falou sobre a vontade de largar tudo e ir embora, para não depender das migalhas que ele estava dando. Estava aos berros. Falou sobre o que a irritava, o que a deixava triste e ficou impressionada por Kim ainda não ter se levantado e deixado ela ali, tendo um ataque de nervos. Ele só a encarava, sereno, como se nada daquilo fosse incômodo o suficiente. Quando ela finalmente ficou em silêncio, ele levantou uma sobrancelha.

— Acabou?

— Enchi o saco de falar — Valentina resmungou, cruzando os braços. A verdade é que tinha acabado e estava envergonhada e extremamente arrependida da falação. Ele nunca mais ia querer olhar para ela na vida.

— Você reclama demais — Kim disse, calmo e tranquilo. Valentina abriu a boca, mas resolveu não dizer nada. Talvez ele estivesse certo. Talvez.

— Não pedi sua opinião — ela respondeu, baixinho.

— Ninguém nunca pede, e eu não daria se pedissem. Mas às vezes você precisa calar a boca e aguentar tudo quieta. Mesmo que tenha vontade de explodir, fugir e ir embora. A música é prioridade. Então faça o melhor que puder. Se tem alguém que nunca vai te abandonar, é sua música. É a única coisa em que podemos confiar. É a única coisa que não nos vira as costas.

Valentina notou que ele começou a falar como se fosse para ele mesmo. Era autoafirmação, não opinião. Ele provavelmente entendia mais sobre o que ela estava falando do que ela imaginava.

— Não gosto de você — Valentina disse, dando de ombros depois que ele terminou o discurso falando como ela estava sendo preguiçosa por não treinar dia e noite.

— O desgosto é recíproco — Kim sorriu, se levantando. A garota fez uma careta, porque sabia que tinha perdido todas as chances de ter as aulas de piano, se é que existia alguma. Ele colocou as mãos nos bolsos do jeans, desfazendo o sorriso. — Amanhã, depois da última aula, na sala de prática número 87. Sem enrolação, sem reclamação e sem dormir. Se a gente vai mostrar para o Gontcharov como se arrepender, é bom começar o quanto antes. Não se atrase.

12

NOTURNO

(CHOPIN)

Logo cedo na quinta-feira, Valentina caminhava pelos corredores sentindo a cabeça doer. Tinha certeza de que era culpa dos poucos goles de uísque que tinha tomado na noite passada, o que era ridículo e imaturo. Esfregava os olhos pensando que o dia anterior tinha sido muito confuso e que ela não sabia se as pessoas iriam ignorá-la ou fingir que ela existia de alguma forma. No fim, tinha conseguido uma vitória, mesmo sem saber como. Kim, de algum jeito, tinha aceitado dar aulas para ela, e um peso parecia ter saído de suas costas. Algo impossível tinha acontecido, o que mais poderia acontecer? Ligou para Sarah enquanto caminhava para a aula de Teoria da Percepção Musical comendo um sanduíche, contando para a amiga que tinha ganhado a aposta e por isso a futura banda ia tocar uma música de rock nas apresentações do fim do semestre caso conseguissem se inscrever. Ela tinha conseguido.

— Chega de falar do Kim, só quero saber COMO eu não fui convidada para conhecer seu pai ontem! — Sarah disse, visivelmente chateada. Valentina fez uma careta sabendo que tinha cometido um erro enorme atrás do outro.

— Ele só deu uma volta, estava superocupado. Mas falei de você, e da próxima vez vamos combinar alguma coisa! —

respondeu, se arrependendo logo depois. Não era a melhor escolha mentir para sua única amiga ali dentro. Sarah de fato pareceu animada com a resposta e Valentina respirou fundo, pensando que em breve teria que contar a verdade. Por enquanto era melhor assim. Se Sarah tivesse encontrado seu pai no dia anterior, teria que mentir ainda mais para a amiga, e fingir nesse nível não era nada fácil ou legal. Ela não aguentaria.

No caminho pelos corredores, terminando seu lanche, Valentina percebeu que algumas pessoas a encaravam quando passava. Estava suja de molho? Uma ou outra, inclusive, acenou para ela, o que era completamente sem sentido. De um dia para o outro, como havia previsto, tinha se transformado em alguém visível dentro do conservatório. E o pior: não pelo seu talento, mas sim pelo seu pai.

Não leve a mal, não é que fosse totalmente ruim. Se uma família é digna de ser reconhecida, isso é maravilhoso! Valentina nunca tinha entendido os artistas que tinham pais famosos e não usavam os nomes deles para vencer na vida e trabalhar ainda mais. Mas isso era quando a família era digna, não quando seu pai era um cara horrível com uma consciência pesada. Não quando sua mãe precisou largar os estudos e ainda estava tendo que se matar de trabalhar para pagar um aluguel sozinha depois de ter sido abandonada com uma criança.

De qualquer forma, tinha decidido que não devolveria toda aquela atenção e simplesmente ignoraria quando alguém chamasse seu nome ou acenasse. Era a coisa certa a fazer. Ela não queria amizades por interesse. Entrando na sala de aula percebeu que era exatamente isso que Kim fazia e, sorrindo, começou a entender melhor o garoto. De algum jeito estranho, isso era animador e ela sentia que tinha uma conexão com ele, por mais ridículo que fosse. Essa crush estava ficando muito mais grave do que Valentina queria.

A verdade é que ela estava animada (e nervosa) para a primeira aula com Kim no fim do dia. Ele tinha dito algo como "sem enrolação, sem reclamação e sem dormir", mas ela esperava profundamente que isso não fosse verdade. Eles precisariam dormir, certo? Recebeu uma mensagem de Érica durante a aula da manhã, mas não pôde responder e prometeu que faria isso mais tarde. Provavelmente a amiga só queria atualizações sobre sua vida acadêmica, e ela teria muito para falar. Era melhor fazer isso com mais tempo. Nesse momento, sua vida acadêmica se resumia a parar de sentir frio na barriga quando pensava em passar a noite tocando piano com Kim, o que também era algo estúpido de se pensar, devido às circunstâncias.

♫

O nervosismo dominava o corpo de Valentina enquanto a garota subia as escadas até a sala número 87. Ajeitava os cabelos mais do que deveria. Obviamente não era um encontro amoroso. "Não", ela precisava repetir para si mesma. Estava indo aprender piano com o melhor pianista da Margareth Vilela, como se isso não fosse o suficiente para roer todas as unhas de ansiedade.

Bateu na porta da sala e esperou. De dentro, saía um som harmonioso, bonito e elegante. Encostou o ouvido na porta, prestando atenção em cada nota até que todas parassem. De repente, ela se abriu e Valentina quase caiu para dentro da sala. Kim estava próximo ao batente, encarando a garota com os braços cruzados e com a mesma expressão de tédio de sempre.

— Você está atrasada.

— Você não me deu uma hora específica! — A garota arrumou a postura, buscando alguma dignidade e prestando atenção em como a sala estava fria e limpa. Tinha dois pianos de cauda pretos lado a lado e uma mesa encostada na parede oposta com algumas garrafas d'água em cima. — Acho que poderíamos começar com...

— Você não tem que achar nada — Kim interrompeu, abrindo uma garrafa d'água e, logo depois, tirando o blazer.

Acomodou-o no encosto de uma cadeira e dobrou as mangas da camisa social branca. Valentina sentiu as bochechas esquentarem e desviou o olhar do peito dele. Ele era incrivelmente bonito. Ela nem sabia usar outra palavra para ele. Era bonito demais. — Eu ainda preciso ser convencido de que você realmente quer isso e não está fazendo esse joguinho de chantagem só pra se aproximar de mim.

Kim cruzou os braços olhando para a garota. Por fora, parecia grosseiro e curioso, como se estivesse desafiando Valentina a falar qualquer coisa inapropriada. Por dentro, ele começava a ouvir Schumann, e sua cabeça se enchia de música, cores e sons, o que o fazia perder o foco rapidamente. A careta que se formou em seu rosto era devido ao fluxo de pensamentos que ele tentava bloquear sem sucesso. Percebeu que ela fez uma careta também e ficou visivelmente indignada, como deveria ficar. Ele acreditava que ela não tinha fotos que o incriminassem, isso era óbvio. E também que não abriria a boca sobre seus problemas. Tinha passado os últimos dias prestando atenção nela, e Kim tinha noção de que talvez ela fosse uma boa pessoa, mas não poderia correr esse risco. Confiar nos outros não era do seu feitio. Nem se aproximar de ninguém.

— Você não pode estar falando sério! Isso é ridículo! — Valentina reclamou, sem acreditar. Ok, ele era realmente incrível, uma visão e tanto, um oásis no meio do deserto, e muita gente gostaria de passar o dia apenas admirando-o, mas definitivamente ela não era tão carente a ponto de querer aulas só para ficar perto dele. Não iria perder o tempo dos dois com essa besteira. Viu Kim balançar a cabeça e apontar para o piano.

— Toque alguma coisa. Preciso saber em que nível você está.

Valentina andou lentamente até o piano, ainda brava, deixando sua bolsa e seu moletom no chão, no canto da sala, de forma malcriada. Sentiu o coração bater mais forte. Ela queria parecer boa o suficiente, já que queria impressioná-lo para convencê-lo a não desistir dela. Estalou os dedos, encarou as teclas e acomodou sua mão formando notas que já conhecia. Esperou alguns segundos para que seu coração parasse de querer sair pela boca e, ignorando o olhar firme de Kim, começou a tocar. A primeira coisa que veio em sua cabeça foi a música de um comercial de iogurte que ouvia quando pequena.

— Mas o que é isso? — Kim disse em voz alta, vendo que a garota começou a rir e estendeu a mão para ele, parando de tocar, pedindo desculpa. Por alguns segundos ele ficou tentado a rir junto, já que não esperava aquela falta de seriedade, mas ela voltou ao piano e sua próxima tentativa foi "Sonata ao Luar", de Beethoven, provavelmente a única música que sabia.

Kim avaliou o jeito com que ela encostava os dedos nas teclas, a forma que usava os pés nos pedais, como mantinha os braços separados, o corpo inclinado, a cabeça em movimento e os lábios apertados, concentrada. Tocar piano era uma arte do corpo inteiro. Avaliou que ela sabia bem as notas que estava tocando, mas estavam rápidas demais, o que fazia com que perdesse o ritmo. No geral era destoante. Mas não impossível. E definitivamente charmoso. Droga.

Esperou que Valentina terminasse e se virasse para ele, encarando o futuro professor. Ela parecia envergonhada. As pernas estavam cruzadas e ela roía as unhas.

— Você não é boa. Os pés não acompanham as mãos, você toca rápido demais e sai do ritmo. Acho que nem sabe qual o ritmo certo da peça — Kim pronunciou, ainda de braços cruzados. Valentina abaixou a cabeça, esperando por uma avaliação daquelas, embora tivesse alguma esperança de ser melhor e de impressioná-lo de verdade. — Mas você não é forçada. E isso é um ponto positivo. De algum jeito você sabe muito bem as notas que está tocando.

— Eu sempre sei as notas que estou tocando — Valentina disse, confiante, apontando para o próprio ouvido. Kim arqueou a sobrancelha, caminhando lentamente para o outro piano e se acomodando no instrumento. Colocou as mãos sobre as teclas e olhou para a garota. Ela fez o mesmo.

Ele tocou algumas notas em um compasso binário de forma lenta e didática. Não era fácil, mas queria testar a garota. Valentina encarou o próprio piano segundos depois e repetiu exatamente a mesma estrutura de notas, por mais que algumas tenham soado mais pesadas que as outras. Kim arqueou as duas sobrancelhas, genuinamente espantado. Mordeu o lábio inferior, encarando novamente o piano, e dessa vez tocou uma estrutura de notas bem marcadas. Acelerou o ritmo, o que dificultava a exata observação de todas as teclas que pressionava.

Valentina franziu a testa e fechou os olhos. Algumas notas eram rápidas demais, mas o que ele estava fazendo não era difícil. Esperou que Kim terminasse e, então, imitou da forma mais natural que pôde.

— Algumas notas não estavam corretas.

— Não sou um super-herói, me dá um tempo.

Kim encarou a garota, ainda surpreso, mas sentindo que ela tinha algo especial.

— Quero que você apenas ouça. Feche os olhos e escute com todo o seu corpo. Em silêncio e sem brincadeiras; eu consigo te ver pelo canto do olho — ele disse, vendo a garota dar a língua como resposta. Se concentrou no piano à sua frente, começando a tocar uma de suas músicas favoritas de quando era apenas um aprendiz, aos 7 anos de idade. Obviamente ele nunca admitiria isso em voz alta. Era apaixonado por todos os noturnos de Chopin, mas as nonas obras eram suas preferidas. Tinham arpejos simples, mas as duas mãos trabalhavam em contraste e de forma inconstante.

Valentina obedeceu. Fechou os olhos e entrou em um mundo particular. Se imaginou em uma sala clara totalmente iluminada. O som do piano era incrível, e a forma delicada com que Kim tocava fazia parecer que a música saía de sua própria cabeça. Era leve, romântica e com combinações de notas que ela não imaginaria que pudessem estar juntas. O corpo inteiro dela pareceu relaxar e ela se lembrou de momentos felizes da sua infância. Seus olhos encheram-se de lágrimas. Era lindo que um instrumento pudesse fazer aquilo. Que pudesse representar tanto os sentimentos sem sequer precisar de palavras. Continuou ouvindo, sentindo os pelos dos braços se arrepiarem com mudanças bruscas e notando, sem querer, a respiração do garoto se tornar mais pesada enquanto ele avançava na melodia. Era uma verdadeira sinfonia.

Quando terminou, Kim ajeitou o cabelo e pediu que Valentina abrisse os olhos. A menina obedeceu, percebendo que ele estava se levantando e se posicionando na parede atrás dela. Queria dizer muitas coisas, elogiar e comentar como ele era bom naquilo, embora soubesse que ele provavelmente ouvia essas coisas o tempo todo. Mas Kim nem deu espaço. Apenas cruzou os braços e apontou para o piano.

— Agora quero que toque "Sonata ao Luar" até eu dizer que pode parar de tocar. Tente fazer com que eu me sinta como você se sentiu. Agora.

13

PUNK ROCK 101

(BOWLING FOR SOUP)

A aula de Violão foi horrível. Não porque não era interessante ou porque Valentina não conseguia acompanhar a turma. Mas por culpa de suas costas, que a estavam matando! Seu corpo todo estava dolorido depois de ter ficado até tarde da noite, quase três horas seguidas, tocando "Sonata ao Luar" para Kim durante a aula particular. Ele não tinha dado descanso, apenas momentos para beber água, e fez com que seus dedos ficassem com câimbra e dores que ela não imaginava que dedos poderiam ter.

Valentina tinha tocado em uma guitarra velha, fazendo calos a vida inteira! De acordo com Kim, algum doido tinha dito que se um pianista não praticasse todos os dias, ele saberia; se não praticasse por dois dias, seus críticos saberiam; mas se não praticasse por três dias, seu público saberia. O que ela não ligava, porque não tinha nem crítico nem público para impressionar! Ela chegou em seu dormitório com muitos xingamentos na cabeça e muita vontade de desistir, mas sabia que era só o começo. Ela nunca desistia de nada.

Antes de finalizar, Kim tinha deixado como dever de casa que Valentina escutasse e pesquisasse mais músicas clássicas. Quando dormisse, quando acordasse, na hora de comer e até tomando banho. Ela tinha começado a obedecer, sem questionamentos, embora tivesse dormido antes de poder ligar seu celular em alguma playlist. Teria que lutar contra si mesma e o preconceito que havia criado a vida toda sobre música clássica ser como música de elevador, ou literalmente a mesma coisa, e que tinha sido feita para criar efeito sonífero e disseminar o tédio na população mundial. Não. Ela agora precisava olhar para aquelas notas como arte e, por incrível que pareça, não estava sendo tão difícil quanto tinha imaginado. Mais cedo, quando saiu do quarto para a aula de violão, começou uma playlist de Beethoven que fez com que enxergasse o conservatório com outros olhos.

Havia uma dita verdade universal em que Valentina nunca quis acreditar. Sua mãe dizia que a música clássica fazia detalhes parecerem incríveis, e ela sempre ria, virava a cara e fazia uma piada sobre dormir ou vegetar. E agora, sinceramente, estava com vergonha dessa atitude infantil. Isso era amadurecimento? Enquanto caminhava pelos corredores, quase dançando, sem ouvir seus passos no piso frio devido à altura da música em seu ouvido, ela reparava em coisas que nunca tinha visto antes. Em como as paredes tinham texturas diferentes e em como o rodapé, que era branco, possuía pequenos arabescos; reparou que a porta de vidro que separava a Casa Branca de dormitórios do pequeno jardim tinha o logo do conservatório nela, quase transparente; que as pedras do caminho no jardim pareciam ter pequenos brilhos que cintilavam quando o sol batia diretamente entre as árvores; que havia muitas flores de cores que ela nem tinha reparado antes. Que havia pessoas de verdade caminhando em volta dela. Não simplesmente alunos talentosos e bem vestidos, estrangeiros e brasileiros, exibindo instrumentos e computadores caros, mas pessoas, que tinham suas histórias, seus medos e inseguranças, como ela também tinha. Sorriu, ainda com a música alta no ouvido, pensando em como aquilo tudo parecia um escape do mundo lá fora, uma realidade paralela cheia de cores, formas e notas musicais.

Só que suas dores faziam com que tudo aquilo parecesse supérfluo. Suas mãos doíam, suas costas rangiam e a cabeça latejava quando a aula de violão chegou ao fim e ela precisou sair para encontrar os amigos no refeitório. Tinha munição para reclamação constante e tinha certeza de que seria uma companhia insuportável pelo resto do dia.

No refeitório, percebeu uma movimentação e aglomeração maior próximo à mesa em que Kim e seus amigos sempre sentavam. Caminhou devagar, na direção dos amigos, ainda com Beethoven nos ouvidos. Quando algumas pessoas dispersaram, ela pôde ver a mesa onde se sentava uma das garotas mais bonitas que já tinha visto na vida. Tinha os cabelos castanhos cacheados e volumosos, o corpo esguio e comprido, o rosto branco repleto de sardas e um sorriso confiante e charmoso. A menina parecia um anjo vindo dos céus e combinando exatamente com o tom da melodia que Beethoven entoava na cabeça de Valentina. Uau, música clássica tinha um efeito poderoso na percepção das pessoas.

Valentina quase tropeçou, sem conseguir tirar os olhos da garota. Ao lado dela, estava Kim, quieto e de óculos escuros, o rosto impassível como de costume. Marcus, sentado do outro lado da mesa, estava quase babando, e Júlio se debruçava sobre o prato de comida, sorrindo como uma criança no Natal.

Quando a música terminou, Valentina pôde perceber que Sarah a estava chamando há algum tempo, e que Fernando e Pedro riam da expressão abobada dela, parada próximo à mesa deles.

— Então você deve ter visto a Bianca — Sarah disse, voltando a comer. A amiga se sentou, tirando os fones de ouvido, ainda aturdida.

— Ela é maravilhosa. — Foi tudo o que conseguiu dizer. Ainda bem que sua relação com Kim seria estritamente profissional e ela não precisaria lidar com nenhuma competição com Bianca. Sabia que não teria nenhuma chance. Embora se sentisse muito mal em pensar em competição, já que tinha aprendido sobre sororidade e que mulheres não precisavam disso. Mas era muito difícil pensar em ser bonita perto de alguém como ela.

— Maravilhosa é uma palavra bacana — Pedro ofereceu sua bebida a Valentina, que aceitou sem pensar duas vezes. — Eu cantaria uma música sertaneja pra ela, se pudesse. Sobre amor e o mel de sua boca, todas essas coisas bregas.

— Ela é superestimada — Fernando fez um barulho estranho com a boca, recebendo olhar de reprovação dos amigos. — A personalidade dela faz com que eu veja apenas mais um troll de RPG.

— Você nem conhece ela! — Sarah observou, rindo, entrando em uma discussão com os amigos sobre fofocas, julgamento e realidade.

Valentina não conseguia se concentrar no que os amigos diziam, só conseguia olhar para a mesa a distância e imaginar coisas estranhas. Nessas horas sabia que a pessoa insegura dentro de si aparecia e dizia como ela não era nada como Bianca e como isso era injusto. Não era bonita, rica, famosa, talentosa e todos os adjetivos comuns às personagens principais de fanfics. Tinha horror a esse sentimento quase invejoso. Fazia mal e ela não se sentia bem.

E, além do mais, o sentimento de ciúme era inadmissível e ela não podia deixar que controlasse seus pensamentos, como certamente aconteceria. Teria que se distrair e a música clássica não faria isso por ela no momento. Parou de encarar a mesa de Kim e se virou para os amigos, sorrindo de orelha a orelha quando um pensamento passou pela sua cabeça.

— E então, que música a gente vai ensaiar para as apresentações do fim do semestre?

Fernando tinha muitas ideias, claro, mas era uma discussão fervorosa. Sarah não conhecia nada de rock e ficou perdida, apenas dando pitacos sobre nomes de música que gostava e artistas de que já tinha ouvido falar.

— Esses não são aqueles caras que usam máscaras medonhas?

— Não, esses são o Slipknot, estamos falando dos Bowling for Soup — Valentina explicou a confusão que a amiga fazia.

— E essa música não tem o nome legal. "Punk Rock 101"? Parece chata.

— É sensacional, escuta só! — Valentina continuava rebatendo, entregando o celular para a garota.

— Você estava ouvindo Beethoven? — Sarah perguntou ao pegar o aparelho e verificar as últimas músicas tocadas. Valentina deu de ombros.

— Ordens do Kim.

— Então ele continua dando ordens na sua vida, inclusive em sala de aula? — Pedro perguntou, fazendo Sarah olhar feio para o garoto. Valentina apenas concordou, colocando a música que gostaria que a amiga ouvisse. Não queria explicar tudo o que tinha sentido até então porque não sabia se era realidade ou cansaço. Conversar com os amigos tinha sido bom, por alguns minutos ela esqueceu sobre Bianca e as dores no corpo, mas sabia que logo mais iria ficar sozinha e precisaria discutir consigo mesma sobre o motivo de estar sentindo tudo aquilo. Ela não podia sentir ciúmes. Era simplesmente inaceitável.

Será que poderia ligar para Érica e reclamar a noite toda sobre como era injusto que seus problemas fossem tão superficiais no momento, mas, mesmo assim, tão dolorosos?

♩

Kim queria sumir dali. Queria que todo mundo calasse a boca e que ele pudesse sair sem que notassem sua presença. Queria ser invisível. Sabia por que Bianca tinha voltado, mas não sabia por que ela ainda estava atrás dele. Tinha sido muito claro no ano passado quando disse que não queria ter mais nada com ela, mas parecia que garotas confiantes como Bianca não ficavam satisfeitas com um não. Ela queria incomodar, ele tinha certeza. E estava fazendo isso com muito afinco.

Bianca não sabia quem ele realmente era, não sabia de seus problemas e reclamações, dos seus defeitos e remédios, das bebedeiras e da insônia. Ela só sabia o que queria saber e isso não fazia um relacionamento. Nunca tinha sido um. Nem com toda a insistência dela sobre como eram parecidos e que precisavam ficar juntos para lutar contra o mundo. Ninguém lutava contra Bianca, o que ela realmente queria?

Viu a garota esquisita entrando no refeitório enquanto Marcus e Júlio tentavam atrair a atenção da bailarina sentada junto a eles, o que estava se tornando maçante. Kim reparou que ainda não sabia o nome dela, apenas que era filha do famoso violinista Gontcharov. Achou irônico saber tanto dela, mas não o seu nome. Mas também não perguntaria, não daria o braço a torcer mostrando qualquer tipo de interesse nela. Até porque não estava interessado. Não mesmo.

Mas não pôde deixar de reparar que ela estava com os fones de ouvido e que olhava em volta com serenidade e lentidão, provavelmente distante da realidade. Seus cabelos platinados estavam trançados de forma desastrada e ela usava uma calça de moletom que ele custou a acreditar que era de verdade. Definitivamente era difícil para ela ser confortável e estilosa ao mesmo tempo, não era possível. Percebeu que a garota procurava os amigos e decidiu parar de encarar demais, porque isso não fazia bem para ninguém. E Bianca estava ali do lado, encostando em seu braço e chamando seu nome.

— Fui convidada por três companhias de balé da França para audições particulares. Obviamente não queriam que soubessem que alguém jovem como eu poderia ser melhor que os coitados que já trabalham tão duro! — Bianca contou, rindo e cutucando Kim, que logo olhou para a mesa, entediado. — Mas não aceitei os convites. Disse que precisava voltar para a Margareth Vilela, porque seria minha única chance de estudar o dia *inteiro* com você.

— Isso foi idiota da sua parte.

Bianca fingiu não ouvir o comentário do garoto, como sempre fazia, e continuou falando para os amigos e quem mais estava por perto sobre como tinha trocado Paris pelo conservatório. Kim sabia que não era verdade. Quem trocaria as renomadas escolas de balé parisienses por uma escola de música com inclusão de dança? Mas mesmo que realmente fosse, seria a coisa mais estúpida que alguém poderia fazer. Ela não tinha motivo nenhum para achar que era sua namorada.

Notou que Valentina tinha sentado na mesa do canto com seus amigos esquisitos. Respirou fundo, apoiando as costas na cadeira e cruzando os braços, fechando os olhos. Pensou na noite anterior e em como tinha feito a garota passar três horas tocando piano, sem descanso. Sabia que era demais para ela, alguém que não tinha tido o estudo e a dedicação que ele havia tido quando pequeno, aguentar tanto tempo de treino, mas sabia que seria bom para que entendesse o que aquele sonho significava. E ela tinha um dom incrível, que ele mesmo não tinha. O ouvido absoluto a ajudaria bastante a ser uma boa pianista, e Kim achava bem injusto que ele tivesse que ter estudado por muitos anos para conseguir o que ela provavelmente conseguiria em poucas semanas. Valentina tinha ficado visivelmente brava quando voltou cansada para o dormitório tarde da noite, mas era apenas um preço a se pagar por tudo que poderia conquistar. E ele não queria admitir, mas ela tinha talento. O fato de ter ouvido absoluto tornava as coisas ainda mais impressionantes.

Pensando nela, "Träumerei" começou a tocar em sua mente. As notas claras e profundas, bem trabalhadas e cheias de personalidade. Mexia de leve a cabeça enquanto ouvia cada som e sentia cada tecla do piano, quase sorrindo sem querer. Aquilo era o que o tinha feito decidir dar aulas para Valentina, o fato de que só de pensar nela, sua cabeça relaxava dos problemas em um mar de sons incríveis e profundos.

Ao contrário de Bianca, que soava como notas crescentes de algum instrumento eletrônico desafinado.

♪

Valentina saiu da aula de Rítmica sentindo os braços pesados e doloridos. Sabia que teria aula com Kim logo mais e estava decidindo se tomaria algum remédio para dor ou se deixaria aquilo ser algum tipo de lembrança para se esforçar mais e vencer os desafios. O que será que crianças prodígios faziam quando treinavam incessantemente? Não era como um emprego comum em que precisava fazer o que mandavam e estava tudo certo. Ela precisava ser melhor, precisava aturdir e impressionar, fazer sentimentos transbordarem, exatamente como tinha se sentido ao ouvir Kim tocar piano ao lado dela. Tinha sido uma das coisas mais bonitas e impressionantes que tinha visto na vida. E ela estava de olhos fechados!

Decidiu passar rapidamente na sala 42 para dar boa-noite aos amigos, já que eles praticavam juntos em seus instrumentos quando não tinham aulas. Sem perceber que seu celular recebia uma ligação de Érica, abriu a porta, sorridente, e se deparou com uma das cenas mais improváveis da sua vida no conservatório até então. Abriu a boca, sem saber o que fazer, sentindo o rosto ficar todo vermelho de vergonha.

Sarah e Pedro estavam abraçados, encostados à parede da sala, se beijando fervorosamente. Ela tinha uma das pernas em volta da cintura dele, que estava praticamente sem camisa. Valentina se sentiu ultrapassando um limite muito bem traçado e só conseguia pensar em como eles eram perfeitos um para o outro.

14

CHERRY BOMB

(THE RUNAWAYS)

— Você está distraída, e hoje é só o segundo dia. Não faça eu me arrepender — Kim reclamou, com os braços cruzados, sentado ao piano ao lado do de Valentina. A garota bufou, sacudindo as mãos de forma nervosa e voltando a tocar a sequência de notas de "Sonata ao Luar" que ecoava em sua cabeça. Nem sabia mais quantas vezes tinha tocado aquela introdução. Tentava focar no que fazia, mas ainda via a cena dos amigos dando uns amassos. Pedro e Sarah tinham tomado o maior susto com a entrada dela na sala de prática de banda. Era um daqueles momentos dos quais em breve estariam rindo e comentando. Aliás, ela queria saber todos os detalhes e iria fazer a amiga passar por um interrogatório assim que pudesse. Valentina se sentia feliz pelos dois, e decidiu usar esse sentimento no piano.

— Estou tendo dificuldades com esse arpejo, pode me ajudar? — ela pediu, parando de tocar e sacudindo as mãos doloridas. Tinha que parar de pensar nos amigos e se concentrar no que fazia de errado na melodia. Repetiu o arpejo enquanto Kim se levantava e se aproximava do piano dela, sentando ao seu lado no banco. Valentina prendeu a respiração com a aproximação. O ombro dele encostava de leve no dela, e ela sentiu os pelos de seus braços se arrepiarem.

Valentina achou que fosse parar de respirar para sempre. O cheiro dele era maravilhoso, embora ela não conseguisse ignorar que parecia uísque. Soltou o ar devagar vendo que as mãos de Kim percorriam as teclas repetindo o arpejo que ela não conseguia acertar. Valentina percebeu que seus próprios olhos saíram de foco algumas vezes e que o fato do seu ombro estar encostado no dele ainda parecia ser tudo o que estava acontecendo naquele momento.

— Você está prestando atenção...? — Ele ficou confuso de como deveria chamá-la. Decidiu ir um pouco para o lado, porque sentiu que seus ombros estavam encostando e não queria parecer invasivo. E também porque era estranho, não entendia que tipo de clima estava surgindo ali. Algo no simples gesto de encostar nela daquele jeito fazia com que seu estômago revirasse e definitivamente não era um sentimento que ele conhecia bem o suficiente para saber lidar.

— Uau, você ainda não sabe meu nome! É Valentina, mas eu detesto que me chamem assim. Então é só Tim — a garota disse. Era típico dele nem procurar saber como ela se chamava, mas ela também nunca disse, não podia esperar outra coisa, certo? Deu uma risada baixa, se sentia uma garotinha do 5º ano, sem graça por estar próxima demais de alguém tão bonito. Sentiu seu rosto ficando vermelho e logo se deu um tapa nas bochechas, o que Kim deve ter achado esquisito. Ela não se importava. Ficar vermelha de vergonha era inadmissível.

— Humm, Tim. Seus dedos precisam estar relaxados para fazer esse movimento... — ele falou, mostrando nas teclas do piano. Valentina forçou a mente a se concentrar no que ele estava fazendo, piscando várias vezes até focar a vista. Tinha certeza de que parecia uma idiota. Mas os dedos dele eram tão finos e compridos e...

Não. Não. Preste atenção no arpejo. Olha que arpejo incrível. Um movimento de dificuldade mínima, que não deveria ser problema nenhum para ela! Preste atenção no arpejo. NO ARPEJO!

— ...e toca primeiro com a mão esquerda, entendeu?

— Hum? — Valentina olhou para o rosto de Kim próximo demais ao dela. Voltou a encarar o piano, colocando os dedos nas teclas, imitando o que ele estava fazendo. Viu que o garoto franziu a testa, confuso.

— Dó, mi e sol. Desse jeito. — Ele ignorou a distração de Tim e continuou fazendo o exercício, encostando levemente em sua mão, colocando os dedos da garota no lugar certo. Ela imitou de forma medíocre, embora não estivesse errado. Percebeu também que sentado ali parecia intimidar a garota e talvez isso fosse positivo, pois depois de duas tentativas ela já tocava o arpejo melhor. Cruzou os braços e decidiu, então, não se levantar. — Agora volte a tocar "Sonata ao Luar".

Fins de semana não eram dias de total descanso no conservatório. Ainda que muitos alunos pudessem escolher não fazer nada e ir passear na cidade, era normal que passassem os dias ensaiando, estudando e assistindo a palestras e audições que contavam como aulas complementares e extracurriculares. Era importante complementar o currículo de matérias, e fazia diferença nas futuras avaliações e entrevistas para conseguir vagas nas maiores orquestras do mundo. Valentina nunca tinha pensado em tocar em uma orquestra, mas queria aprender o máximo que pudesse e por isso acordou cedo no sábado para assistir a uma palestra de um antigo professor da Academia Margareth Vilela, um violoncelista argentino reconhecido mundialmente. E como Sarah tinha exigido a companhia dela, e ela estava morta de curiosidade para saber mais sobre o romance dos amigos, não tinha como perder.

A garota praticamente se arrastava pelo caminho de pedras que unia os prédios. Tudo em seu corpo doía. Até mesmo os dedos dos pés! Xingava Kim mentalmente, imaginando inúmeras táticas de tortura como vingança, quando encontrou os três amigos ao lado da porta do auditório. Reparou como Sarah e Pedro pareciam mais próximos do que o normal. Decidiu não tocar no assunto até que a amiga fizesse isso primeiro, como sinal de cortesia, mas não conseguia controlar as risadinhas infantis, deixando os dois envergonhados e desconfortáveis.

Se pegou procurando por Kim no auditório, o que era inútil – duvidava que o garoto aparecesse por lá para assistir a uma apresentação motivacional em um sábado de manhã. Provavelmente ele até já conhecia o professor e sabia tudo sobre sua carreira. Nem Bianca estava por lá, obviamente. Ela não conseguia evitar pensar nos dois juntos, o que começava a soar como uma obsessão. Será que eles estavam mesmo juntos? Valentina só queria saber se Kim estava por perto, e por isso acabava procurando por ele por onde passava.

No fim, tinham sido boas duas horas de bate-papo e explicações sobre o mundo real para músicos e compositores, maestros, cantores e dançarinos. Augusto Ospa, como desbravador de muitos espaços onde latinos ainda não tinham se apresentado no mundo, conseguia explicar de forma divertida e segura sobre as dificuldades que todos ali enfrentariam no mercado de trabalho musical sendo brasileiros. Nada impossível, embora precisasse de muita determinação e planejamento.

Quando saíram, Valentina precisou ir ao banheiro enquanto Sarah foi atrás do violoncelista para tirar fotos e fazer algumas perguntas. Ela era muito fã do cara. Enquanto caminhava, decidiu ligar para Érica. As duas não se falavam havia dias, e Valentina achou estranho que depois de várias tentativas a amiga não tinha atendido. Enviou mensagens, esperando que pudessem conversar mais tarde, confiando que a outra provavelmente estaria dormindo àquela hora, como qualquer pessoa sã faria.

Passaram um dia divertido pelo conservatório, sentados entre as árvores de um dos jardins e ensaiando na sala 42. Valentina tinha se esquecido da existência de Kim por um dia inteiro. Não importava o que ele estava fazendo, com quem ou onde. Ok, a quem ela queria enganar? Essa última parte era totalmente mentira.

Sarah e Pedro acabaram contando para Valentina e Fernando sobre o recente envolvimento dos dois, que não sabiam exatamente no que iria dar e aquela coisa toda de quem ainda estava inseguro para assumir um relacionamento. A amiga aplaudiu, dizendo que tinha sido inesperado, mas Fernando apenas continuou olhando para o seu celular, concentrado em um joguinho de notas musicais, e havia dito "até que enfim" como se fosse algo óbvio e crescente entre eles. Valentina não entendia, será que estava sendo tão insensível assim? Estava tão preocupada com suas próprias coisas que não estava prestando atenção em mais ninguém?

Fora em Kim, claro.

— Kylo Ren é um péssimo vilão — Fernando ponderou depois de uma discussão sobre quem era pior: Kim, Darth Vader ou Voldemort. Estavam sentados em um banco debaixo de uma grande árvore no caminho entre os prédios. O dia estava quase escuro e ficando muito frio, mas eles nem notaram.

— Isso é uma blasfêmia! — Valentina falou alto, enquanto Pedro tentava se lembrar exatamente quem Kylo Ren era nos últimos filmes que tinha assistido. Sarah estava apenas ouvindo, depois de ter quase entrado em uma briga de verdade com os amigos sobre a falta de grandiosidade física de Voldemort. — Ele tem basicamente tudo que um vilão precisa ter! E ainda é incompreendido, corrompível e tudo mais. Como você tem coragem?

— Quer discutir sobre o Palpatine?

— Esse eu sei quem é! — Pedro disse com as mãos levantadas, fazendo Sarah gargalhar alto e receber olhares reprovadores de pessoas que passavam com instrumentos perto deles. Mostrou o dedo do meio em algum momento, fazendo com que Valentina fingisse estar chorando de emoção pelo ato rebelde sem causa. Sua menininha estava crescendo!

— Querem sair hoje? Tem alguns bares na rua principal da cidade que são bem legais... fora que a gente podia passar antes em algum mercado da cidade para abastecer as geladeiras. E a Tim ainda não passeou pela Cidade da Música, certo? — Fernando sugeriu, guardando o celular no bolso da calça jeans escura. Valentina mordeu o lábio e olhou para Sarah, sem saber se era algo que todos os alunos faziam ali com frequência.

— Nunca passeei pela cidade! Como a gente faz? Tem ônibus pra lá? — Valentina perguntou, ingênua.

Os amigos irromperam em risadas. Pedro deu tapinhas nas costas de Valentina, como se o que ela disse tivesse sido completamente sem sentido.

— Vou pedir pra trazerem o meu carro — Fernando disse, enxugando as lágrimas de tanto rir. Se levantou com o celular na mão, apontando para os amigos. — A gente se encontra em meia hora na recepção?

♩

Valentina custava a acreditar que Fernando realmente dirigisse um Opala 86 azul turquesa, que parecia uma banheira velha que seu avô tinha quando ela era pequena. Ele não era rico? Quando os quatro entraram no carro e ele deu a partida, fazendo um rugido alto, ligando quase que automaticamente o rádio, ela sorriu de orelha a orelha achando aquilo realmente incrível. Era a cara do rock'n'roll!

— Você precisa explicar que carro é esse e por que você não tem um Mustang ou uma Mercedes, sei lá. — Valentina colocou o cinto de segurança no banco de passageiro, enquanto Sarah e Pedro se beijavam freneticamente no banco de trás.

— Sei que parece meio clichê, mas eu queria ter algo que eu realmente pudesse curtir, sabe? Sem a ajuda dos meus pais. Quando eu fiz 18 anos eles me deram um carrão absurdo de caro e eu não me senti nem um pouco bem dentro dele. — Fernando acelerava o Opala enquanto saía da área da Academia Margareth Vilela e adentrava a escuridão do caminho rodeado de árvores até a cidade. — Daí vendi ele, comprei esse Opala incrível e dei o resto da grana pro cara que cuida da nossa piscina, porque a filha dele nasceu com um problema sério de respiração. Ele ficou muito feliz e eu não precisava realmente de tudo aquilo, entende?

Ela entendia muito bem e achou incrível que o amigo fosse uma pessoa tão legal assim. Apesar de tudo, ela sabia que não podia julgar as pessoas. Elas sempre podiam ter bom coração. Ficou satisfeita com a explicação e viu que ele aumentou o volume da música na rádio, devido aos barulhos de beijos no banco de trás.

— MENOS LÍNGUA, ISSO ESTÁ NOJENTO! — ele gritou por cima da voz de Joey Ramone, que fazia a noite ficar ainda mais divertida. Valentina colocou a cabeça para fora da janela, gritando junto da música e se sentindo muito feliz. O breu do lado de fora era exatamente como o dia em que tinha chegado na Margareth Vilela e ela acabou sentindo a mesma emoção de estar naquele lugar tão legal e, agora, com pessoas tão incríveis. Mas o que a deixou sem fôlego mesmo foi a cidade. A famosa Cidade da Música.

Saíram da rota principal e entraram em uma rua lateral, que estava repleta de restaurantes, hotéis e lojas diversas. Valentina reparava em tudo, sem perder um detalhe. Fernando ia apontando e mostrando os lugares, enquanto diminuía a velocidade para mostrar os pontos importantes de Vilela.

— A gente ainda está na parte rica da cidade, mas a parte simples é ainda mais bucólica e maravilhosa. É lá que tem alguns grandes festivais, com hotéis caindo aos pedaços e ruas esburacadas. É bem rock'n'roll mesmo!

— E o que as pessoas fazem aqui para se divertir, fora os barzinhos e restaurantes? — Valentina perguntou, genuinamente curiosa, vendo lugares brilhantes e cheios de pessoas, com muita música diferente tocando por todos os cantos.

— Tem o cinema, além de ótimos teatros e auditórios com apresentações das nossas orquestras e tudo mais. Também tem bares para todos os gostos: sertanejo, pop, rock, samba, eletro e, claro, música clássica. É bem maneiro.

Pararam em frente a um mercadinho todo iluminado e os quatro desceram, prontos para encher sacolas de doces e salgadinhos. Valentina logo pensou em refazer seu estoque de miojo, comida congelada e coisas baratas que pudessem fazê-la sobreviver sem precisar vender um rim para pagar a alimentação do conservatório. Isso seria muito positivo.

— Daqui a gente vai fazer o quê? — Pedro perguntou quando estavam na fila do caixa.

Sarah fuçava o celular atrás de alguma festa onde os estudantes poderiam estar.

— Eu tenho o lugar perfeito! — ela disse, sorrindo, fazendo com que Fernando desse um gritinho e Valentina batesse as mãos, feliz de finalmente ter amigos de verdade.

No dia seguinte, Valentina se lembrava de pouca coisa. Sentou na cama com a cabeça dolorida e um gosto ruim na boca, percebendo que ainda estava usando a mesma roupa da noite anterior e que várias sacolas plásticas estavam jogadas no chão do quarto. Pegou o celular e viu que estava sem bateria, então resolveu se levantar para lavar o rosto e descobrir que horas eram. O que tinha acontecido?

Fechando os olhos e tentando se lembrar a qualquer custo, a imagem de um bar lotado apareceu em sua cabeça. Música eletrônica muito alta, pessoas pulando e gritando, quase no escuro. Lembrou de ter bebido de forma imatura, claramente para chamar atenção, já que detestava o gosto de álcool. Como tinha sido burra! Isso explicava a dor de cabeça e a língua áspera que tentava melhorar com a escova de dentes. Também viu nitidamente a cena dela abraçada com alguém, dançando, enquanto a pessoa tinha as mãos por todo seu corpo. Abriu os olhos, assustada, se lembrando exatamente de que Felipe Mourão tinha passado a noite toda tentando beijá-la e que seu discurso tinha sido tão claro quanto sempre fora.

— Vocês precisam parar com essa ideia de que mulher se faz de difícil. Eu só não quero ficar com você — repetiu isso algumas vezes. Felipe não deu a mínima e continuou com as investidas. Se lembrava de estar incomodada, sem entender por que ele agia daquele jeito. Ela não tinha dado motivo nenhum para que ele pensasse que estava interessada. De repente, se sentiu um pouco mal por saber que ele tinha se aproveitado dela assim, sem ter direito nenhum. Sentiu raiva porque não era justo. Sentiu raiva porque não se lembrava do que tinha acontecido depois disso. Ouviu alguém batendo na porta de seu dormitório e esperou, ainda no banheiro, para ver se sua companheira iria atender. Quem sabe finalmente não apareceria? Mas nada aconteceu. Depois de vários minutos a porta continuava sendo esmurrada. Valentina caminhou rapidamente até a pequena salinha e girou a chave. Sarah entrou, vestida com roupas limpas e aparentemente de banho tomado. Talvez a noite tivesse sido melhor para ela. Valentina fez uma careta se jogando no sofá, vendo a amiga rir.

— Você pelo menos se lembra de ter dado um soco na cara do Felipe Mourão? — Sarah perguntou, depois de ouvir reclamações sobre a falta de memória da outra. Valentina abriu os olhos e sorriu de repente. A lembrança não era clara, mas estava ali. Ela realmente tinha reagido. Ela tinha dado um soco, não um tapa, um soco na cara do garoto! — Foi incrível, acho até que o Fernando filmou! Você ficou gritando "me respeita" até sair do bar e apagou logo depois que te deixamos deitada no quarto. E, no caminho de volta, você ficou fazendo um chiado estranho e gritando "cherry bomb". Sinceramente, nem sei se isso é uma música!

Valentina riu mais ainda. Claro que ela cantaria The Runaways em uma noite dessas! Érica ficaria orgulhosa de saber que tinha dado um soco bem dado em alguém que merecia e correu para ligar o celular e enviar mensagem para a amiga. A raiva de Felipe Mourão não tinha passado, mas queria muito esbarrar com ele em algum momento.

Hello world, I'm your wild girl,
I'm your ch ch ch ch ch cherry bomb!

(Olá, mundo, eu sou sua garota selvagem.
Eu sou sua garotinha explosiva!)

15

PRETTY GIRL

(SUGARCULT)

— Um, dois, três, quatro! — Valentina gritou e tocou as primeiras notas de "Pretty Girl", do Sugarcult, conforme tinha anotado em uma partitura para os amigos acompanharem. Estavam treinando desde o começo da tarde, depois de uma aula fracassada de História da Música I, na qual Valentina precisou encarar a turma piadista. Que inferno! Qual a diferença disso para o ensino médio? As pessoas não deveriam já ter amadurecido?

Ouviu Sarah tocando a introdução da guitarra com seu violino e sentiu um frio na barriga. Estava incrível! Exatamente como tinha pensado e descrito para a amiga, que fez alterações direto na partitura original depois de várias vezes ensaiando. Fernando, com o contrabaixo acústico, acompanhava a música, e Pedro finalmente estava usando a bateria completa de novo, que tinha deixado de lado para tocar reggae na apresentação do semestre passado. O som era maravilhoso e eles pareciam uma banda de verdade, como ela sempre tinha sonhado. Não conseguia parar de sorrir e sentia palpitações de felicidade, além da constante vontade de dar pulinhos e fazer solos arrebatadores de guitarra. Valentina estava liderando um grupo talentoso pela primeira vez, e mal sabia o que fazer com todo aquele poder. Vez ou outra parava o que estavam tocando para dar algumas dicas e pedir para que fizessem alguma coisa diferente, tentando de várias formas se manter dentro do estilo da música, mas fazendo o que eles queriam. Ela até tinha gravado o som com seu celular, só para ter certeza de que estava indo na direção correta, e sabia que tinham química. Ela e sua guitarra velha. Tocaram e cantaram a música até dar o horário da próxima aula de Sarah.

— Amanhã vamos ter uma pequena apresentação da orquestra de estudos e vocês precisam ir! É às 3 horas da tarde no auditório B, do outro lado do prédio. Tim, não se esqueça! — A garota saiu gritando da sala com o case do violino nas mãos, acenando e fechando a porta atrás de si. Os três, guardando seus instrumentos, se entreolharam.

— Por que só eu não posso esquecer? — Valentina perguntou, colocando a língua para fora.

— É óbvio que Voldemort acha que Kylo Ren não é um bom vilão — Fernando deu de ombros, fazendo Pedro gargalhar.

— Essa lógica faz de você o Palpatine?

— Essa lógica faz de mim o Kim? — Pedro franziu a testa e Fernando bateu com a baqueta em sua cabeça. Valentina sorriu de leve, pensando nos vilões do dia a dia e então teve uma ideia incrível enquanto cantarolava "Pretty Girl" em sua cabeça. A letra dizia: *"Pretty girl is suffering, while he confesses everything, pretty soon she'll figure out what his intentions were about"*, algo como "a garota bonita está sofrendo enquanto ele confessa tudo, em breve ela irá descobrir quais eram as suas intenções", e era exatamente o que muitas garotas deveriam ouvir sobre caras como Felipe Mourão e Marcus Bostinha.

— Querem escutar a ideia mais incrível de todas? — ela perguntou e Fernando e Pedro se entreolharam.

— Isso envolve alguma humilhação pública?

— E satisfação emocional — Valentina complementou, vendo os amigos concordarem. — Mas preciso de algumas informações antes do fim das aulas. Do tipo, onde fica o estúdio da rádio do conservatório e a que horas o Felipe Mourão termina sua última matéria do dia e começa o programa.

— Três perguntas fáceis de serem respondidas, tente de novo. — Fernando cruzou os braços, confiante como um verdadeiro chefe de espionagem, vendo Valentina sorrir e explicar seu plano digno de filmes adolescentes e que poderia facilmente ser um grande fracasso. Mas que de qualquer forma seria divertido.

Kim estava tentando manter o cérebro focado na aula de Psicologia da Música Avançada, a última do dia. Precisava fazer um esforço enorme para prestar atenção no que a professora dizia, mas estava mais distraído que o normal. O que era péssimo, pois ele teria que pedir depois as anotações de Marcus e Júlio, e ele não queria aparentar que não era capaz. Droga de memória inútil. O maldito remédio servia para quê?

A presença de Felipe Mourão na sala também o incomodava. O garoto conversava com Júlio ao seu lado, e a voz estridente dele fazia a cabeça de Kim doer ainda mais. A última coisa que ele queria era escutar aquela conversa, mas tinha esquecido os fones de ouvido no quarto.

— Hoje à noite vou levá-la ao campo de tênis com qualquer desculpa e daí não vai ter escapatória — Felipe dizia, rindo. Kim queria arrancar suas orelhas e enfiar em seus ouvidos para não ouvir esse tipo de coisa.

— Mas vocês não ficaram no fim de semana?

— Não, ela fez jogo duro. Sabe como é, ficou bêbada e armou barraco, claro. Maluca total. Dessa vez ela não tem como fugir.

— E você acha que ela vai cair no seu papo e sair com você? — Júlio duvidou. Felipe Mourão mexeu a cabeça concordando, já que Kim não conseguia enxergar nada, só ouvir. — Essa filha roqueira do Gontcharov é melhor do que eu tinha pensado, hein? Me coloca na fita também!

Kim abriu os olhos e sentiu o corpo entrar em alerta. Do que eles estavam falando? Sua cabeça ecoava com um chiado estranho e ele não conseguia ouvir mais nada. Era quase surdez seletiva.

— Vocês estão falando da filha do Gontcharov? — Ele levantou o rosto, encarando os dois, ouvindo sua própria voz muito distante. Piscou algumas vezes, tentando organizar o pensamento e imaginando por que ele não deveria simplesmente arremessar todas aquelas pessoas pela janela do 5º andar do prédio de aulas. Felipe Mourão levou um susto, claramente, pois ficou nervoso com a interrupção.

— Não é nada de mais, cara! — Ele deu um sorriso sem graça. Kim franziu a testa e cruzou os braços, esperando que eles continuassem com o bate-papo, mas isso não aconteceu. Intimidado pelo "príncipe" do conservatório, Felipe Mourão ficou quieto e resolveu fingir que prestava atenção na aula.

Kim continuou intrigado até o sinal bater e todos se levantarem para sair da sala. Ele caminhou lenta e discretamente pelo corredor atrás de Felipe Mourão, com Júlio em seu encalço. Colocou as mãos nos bolsos e observou o garoto à sua frente estufar o peito e ajeitar o cabelo, pronto para fazer qualquer coisa pela sua reputação. Se aproximaram da porta de uma sala, onde Valentina estava apoiada, mexendo na bolsa e mascando chiclete. Kim ficou sem entender o que ela fazia ali. Estava esperando por ele? Mas só teriam aula mais tarde e direto na sala de prática, como sempre e...

— Oi, gata, sabia que você viria falar comigo pra pedir desculpas — Felipe Mourão disse, encostando as mãos nos cabelos platinados da garota. Kim respirou fundo, balançando a cabeça e se sentindo idiota. Por alguns segundos o mundo tinha girado em torno dele mesmo, como era de costume. Não imaginava que Valentina poderia ter interesse em outra pessoa, ainda mais em um idiota como Felipe Mourão. Mas também, o que ele sabia dela? E por que estava tão interessado nela ultimamente? Encostou-se na parede para ouvir a conversa. Ele não tinha nada a ver com aquilo, essa era a verdade, mas queria estar por perto caso precisasse fazer alguma coisa. Caso Valentina precisasse dele.

— Acho que sábado não foi o suficiente, né? — ela respondeu, sorrindo de forma maquiavélica. Kim franziu a testa, desconfiando de que ela estivesse sendo falsamente simpática, mas Felipe Mourão apenas se inflou ainda mais, segurando no pescoço dela, quase intimidador. Valentina encarou o próprio celular e Kim não estava entendendo nada. — Você vai para o estúdio da rádio agora? Seu programa já vai começar, certo?

— Deixei programado e meu assistente vai colocar para tocar. Quer fazer alguma coisa? Vamos terminar o que começamos?

— Se algo desse errado com sua seleção de músicas, o que iria acontecer? — Ela pareceu genuinamente preocupada, embora não tivesse convencido Kim. Ele sabia que o tom da voz dela estava mais estridente que o habitual, escondendo alguma coisa.

— Nada vai dar errado, minha linda. Sou muito profissional no meu trabalho e tenho total confiança da direção do conservatório. O meu programa é um dos melhores e irá começar em alguns segundos com a maravilhosa peça de Mozart que...

Felipe Mourão não teve chance de terminar de falar. De repente, de todas as caixas de som do conservatório, "Pretty Girl" começou a tocar a toda altura. Vários alunos precisaram tampar os ouvidos e muita gente gritou de susto por toda a Academia Margareth Vilela. Kim fez uma careta tentando se adaptar ao barulho horrível daquela música esquisita, que não deixava as pessoas ouvirem umas às outras. Prestou atenção em Felipe Mourão, que estava assustado e ficando pálido, enquanto Valentina levantava uma sobrancelha e apontava o dedo para o garoto. Kim se aproximou um pouco mais.

— Se chegar perto de mim de novo, você está morto! — ela gritou para sua voz sobressair em meio à música. Felipe Mourão estava visivelmente apavorado. Kim não pôde evitar um sorriso, e isso o deixou surpreso. Ele raramente sorria, ainda mais em público. Balançou a cabeça se sentindo idiota por achar que Valentina precisaria de ajuda. Viu a garota começar a descer as escadas, mostrando o dedo do meio.

She's beautiful as usual with bruises on her ego and her killer instinct tells her to beware of evil men

(Ela está bonita como sempre com seu ego ferido e seu instinto assassino a aconselha a tomar cuidado com homens maus)

A letra da música era bem condizente com a situação e Kim detestaria admitir para si mesmo que Valentina tinha se tornado tão bonita para ele que era impossível parar de pensar nela. O único problema da situação é que teriam que cancelar a aula de piano da noite, já que a música alta estava tocando em modo de repetição por todas as salas e corredores do conservatório, e a sala da rádio estava trancada e todas as chaves, misteriosamente desaparecidas. A secretaria já tinha chamado um chaveiro e os seguranças para arrombarem a porta, mas enquanto isso ninguém conseguia ouvir sua própria música. O rock'n'roll de Valentina finalmente tinha falado mais alto e se tornado, de alguma forma, obrigatório.

16

CONCERTO PARA 4 VIOLINOS

(VIVALDI)

— Relaxa que ninguém vai descobrir que fomos nós, sou muito bom no que faço — Fernando repetiu pela décima vez enquanto caminhavam em direção ao auditório B para a apresentação da orquestra de estudos de Sarah. Pedro estava com a bolsa da flauta a tiracolo enquanto Fernando carregava algumas partituras das aulas da manhã. Valentina andava um pouco incomodada porque as pessoas constantemente olhavam para eles.

— Só olham porque você é filha do Gontcharov, não se engane. Ninguém olhou pra gente hoje até você aparecer descabelada — Pedro concluiu.

Valentina apenas concordou, roendo as unhas e evitando encarar as pessoas de volta, mas instintivamente passando a mão nos cabelos rebeldes. Precisava treinar como viver sem achar que estava com papel higiênico preso no coturno. No fundo, estava orgulhosa de si mesma. E ela esperava que Felipe Mourão nunca se esquecesse do dia anterior, já que, evidentemente, para os que não sabiam de nada, ele era o culpado por todo mundo ter ido dormir ouvindo rock'n'roll.

Entraram no auditório, que era pequeno e claro, com painéis de madeira nas paredes que estavam virados em diferentes ângulos. Se lembrou do primeiro dia de aula no qual um aluno comentou que era para que a acústica do local mudasse, e estava impressionada com as engenhocas dali. Esse tipo de informação fazia com que ela sorrisse de orelha a orelha, se sentindo parte da Margareth Vilela.

Sentaram bem próximos ao palco, que já estava com cadeiras e pedestais posicionados. Poucas pessoas estavam no local e, aos poucos, os músicos começaram a chegar e testar seus instrumentos.

— Não é incomum que ensaios de orquestras de estudo fiquem vazios, nem todo mundo gosta de assistir. É normal, não se assuste — Fernando sussurrou, com Valentina sentada ao lado. Ela concordou, ouvindo Pedro murmurar.

— Se ao menos alguém tivesse me dito isso quando entrei...

Os três riram, mas se levantaram quando Sarah subiu ao palco com um laço vermelho nos cabelos e uma camiseta que dizia "MEU DÓ É MAIOR QUE O SEU", o que Valentina supôs ser algum tipo de piada interna entre os colegas de classe. Pedro aplaudiu e deu um grito, fazendo com que a amiga acenasse para eles e ficasse claramente envergonhada. Valentina se assustou ao ouvir como o grito do garoto ecoou por todo o auditório, mesmo quando eles já estavam sentados.

Minutos depois, a pequena orquestra de dez pessoas começou a tocar. Sarah estava posicionada à frente dos outros músicos, junto com três violinistas. A música, Fernando avisou, era um concerto para quatro violinos de Vivaldi.

Valentina estava sorrindo e em questão de segundos se afundou em uma onda de sentimentos infinitos com o som que ecoava entre as paredes posicionadas. As notas, limpas, eram altas e ensurdecedoras de onde ela e os meninos estavam sentados. A melodia era profissional, e ela reparou que não sabia nada de música clássica e que aquilo poderia simplesmente se passar por uma orquestra como todas as outras no seu ouvido. Por alguns segundos, sentiu os olhos se encherem de água e não sabia por que; de repente, a música clássica estava desencadeando aquele tipo de sentimento. Ela se deu conta de que não estava feliz.

Com o crescente da peça, começou a sentir um desespero enorme e a vontade de chorar e gritar entalada na garganta. Não lembrava de ter se sentido assim antes. As costas estavam doloridas, os dedos ainda machucados e os lábios começaram a inchar de tanto que ela apertava a boca para tentar impedir as lágrimas. Dentro dela, a tristeza só aumentava. A cada nota, a cada som, ela só pensava em todas as coisas tristes que tinham acontecido em sua vida, sem conseguir controlar os pensamentos. Ouviu sua mãe chorando baixinho trancada no quarto, lembrou de quando era pequena e ficava sentada no sofá da sala esperando seu pai voltar, de como tinha desejado que ele aparecesse para tirar as duas do lugar onde viviam, de como tinha desejado que ele nunca mais voltasse...

— Você tá bem? — Pedro perguntou, colocando a mão gelada em seu braço. Valentina tomou um susto ao notar que não estava sozinha. Algumas lágrimas caíram sem querer, mas ela conseguiu sorrir, agora de verdade, ao olhar novamente para o palco. Ela não estava mais sozinha.

— Foi só cólica, juro! — Valentina repetia para Pedro e Fernando enquanto saíam do auditório. Eles insistiam que ela estava agindo de forma esquisita desde a apresentação e não queria chamar atenção para qualquer problema pessoal que estivesse tendo. Já estava praticamente de noite e ela não percebeu que tinha passado tanto tempo lá dentro. Orquestras têm esse poder de fazer as pessoas se perderem no tempo.

— Não quero ouvir sobre isso — Pedro fez careta, vendo Fernando sorrir.

— O quê? Sobre cólica? Foi só isso, menstruação. Mens-tru-a-ção. Sangue mesmo, em abundância.

— Isso é nojento, não quero ouvir!

— Absorveeeeen... — Valentina foi interrompida por alguém que tinha ficado entre eles e a porta de saída do prédio, impedindo que os três passassem. Bianca estava parada com os braços cruzados e os cabelos cacheados apertados em um enorme coque no alto da cabeça. Valentina precisou prestar atenção para não sorrir abobada, porque ela era linda.

— Então você é a famosa filha do Gontcharov — Bianca disse com uma voz suave, mas sua expressão era indecifrável. As luzes entre as árvores e nos caminhos externos estavam acesas, iluminando parte do rosto da garota.

— Muito prazer, pode me chamar de Tim. — Mesmo sem entender a repentina aproximação, ela estendeu a mão para Bianca, que ficou apenas olhando, com as sobrancelhas franzidas, como se Valentina tivesse alguma doença contagiosa.

— Não estou aqui pela amizade, querida. Só queria ver de perto tudo que falavam — ela rebateu, sorrindo de forma debochada e se virando, caminhando na direção contrária ao prédio de aulas. Valentina ainda ficou alguns segundos com a mão esticada, sem saber o que tinha acontecido, até Fernando bater em seu braço e puxar os dois amigos para fora bruscamente.

— Isso... foi... muito... muito babaca. Uau. Estamos em um filme escolar norte-americano? — Pedro disse devagar, sem conseguir conter a decepção.

— Você achou que ela fosse incrível? — Fernando perguntou, estalando os dedos na frente do rosto de Valentina, que piscava freneticamente como se estivesse em transe.

— O que acabou de acontecer?

— A namorada do Kim fez jus ao relacionamento. Os dois se merecem — Fernando respondeu, pegando o celular para saber onde Sarah estava.

— Ela não precisava dessa grosseria. — Valentina olhou para os amigos, que concordaram, mas se sentiu insegura de repente. Estava triste e decepcionada. Bianca era tão enigmática quanto Kim, mas não tinha a mínima necessidade de fazer o que tinha feito. Parecia coisa de personagens nada profundos de livros adolescentes, em que a garota é malvada só pelo gosto de ser assim, talvez com alguma história triste por trás. Todo mundo tinha suas próprias histórias! Valentina queria poder entender o que se passava na cabeça de Bianca e por qual motivo tinha achado que seria divertido deixá-la desconfortável daquele jeito. O que ela tinha a ganhar com isso?

O punk rock tinha ensinado Valentina a não se importar com o que pensavam ou falavam dela. Tinha vivido sua vida inteira assim, fazendo o que bem entendesse desde que não prejudicasse ninguém. Mas, naquele momento, ela ficou tentada a entrar em uma bolha de insegurança que, sabia bem, era muito perigosa. Seguiu os amigos sem falar mais nada, ouvindo-os discutir sobre como contariam para Sarah o que tinha acontecido, inventando vários tipos de vertentes para a história. Em uma delas, Bianca tinha arrancado a cabeça de Valentina em uma briga onde mostrava as garras de monstro que tinha. Já Pedro concordava que ela tinha virado um dos bichos enviados por Hades para sequestrar Percy Jackson, agora, Valentina Gontcharov. Ele até disse que escreveria um livro sobre isso. De alguma forma, ela precisava levantar a cabeça e encarar que tinha um nome famoso para assombrá-la até o fim dos seus estudos e que talvez precisasse aprender mais do que piano com Kim.

Enfiou os fones de ouvido e reiniciou a playlist de música clássica. Reconheceu a primeira peça como uma das muitas de David Fray, incluídas depois de Kim sugerir que estudasse mais sobre ele. O músico era um dos melhores intérpretes de piano contemporâneos, ainda jovem e com um jeito próprio de tocar. Ele murmurava a música enquanto tocava as notas, o que deixava a melodia mais impressionante. Nessa peça em questão, que fazia com que Valentina sorrisse à toa, ele tocava Bach. Saber exatamente qual era a música já era demais para a cabeça dela, o que só martelava em sua mente o fato de que precisava estudar ainda mais.

Assim que se despediu de Pedro e Fernando, Valentina recebeu uma mensagem no celular que informava apenas um número: 214. Na cabeça da garota, logo veio a sequência do que tinha sido o maior número primo até 1867: 2.147.483.647. Seu cérebro nerd sempre fazia essas coisas. Ficou parada alguns instantes sem saber se aquilo era o número de alguma sala ou simplesmente spam que tinha dado errado, já que não reconhecia o número de celular que tinha enviado a mensagem. Como a aula com Kim só aconteceria dali vinte minutos, decidiu checar a sala 214 antes de ignorar por completo a informação. Ainda ouvindo David Fray, continuou a caminhar pelos corredores, ainda cheios de alunos e instrumentos, mexendo os dedos no ar com as notas da música.

Se aproximando da sala em questão, depois de subir dois lances de escadas, Valentina notou que os corredores estavam mais vazios e um som alto ricocheteava nas paredes. Ela não sabia que música era, mas tirou os fones de ouvido e se aproximou lentamente da porta, tentada a girar a maçaneta para descobrir se era ali mesmo que deveria estar ou se simplesmente arrumaria mais uma confusão para seu histórico escolar. Enquanto estava na dúvida, alguém encostou em seu ombro e ela se assustou ao ver um rapaz de pele branca com um clarinete nas mãos e o rosto vermelho. Ele sorria abertamente e pediu desculpas por assustá-la.

— Minha orquestra está ensaiando, quer assistir? — perguntou, girando a maçaneta na frente dela e deixando à mostra uma sala enorme, como eram as de prática de orquestra, mas com painéis de madeira nas paredes, vários instrumentos, músicos organizados e um piano preto de cauda no centro. Nele, de costas para ela, estava Kim, vestido com uma camisa social preta, as mangas arregaçadas, e os cabelos bagunçados como se estivesse fazendo muito esforço com o corpo todo. Valentina sentiu o rosto iluminar enquanto o coração acelerava. O rapaz do clarinete voltou à sua formação e ela se encostou junto à porta para assistir ao ensaio. Talvez realmente fosse ali que precisava estar. Kim parecia dar ordens aos músicos, como um maestro.

— Preciso que vocês toquem de uma forma mais modular, porque minha afinação está em A maior e isso é bem leve pra mim — ele disse, tocando algumas notas e sendo acompanhado pelos instrumentistas na sala. Valentina escorregou o corpo e se sentou no chão com as pernas encolhidas, maravilhada pelo que estava assistindo. — Não, não, você precisa suavizar o som — Kim apontou para um violinista. — Precisa soar como uma voz acima do piano, não acompanhar minha entonação. Não seja condescendente. Vamos tentar de novo.

De alguma forma, Kim estava tocando piano e sendo maestro da orquestra ao mesmo tempo. Valentina nunca soube de alguém que fazia isso. Mas não era impossível, certo? Para Kim nada parecia impossível. As instruções dele ora soavam rudes, ora educadas, mas o tom autoritário conduzia corretamente os músicos, e o som geral soava cada vez melhor.

— Os violinos precisam respirar nessa pausa aqui — ele tocou em seu piano. — E agora os violoncelos mais expressivos — Kim continuou tocando enquanto instruía, balançando a cabeça, confirmando em cada ponto. Valentina queria aplaudir. A cada interferência do pianista, as notas entravam em harmonia. Uma moça com clarinete estava quase chorando de alegria, ela podia perceber. Só não sabia se pelo fato do maestro ser incrivelmente gato ou de tudo parecer estar indo bem. Ela estaria certa dos dois jeitos, Valentina não podia julgar.

♫

Quase uma hora depois a orquestra terminou o ensaio. Kim se levantou do piano sem falar nada com ninguém e se virou para a porta, recolhendo o blazer e parecendo exausto. Seu rosto pingava suor e as olheiras pareciam mais escuras que de costume, como se ele não dormisse bem há dias. Valentina se levantou apressada.

— Isso foi muito legal! — ela elogiou, se aproximando do garoto que caminhava para a porta ignorando todo mundo que tentava falar com ele. — E eu imagino que esteja cansado, podemos treinar amanhã e...

— Cansaço não é desculpa para não treinar — Kim respondeu secamente, sem olhar para trás, enquanto Valentina o acompanhava pelo corredor. Os passos dela eram curtos em comparação aos dele, que sacudia o blazer em uma das mãos e se dirigia à sala em que sempre praticavam. Pelo menos duas garotas tentaram falar com Kim no corredor, mas foram solenemente ignoradas. Valentina achou grosseiro, mas decidiu não falar nada.

— Foi você quem me enviou a mensagem?

— Sim.

— Como você descobriu meu número? — Valentina, curiosa, apressou o passo para caminhar mais próxima a ele.

— Não vamos fingir que eu não consigo qualquer coisa que eu quero nesse lugar, por favor — Kim respondeu em um tom convencido, ainda sem olhar para ela. — Você estudou David Fray?

— Claro! — Ela desceu as escadas quase correndo para não ficar muito para trás.

— Então hoje vamos começar com "Sonata ao Luar", mas quero ouvir as notas vindas da sua própria boca ao mesmo tempo que dos seus dedos. — Kim abriu a porta da sala de prática, onde estavam os dois pianos de cauda que sempre usavam. A garota entrou logo depois, jogando a bolsa no canto, um pouco mais lenta que o normal.

— Da minha boca? — ela perguntou, imaginando, por alguns instantes, algo um pouco indecente. Precisava parar com isso! Não era só porque Kim era lindo e incrível e cheiroso e enigmático que ela podia ter esses pensamentos quase pecaminosos com ele. Kim era assim com todo mundo, não era algo exclusivo. Se mal conseguia encostar o ombro no dele, como poderia ficar pensando na sua boca?

Acorda, Valentina.

17
HEART OF GLASS
(BLONDIE)

Valentina respirou duas vezes de forma tão profunda que até as pontas dos dedos formigaram antes de se levantar da carteira para ir até a frente da sala e se sentar em um dos pianos indicado pela professora. Provavelmente seria a última aula em que tocariam "Sonata ao Luar" (e, que Beethoven não "ouvisse", mas ela já estava de saco cheio), então a ideia era a professora ficar satisfeita com seu desempenho. Três alunos já tinham tocado antes dela e nenhum recebeu careta como resposta. Valentina tinha medo de ser a única.

O que, obviamente, desencadeou uma sucessão de pensamentos de insegurança. Daí tentava se lembrar de que estava tendo aulas com Kim e que, se ela fosse tão péssima assim, ele com certeza falaria. Porque nisso ele era bem sincero.

Com a turma e a professora esperando, sentou-se de frente para o piano se sentindo confortável. O instrumento já não era mais um inimigo, e aquela posição era bastante familiar. Não estava com medo. Colocou os pés nos pedais e abriu a partitura que tinha riscado e marcado em vários pontos. Respirou fundo uma última vez e, cantarolando as notas na sua própria cabeça, começou a tocar o piano exatamente como se lembrava. Contando uma história, com fórmulas e sons. Não somente letras e partituras em um papel.

Ela achava que Beethoven realmente contava uma história. Sabia a realidade, de que o nome originalmente não era "Sonata ao Luar" e que essa denominação só tinha sido inventada anos depois da sua morte. Sabia que Beethoven não achava que era uma das suas melhores peças e que o crítico responsável pelo nome da música pensava no reflexo da Lua em um lago quando a escutava. E, desde então, Valentina pensava sobre isso enquanto apertava as teclas e emitia sons e notas. Pensava em alguém sentado em um banco, à noite, observando o reflexo da Lua nas águas calmas de um lago, enquanto relembrava histórias da sua vida e se sentia o mais melancólico que esse ambiente poderia o fazer sentir. Ela tinha imaginado um rapaz, talvez bem jovem, questionando que sua própria vida poderia estar melhor e, depois, lembrando-se de que deveria ficar grato só por estar vivo e poder assistir a um espetáculo como aquele da natureza. Que era uma sonata de redenção, como a maioria das peças de Beethoven eram, em que a triunfante vitória sempre sobressaía no fim, depois de muito desespero e tristeza.

Em algum momento, Valentina fechou os olhos, mas logo voltou a acompanhar a partitura. Ficou feliz consigo mesma porque tinha realmente decorado cada nota, cada crescente e cada tempo. Talvez, só talvez, estivesse fazendo um bom trabalho.

Assim que terminou, fechou a partitura e verificou os rostos das pessoas à sua volta. Alguns alunos da turma pareciam estupefatos e horrorizados, outros mais felizes e sonhadores. Um, ela podia jurar, estava prestes a aplaudir. Olhou para a professora, com o coração disparado de insegurança, e viu que ela não tinha nenhuma careta no rosto. Ela parecia descrente, e isso era tudo o que Valentina conseguia ler em sua expressão.

♩

— Descrente? — Sarah disse em voz alta, de braços dados com a amiga, enquanto caminhavam pelos corredores do prédio de aulas. — Não rolou nenhum elogio? Tipo, sei lá, "como você é incrível e eu estava sendo idiota esse tempo todo"?

— Foi ótimo! Ela não fez careta, não me mandou repetir ou ficou fazendo sons estranhos com a boca. Ela estava descrente, e isso foi ótimo!

— Se você diz... — Sarah deu de ombros, ainda com a testa franzida. A amiga parecia muito animada, então resolveu não contradizer, mas enquanto saía da aula de Literatura Musical estava tentando se lembrar de algo que precisava contar a ela e tinha se esquecido

Kim passou por elas com a expressão de tédio de sempre, as mãos nos bolsos e os cabelos bagunçados. Marcus, Júlio e Bianca seguiam logo atrás, mas ele parecia ignorar a presença deles. Por alguns instantes, ele diminuiu o passo e encarou Valentina, quase com uma curiosidade peculiar no rosto. A menina sorriu abertamente, fazendo sinal de positivo com os dedos e parecendo incrivelmente vitoriosa. Como as músicas de Beethoven. O garoto sorriu de leve, abaixando a cabeça e continuando sua caminhada digna da realeza rumo a alguma sala de aula.

Sarah, que não tinha notado nada do que tinha acontecido porque estava de olho no celular, levantou o rosto e encarou Valentina, que ainda sorria feliz.

— Lembrei! Seu pai vai fazer um concerto no Rio e eu quero muito ir! Vamos? Você sabe que meu sonho é ser como ele! — Ela mostrava uma página da internet.

Valentina sentiu uma nuvem escura pairar sobre sua cabeça, no maior estilo dos quadrinhos da Turma da Mônica, indicando que algo estava totalmente fora da realidade. Aquilo não estava certo. Ela não podia continuar mentindo para Sarah, que tinha se tornado alguém tão especial. Mas o que fazer? E se contasse a verdade e a amiga não quisesse mais falar com ela? E se Sarah achasse que não poderia mais confiar nela ou que a amizade tinha sido criada em cima de algo tão mentiroso que as duas não poderiam mais se ver?

— Precisamos conversar.

Decidida, levou a amiga para o caminho entre os prédios e as duas se sentaram em um banco. Sarah ainda estava eufórica com a ideia de ir para o Rio de Janeiro assistir a um concerto de violinos com Alexander Gontcharov, e Valentina respirava mais fundo do que o normal, quase em descompasso. Pensava em Beethoven e em como transformar tudo aquilo em uma vitória.

— Isso é extremamente assustador. Esse "vamos conversar". Nunca vi nada bom sair disso — Sarah sorriu, tentando dar força para a amiga.

— É que... na verdade... eu odeio meu pai. Tipo, odeio muito. Nós não temos uma boa relação. Nunca tivemos. — Valentina começou. Estava um pouco rouca porque a garganta tinha ficado seca, mas decidiu continuar e contar toda a história da sua vida. Não conseguia decifrar o que Sarah estava pensando e estava temerosa, mas mesmo assim continuou seus argumentos sobre ter omitido a verdade e deixado a amiga pensar que ela tinha aprendido tanto com o cretino do pai e que era alguém importante por causa disso.

— Cretino? — Sarah perguntou ao ouvir Valentina falar. Ficaram em silêncio por alguns segundos, uma sem conseguir decifrar a expressão da outra, até que Sarah soltou uma gargalhada. Tampou a boca, fazendo uma careta. — Ele é realmente um cretino!

— Você está chateada comigo? — Valentina torceu uma mecha de cabelo entre os dedos para tentar não roer as unhas. Sarah mexeu a cabeça negativamente.

— Não! Estou chateada é com seu pai. O que ele fez não é ser pai! Sinto muito por tudo isso. Sinto muito por ter te deixado pensar que era tão importante assim pra mim que vocês se dessem bem. Não é. *Você* é minha amiga! — Sarah disse apertando a mão de Valentina. — Claro que estou triste porque no momento tive minha primeira decepção com um ídolo de infância, mas ele é só mais alguém. Ele não é você.

Naquele momento Valentina soube a sorte que tinha. Esse podia ser só um dia bom entre muitos nebulosos, mas era como Beethoven sempre encarava as coisas. Depois de muita névoa, a vitória era iminente.

Se esse era só o primeiro mês de aulas, ela estava louca pela próxima temporada de sua vida.

A banda ainda não conseguia chegar a um acordo sobre a música que tocariam no final do semestre, e Valentina teve que deixar essa discussão para depois, pois ia se atrasar para o treino de piano com Kim. Saiu do ensaio, se encaminhando para a sala de prática, e checou o celular novamente, mas só viu mensagens da mãe comentando seu novo corte de cabelo e algumas mudanças que o prefeito tinha feito na rua delas. Nada de Érica. Fazia algum tempo que suas mensagens não estavam sendo respondidas ou que a amiga apenas enviava respostas curtas, como se estivesse muito ocupada. Valentina ficava triste, mas não queria pressionar ninguém a falar com ela porque isso era meio humilhante.

Kim ficou encostado na lateral do piano enquanto Valentina tocava, pela décima vez, uma das peças de Bach. Ele estava de olhos fechados, prestando mais atenção ao que ela fazia que à técnica que estava usando. Estava começando a achar o estilo dela irreverente, e até diferente do que ele estava acostumado a ouvir e tocar. Kim era sóbrio, correto, com notas claras e muita técnica. Valentina tocava como queria, de forma incerta, com muita personalidade e leveza. Mas ainda soava como uma obrigação.

— Para, espera um pouco — ele disse, colocando a mão na partitura que ela acompanhava. Valentina fez um barulho estranho com a boca e levantou a cabeça para ele. — Tem algo errado, você não está se divertindo.

— Como se você se divertisse...

— Eu me divirto. Muito. Você nem imagina. — Ele continuou sóbrio e entediado, o que para ela não combinava com o discurso. — Não preciso sorrir ou pular de alegria igual um carneirinho para me divertir.

— Carneirinho? — Valentina sorriu de forma boba e infantil, fazendo Kim soltar um suspiro.

— O que interessa é que não adianta você ter toda uma técnica, coisa que você não tem, e parecer que está sendo obrigada a tocar para não ir para a forca. Isso nunca soará bonito o suficiente.

— Mas eu estou sendo obrigada a tocar essa música. Pela décima vez.

— Qual o problema com Bach? — Kim arqueou a sobrancelha e Valentina revirou os olhos.

— Problema nenhum antes da quinta vez, mas tenho uma ideia melhor.

Ela estalou os dedos e puxou o caderno de partituras do apoio. Buscou algo nas folhas e, parecendo satisfeita, colocou-o de volta no lugar. Suas mãos pairaram sobre o teclado do piano. A música que começou a tocar não se parecia com nada que Kim estava acostumado a ouvir, e ele franziu a testa, consternado. Ela movia as mãos de forma rápida, tocando notas conexas e simples, o que indicava que não era nada clássico ou erudito. A mão esquerda fazia o mesmo acorde com batidas regulares, enquanto a direita parecia seguir o ritmo da voz de alguém como acompanhamento.

— Isso está em...

— Mi maior. Eu sei — Valentina disse enquanto continuava a tocar. Em algum momento específico, ela começou a murmurar a letra da música.

Once I had a love and it was a gas, soon turned out, I had a heart of glass.

(Uma vez eu tive um amor e foi sensacional, logo ficou evidente que eu tinha um coração de vidro)

Kim ficou em silêncio enquanto ela cantava e tocava a música que ele, sinceramente, não fazia ideia de qual era. Na sua opinião, não era boa, mas isso também não era importante. De alguma forma ele sentia que se desse um suspiro mais alto atrapalharia a concentração da garota, e essa era a última coisa que ele queria naquele momento. Kim não podia admitir, mas estava encantado. Não exatamente com as roupas rebeldes e a meia calça arrastão; não exatamente com os olhos pintados de preto; com as unhas lascadas; com o sorriso infantil; o jeito maroto de tocar ou seu entendimento simples sobre a música. Ele estava encantado por tudo isso ao mesmo tempo.

Ele ouvia as notas e os murmúrios com a voz rouca e no tom certo de Valentina: *love is so confusing there's no peace of mind*. Mas sua cabeça trabalhava bagunçada e rapidamente nas partituras e sons de "Träumerei", de Schumann. Não só o piano, a orquestra inteira voltava a tocar em seus ouvidos e nada do que reverberava naquela sala era a música de Valentina. Ele simplesmente não conseguia mais separar aquela emoção da sensação de estar perto dela. Os pelos de seus braços estavam arrepiados, e ele queria poder ficar daquele jeito, em silêncio e ao mesmo tempo com tantos sons diferentes, pelo resto da vida.

Só que Valentina errou uma nota e soltou uma gargalhada repentina que fez o garoto piscar os olhos e prestar atenção ao que ela estava fazendo novamente. Schumann continuava tocando em sua cabeça, o que atrapalhava um pouco a concentração na hora de falar, mas ele realmente não sabia como fazer parar. Era a forma que sua mente tinha de agir perto de algo de que gostava tanto. Perto de alguém que estava descobrindo que gostava tanto.

— Ah, droga... — Kim resmungou em voz alta, fazendo Valentina levantar as mãos das teclas e encará-lo.

— Fiz algo errado?

Ele ponderou algumas respostas que poderia dar. Ponderou dizer a verdade e admitir que se ela só ficasse em silêncio, perto dele, seu corpo inteiro pareceria incrivelmente vivo. Ponderou se ignorava os sons da sua cabeça e fingia que nada estava acontecendo. Ponderou se aquilo que sentia era de verdade. Se ele sequer sabia o que estava sentindo.

— Essa música é uma porcaria. Volte para Bach.

— Mas...

— Bach é divertido. Do começo, agora. — Ele viu a expressão de desgosto que ela fez quando voltou a tocar, e não era nada animador. Mas o que Kim poderia fazer? Ele nunca tinha precisado aprender a se divertir com a música erudita, aconteceu naturalmente. Como ensinar alguém a aproveitar?

A verdade maior, com sustenido e tudo, é que ele estava assustado com toda aquela aproximação e com a forma com que seu coração continuava a bater forte, no ritmo da música. Ao contrário do que as pessoas pensavam, seu coração não era de pedra.

18

QUEENS OF NOISE

(THE RUNAWAYS)

Ela odiava piano. Odiava! Agora era oficial, iria embora dali. Não aguentava mais ouvir as mesmas notas, olhar para as mesmas teclas, sentar no mesmo banco por horas e horas a fio. E para quê? Ela nunca acreditou na música clássica, era um deus perdido no tempo com histórias bonitas que as pessoas contavam. Ela até achou que gostaria, mas não mais. Ela odiava.

Seus dedos estavam inchados e ela mal conseguia segurar a caneta durante a aula de Teoria da Percepção Musical! Sarah tinha ajudado com uma pomada nas costas, mas Valentina não aguentava ficar sentada por mais que alguns minutos seguidos, o que diria caminhar pelos longos corredores e subir as enormes escadas da Margareth Vilela? O corpo dela todo pedia misericórdia, estava se sentindo em um campo de batalha, jogada no chão, ensanguentada, depois de uma guerra perdida.

Talvez estivesse sendo bastante dramática, mas no momento era como se sentia. Queria bater a cabeça de Kim nas teclas do piano toda vez que ele gritava "mais uma vez, do começo!", embora soubesse que isso só causaria mais problemas do que soluções. A cada aula que passava ele agia como se ela fosse de ferro, como se vivesse para o piano, como se pudesse passar cinco horas seguidas sentada, ouvindo a mesma música enquanto os dedos corriam de um lado ao outro, sem cansar.

Ok, talvez ela tivesse se metido nessa. Ela que pediu aulas, ela que correu atrás dele, ela que tinha o maior (e único) interesse nisso, que era passar de semestre. Mas o objetivo não era fazer com que ela gostasse de tocar piano em vez de ser torturada? Em vez de simplesmente odiar o fato de estar toda dolorida?

— Isso se chama perseverança, não sofrimento — Fernando disse, assim que ouviu a reclamação da amiga na hora do almoço.

— Isso se chama sangria, matança, açougue...

— Falou aquela que curte punk rock — Pedro riu enquanto bebia refrigerante, fazendo com que o líquido saísse pelo nariz. Todos acharam graça, menos Valentina.

— Mas pelo menos você sentiu que melhorou? Fora, você sabe, a aula de ontem? — Sarah perguntou, entregando guardanapos para o garoto.

— Eu... não sei. Eu não sei. — Ela bateu com a testa na mesa, adicionando mais uma parte dolorida ao corpo.

Saiu do refeitório ainda nervosa, vendo os amigos seguirem para suas respectivas aulas. Ela ainda tinha meia hora antes da aula de Canto, então caminhou pelo espaço entre os prédios onde o sol batia de leve no gramado e nas plantas coloridas. Valentina colocou os óculos escuros e seus fones de ouvido vermelhos sobre os cabelos platinados embaraçados e abriu a playlist do The Runaways. Decidiu deitar em um banco de pedra que ficava embaixo de uma árvore, de onde fachos de luz passavam pelas folhas e galhos. O lugar parecia perfeito. Perto dali, uma violoncelista tocava sozinha, imersa em cadernos e partituras. A cena era linda e etérea, ela precisava concordar, mas não ouvia nada fora a voz de Cherie Currie berrando por liberdade e rock'n'roll. Fechou os olhos, apoiando o braço na testa e batendo os pés com o coturno no banco no ritmo de "Queens of Noise".

— *Not just one of your toys...*

Kim ouvia Marcus e Júlio falando sobre as aulas, depois de fingir que tinha comido alguma coisa. Sabia que não estava realmente cansado, mas algumas noites às vezes eram mais longas e, nesses dias, ele não conseguia conviver bem em sociedade. Tudo ficava uma bagunça em sua mente e ele mal lembrava que dia era, para falar a verdade. Na sua cabeça, tentava recordar as notas e sequências da décima oitava obra de piano de Rachmaninoff, que nunca foi difícil para ele, mas que era objeto de estudo para suas aulas com o professor atual de piano.

— Aquela não é a filha do Gontcharov? — Júlio perguntou, enquanto caminhavam pelo jardim entre os prédios. Kim parou de andar e localizou a garota deitada no banco de pedra, batendo os pés em ritmo alternado. Um, dois, um, dois. Com certeza ela não estava seguindo a recomendação de ouvir música clássica.

— Pouco me importa — Marcus reclamou, puxando a mochila e o caderno de anotações. — Não vou me atrasar para a aula de Condução por conta dessa esquisita.

— Às vezes até esqueço que você é quase um maestro — Júlio bateu nas costas do amigo, rindo. Kim não achou graça. Marcus era um péssimo maestro e até a professora particular dele sabia disso. Já tinha sugerido que ele mudasse para algo a sua altura, como o reco-reco, mas obviamente isso causou certo desconforto entre eles. Então Kim simplesmente não falava mais nada. Júlio era violinista e era bom nisso, nada acima da média. Mas as pessoas ali dentro pareciam reverenciar qualquer coisa que eles fizessem, então obviamente cresceram achando que eram melhores do que todos.

Mas Kim cresceu com a mãe. E ela nunca escondeu sua opinião sobre o filho, sendo boa ou ruim. E para uma criança de 9 anos, isso nem sempre foi compreensível. Mas, talvez, tivesse feito com que ele crescesse menos suscetível a ouvir qualquer desaforo. Ou a ficar chateado com qualquer desaforo.

Olhou novamente para Valentina, vendo que os amigos voltaram a caminhar, e ouviu "Träumerei" de Schumann como uma orquestra completa. Piscou os olhos algumas vezes, mas a música que soava em sua cabeça era tão bonita que ele não queria resistir. Se pudesse, ficaria olhando para ela o dia inteiro, por mais estranho que isso parecesse. Ela ainda era esquisita, ainda era uma pobretona, não sabia se vestir direito e ele não sabia se aquilo significava que se importava. Na real, não sabia o que aquilo significava de forma nenhuma. Por mais clichê que fosse, ele só se sentia assim quando estava em frente ao piano, livre.

Sorriu. Era isso. Valentina soava como liberdade.

No mesmo momento, um rapaz com um case enorme de tímpano passou perto de Kim, que, instintivamente, deu um passo para trás, deixando mais espaço para ele passar.

— Desculpa — Kim disse, quase como um sussurro, vendo o garoto arregalar os olhos e continuar a caminhada.

Marcus e Júlio pararam mais à frente, com as testas franzidas. Outras pessoas no jardim também observavam, curiosas. Kim foi educado com alguém? O que tinha acabado de acontecer?

Valentina subiu as escadas do prédio de aulas, colocando os fones de ouvido e iniciando a playlist de música clássica pela primeira vez no dia. Ainda estava de saco cheio, fora o corpo dolorido, mas sabia do que sua permanência ali dependia. Do que seu sonho dependia. Respirou fundo e, lendo o nome da música, acompanhou com o corpo inteiro Rachmaninoff, que ela nem sabia como pronunciava direito. Era algo que queria testar. Aproveitou que não havia mais ninguém ali e pôs em prática seus estudos solitários. Balançava a cabeça, os braços, as pernas. Mexia a boca com as notas, decorando os acentos, acidentes, adágios, sustenidos. Tentava se lembrar das aulas de teoria, do que notas juntas, rápidas e lentas significavam. Na sua cabeça, cheia de números e sons, desmembrava e desconstruía a música como uma fórmula matemática, e isso fazia com que ela se sentisse muito bem. Porque, de alguma forma, fazia sentido.

Estava sorrindo. A música inteira fazia sentido. Não eram só notas, como ela estava se acostumando a ver e ouvir, eram histórias repletas de fórmulas. Ela podia lidar com isso.

Se aproximando da sala de prática onde tinha as aulas com Kim, notou que a luz estava apagada e que nenhum som reverberava do lado de fora. Bateu na porta, mas realmente parecia vazia, o que era esquisito. Kim nunca se atrasava, nunca desistiria de maltratá-la ou de simplesmente passar mais tempo ao lado do piano. Algo ali estava estranho. Depois de pensar muito, enviou uma mensagem para o número dele, mas não estava funcionando, ele sequer recebia ou visualizava.

Quando a imagem dele vomitando veio à sua cabeça, Valentina andou o mais depressa que conseguiu em direção à Casa Branca dos dormitórios. Não sabia exatamente o motivo, mas estava preocupada. Por alguns segundos, enquanto entrava no elevador, pensou que ele poderia estar ocupado com coisas melhores ou outras garotas, e isso fez com que ficasse paralisada no corredor do seu dormitório. Ela tinha a escolha de ir para o seu quarto, tomar um relaxante muscular e cair no sono, ou interromper qualquer coisa que Kim estivesse fazendo e ser intrometida. A segunda opção pareceu mais divertida, de qualquer forma.

Esperou que o corredor do quarto dele estivesse vazio e, então, bateu algumas vezes na porta. Demorou um bom tempo, e ela já estava ficando com vontade de desistir de ficar preocupada e simplesmente se jogar na cama, até que o garoto apareceu no batente, com a camisa social amassada e aberta até o meio do abdômen e com cara de qualquer coisa, já que ela só conseguia reparar que a camisa estava aberta até o meio do abdômen. O que era ridículo. Obviamente, não o fato de parte do seu peito estar desnudo, mas sim o fato de que ela não conseguia sequer perceber como ele parecia mal e... bêbado.

— O que você quer? — ele perguntou de forma grosseira, estalando os dedos, fazendo com que Valentina olhasse, finalmente, para seu rosto. Ela, então, fez uma careta. Kim estava muito vermelho, os olhos menores do que o normal e as olheiras enormes.

— Você está um lixo!

— Olha quem fala — ele murmurou.

A garota olhou para os lados, vendo que o corredor ainda estava vazio, e passou ao lado de Kim em direção ao interior do seu quarto. Ela já sabia como era lá dentro, embora não se cansasse de ficar impressionada com todas aquelas coisas caras e perfeitamente limpas. Ouviu o garoto soltar um palavrão, apontando para a porta, mas Valentina apenas deu de ombros e se sentou no sofá, confortavelmente.

— Você não falta à aula à toa. Está aqui sozinho? — ela perguntou, falando a última frase de forma inconsistente e temerosa. Não era da sua conta, claro, mas estava curiosa. Afinal, ele estava com a camisa aberta até o meio do abdômen.

— Estava até você chegar — Kim disse com os dentes cerrados, batendo a porta atrás de si, voltando-se para Valentina e cruzando os braços. — Você não vai embora?

— Por que você faltou à nossa prática? Preciso estar preparada amanhã pra aula de piano, você sabe que a professora vai me avaliar! Você não pode ter esquecido que...

— Você vai estar muito bem amanhã. Agora sai daqui.

— Mas...

— Não sou obrigado a te dar satisfações! — Kim gritou, respirando fundo logo depois, arrependido. Valentina fez uma careta, inconformada. — Tim, vai embora.

— Não. Você está bêbado. De novo. Se eu for embora, vou gritando isso pelos corredores.

— Não, você não vai...

— Duvide de mim! — A garota também cruzou os braços, vendo Kim passar as mãos pelos cabelos. Ela sustentou o olhar dele por um tempo, até que se distraiu com uma garrafa de uísque quase vazia em cima da mesa da televisão. — Você bebeu isso tudo?

— Essa é a segunda.

— Então você é tipo alcóolatra?

— Não.

— Se eu adivinhar com o que você está chateado, você vai me contar? — Valentina tentou uma estratégia que tinha visto em algum filme policial. Kim arqueou uma das sobrancelhas, o que indicava que essa técnica realmente funcionava. Ela só não fazia ideia do que poderia ser. — Sua mãe está te perturbando?

— Que chute óbvio. — Ele balançou a cabeça, desapontado, caminhando em direção aonde ela estava e pegando a garrafa de uísque. Bebeu um gole grande e se sentou na mesa da televisão. — Mas não. Não exatamente. A existência das pessoas me perturba, mas nada que ela faça vai ser mais perturbador do que me obrigar a frequentar os espaços sociais daqui.

— Você prefere ficar sozinho?

— Óbvio. — Ele riu debochado. — Mas você não acertou meu motivo.

— A sua namorad... — Ela ia terminar a palavra, mas mordeu os lábios quando ele fez uma careta.

— Seja menos comum, Tim. Menos comum.

— Você está triste porque está apaixonado pelo Marcus, só que ele e Júlio já tem um caso! — A garota levantou uma sobrancelha, vendo Kim abaixar o rosto e sorrir. Ele riu de verdade. Não foi um riso debochado ou irritado, foi de verdade.

— Ninguém ficaria triste por isso, embora se apaixonar pelo Marcus possa ser algo digno de pena... — Os dois riram juntos. Valentina ficou feliz por ele não parecer ofendido com a insinuação sobre sua sexualidade, pelo visto não era ignorante e preconceituoso. Tinha sido um teste. Agora era só se convencer a não olhar para a camisa aberta até o meio do abdômen.

— Você está triste porque é bom em tudo o que faz e isso, na verdade, é um saco.

Kim encarou a garota, surpreso. O que a fez pensar que tinha acertado a questão. Mas o garoto estava intrigado. Ela realmente achava que ele era bom em tudo o que fazia? E que ser bom em tudo era um saco?

— Se eu fosse bom em tudo, certamente não estaria triste — Kim falou, fazendo com que ela murchasse e respirasse fundo, pensativa. — Não estou tão bêbado quanto da última vez, você não vai tirar nada de mim.

— O que eu queria tirar já está quase saindo mesmo... — ela respondeu baixinho, olhando para o peito seminu dele.

— O que disse?

— Nada.

— Eu sou lento, mas tenho um ouvido excepcionalmente bom.

— Então não me faça repetir — Valentina deu de ombros, vendo o garoto sorrir. Ele bebeu mais da garrafa e ela só queria tirar aquilo da mão dele. — Olha, a gente deveria estar tocando piano, sabe? Aquilo que nunca abandona a gente? A música? Me dê um bom motivo pra você preferir estar aqui do que lá.

— Só não é um bom dia. Tenho certeza de que pessoas comuns como você também têm dias ruins. Então não me enche o saco e vai pro seu quarto.

— Kim...

— NÃO QUERO CONVERSAR. Estou cansado. E eu não converso. Falo o suficiente para que o psiquiatra me deixe em paz e é isso. Por que eu conversaria com você? Logo com você?

— Psiquiatras são ótimos, mas eles são obrigados a estar ali pra você. Eu estou aqui porque eu quero. Apesar de você estar sendo um grande babaca. E NÃO GRITA COMIGO! — ela berrou de volta, fazendo o garoto franzir a testa.

— Eu só... eu não estou ouvindo nada — Kim disse, mais para si mesmo do que para Valentina. Ele tinha certeza de que ela não estava entendendo, mas ele não estava ouvindo Schumann e Valentina estava bem ali na sua frente. — E sei que é um efeito do meu remédio. Às vezes não sou eu mesmo, eu acho. Não me sinto eu mesmo. Não sinto as teclas e os sons como faço normalmente, e nesses dias odeio tudo. Odeio que meu cérebro seja tão confuso que eu precise de comprimidos para me organizar. Odeio que o único jeito de me organizar, antes de conhecer você, era ficando bêbado. E que, agora, é só te ver que meu cérebro se sente vivo de novo.

Ele pensou. Pensou e pensou, sozinho, sem dizer nada em voz alta. Coçou a cabeça, mexendo nos cabelos já bagunçados.

— Você precisa de remédios. Veja o lado bom, você tem como obter esses remédios. Independentemente do que eles fazem com você. Seria muito pior sem eles, não? — Valentina disse, inocente, querendo entender a confusão que ele era. Kim levantou o rosto e encarou a garota.

— O déficit de atenção nunca me deixou compor minha própria música — ele confessou, visivelmente triste, como se fosse um argumento definitivo. Valentina sorriu de leve, pensando que ela deveria ser a única "pessoa comum" que sabia tanto dele daquela forma.

— O déficit de atenção provavelmente te fez mais persistente. Não seja tão dramático.

Kim sorriu e apontou para a porta, fazendo a garota se levantar com uma careta no rosto. No fundo, ver Valentina sair do seu quarto dando tchau com as duas mãos e fazendo sinal de força com os braços antes de bater a porta, fez com que se sentisse agradecido e feliz de ela estar ali por perto naquele momento. E talvez, só talvez, ela tivesse alguma razão.

Olhou para a garrafa de uísque e respirou fundo, jogando o resto na pia do banheiro. Já estava suficientemente bêbado para dormir. Ele não precisava beber mais a ponto de se esquecer do que tinha acontecido.

19

A ORQUESTRA

O maestro respira fundo e ergue as mãos, os olhares de todos atentos nele. São oitenta músicos e instrumentistas esperando pelas suas ações, esperando pelo movimento que fará com que a orquestra comece a tocar e a peça em questão vire uma música de verdade. Violinos, violoncelos, contrabaixos, flautas, oboés, pratos, trompetes, trombones, tubas, clarinetes, fagotes e muitos outros instrumentos organizados e afinados para se tornarem um só. Para dar vida a partituras, notas e movimentos. Para criar vida e sonhos.

Para fazer mágica.

20

HOW SOON IS NOW?

(THE SMITHS)

Dias passavam, semanas passavam e os meses pareciam voar com tanta música. A Academia Margareth Vilela estava em constante mudança, mas a rotina permanecia a mesma. Alunos corriam por todos os lados carregando instrumentos, cadernos e partituras, palestras e concertos de câmara aconteciam esporadicamente, muitas horas em salas de prática e muita música clássica ecoando por todos os corredores. Nada de grandioso interferia no cotidiano do conservatório, embora todas as pequenas coisas que aconteciam fossem extraordinárias. E muitos ali estavam animados com um pequeno festival anual de música que aconteceria na parte antiga da cidade, incluindo Valentina. Óbvio.

— Vi que vai ter bandas de rock tocando — Fernando disse, enquanto mordiscava o sanduíche durante o horário de almoço.

— Vai ter bandas de reggae, de bossa nova, alguns grupos de samba e provavelmente um ou outro concerto — Sarah lia um dos panfletos que estavam sendo distribuídos pelo conservatório. Valentina sorria abobalhada, porque era apenas um dia e uma horda de possibilidades de ouvir muitas coisas que não o som de seu piano. Era uma das suas grandes vontades quando descobriu todo o potencial da

Cidade da Música: assistir a um dos famosos festivais onde bandas iniciantes e extraordinárias tocavam, concorrendo a um prêmio que poderia resultar em contratos com gravadoras. Como muitas bandas fizeram anos atrás. Como ela queria fazer um dia.

— Meu irmão vai tocar lá. — Pedro bebeu um gole de refrigerante, fazendo os três amigos pararem o que estavam fazendo para encará-lo.

— Seu irmão? — Valentina empurrou o ombro do amigo, surpresa. — Como assim? Em alguma banda? Ele é famoso? Orquestra?

— Ele tem uma banda. De rock.

— E você só pensou em falar isso pra gente agora? — Sarah franziu a testa, vendo o garoto dar de ombros, desinteressado. Provavelmente, isso já era parte da sua vida e não fazia tanta diferença assim. Mas não para os amigos.

— Não é grande coisa. Ele é o Davi Foster e toca no We Are Infinite, mas ele raramente vem pro Brasil, então sou obrigado a assistir ao show e tudo mais. Um saco. Meus pais nunca vão, por que eu preciso ir?

— O We Are Infinite?! — Valentina e Fernando falaram ao mesmo tempo, alucinados.

— Vocês conhecem? — Sarah perguntou e Fernando abriu a boca em choque, com metade do sanduíche dentro, o que era incrivelmente nojento.

— Eles simplesmente são superfamosos e já tocaram aqui em Vilela com a Scotty.

— A Scotty tocou aqui? — Valentina encarou o amigo, vendo alguns de seus sonhos se tornarem realidade. Ela sabia que Margareth Vilela era mais do que uma cidade só de música clássica. Sabia que existia algum rock'n'roll escondido por baixo de tudo isso!

— Quem é Scotty? Por que vocês estão tão felizes? — Sarah olhou para Pedro, que simplesmente deu de ombros e voltou a comer.

♫

Valentina, ainda eufórica com as informações sobre o festival da cidade, entrou na sala da aula de Canto e se sentou na carteira, embora sua mente estivesse longe dali. Pensava nos palcos montados em grandes gramados, nas pessoas sentadas e deitadas em cangas como se estivessem em um evento hipster, como o Coachella. Será que muitos imitariam os hippies ou usariam um terceiro olho, copiando a moda indiana? Ela achava um mico e, mesmo assim era louca para participar. Já tinham acontecido festivais de música no Rio de Janeiro em que ela queria ter ido, mas sua mãe nunca tinha permitido. Valentina sabia que, às vezes, era devido à falta de dinheiro, e sua mãe não queria falar nada para não deixá-la preocupada. Ali, ela sabia que a temporada de muitos festivais era no final do ano, mas que alguns acabavam acontecendo no meio da semana de aulas. E agora ela poderia ir!

Ouviu o professor de Canto chamar seu nome e reparou que todos na sala estavam de pé, com as mãos no peito para algum exercício, menos ela. Valentina se levantou rapidamente, envergonhada, imitando os outros alunos e respirando profundamente, fazendo barulhos estranhos com a boca em aquecimento vocal. Pensaria no festival depois.

Quando saiu da sala, caminhou pelo corredor tentando segurar o caderno de partituras, a bolsa, os fones de ouvido vermelhos, o celular e amarrar o cabelo ao mesmo tempo. Não tinha sido um grande sucesso, claro, e metade das coisas caíram no chão, se espalhando por todo o corredor de forma vergonhosa. Ela fez um barulho inconformado e, depois de garantir que seu cabelo estava preso em um rabo de cavalo alto, se abaixou para recolher tudo. Estava distraída e precisava se recompor. Tinha muita coisa desorganizada em sua cabeça e alguns assuntos em que ela não conseguia parar de pensar.

Um exemplo era Kim, que, apesar de continuar inacessível como sempre, ela ainda achava tão bonito que não sabia como descrever em palavras. Às vezes era fácil demais perder tempo analisando um dos pôsteres de propaganda do conservatório, vendo que claramente não fazia jus à realidade. Olhou no celular e viu que estava atrasada para a aula de Composição e Letras, o que seria uma droga já que precisava entregar um trabalho que tinha adorado fazer – uma releitura de uma das sonatas de Vivaldi. Pensando nisso, saiu correndo pelos corredores e escadas, lembrando que, antes, precisava achar o famoso pianista do conservatório, já que obviamente ele não tinha respondido nenhuma de suas várias mensagens até hoje.

Kim estava sentado em um banco no gramado com um caderno de partituras nas mãos, fazendo anotações nas laterais das pautas. Pensava na estrutura "Carmina Burana", de Carl Orff, que tocaria com a orquestra em alguns dias e, distraído, não viu Bianca se sentar ao seu lado. Só reparou na sua presença quando ela colocou a mão em sua perna, o que foi um tremendo desserviço, porque ela não tinha direito nenhum de encostar nele sem permissão.

— Já disse que não quero que faça isso — Kim repetiu entredentes, sem tirar os olhos da partitura. A garota riu, cruzando as longas pernas cobertas por uma calça de malha preta. Provavelmente tinha acabado de sair da aula de balé, mas Kim pouco se importava com esse fato.

— E eu já te disse que estou cansada de esperar por você. Estou ficando sem paciência.

— Não pedi que esperasse por mim. — Ele continuou sem encará-la, entediado. Não era a primeira vez que estavam tendo aquela conversa, e a repetição era extremamente cansativa. Repetições eram para crianças e cachorros, coisas que Kim não queria por perto de jeito nenhum. Bianca estava pronta para responder quando Kim percebeu que

Valentina estava parada na frente deles. Encarou a garota e seu coração saltou do peito de uma forma bem infantil. Que horror. Ela estava esbaforida, o rabo de cavalo desgrenhado e o rosto vermelho. Provavelmente tinha ido até ali correndo. Kim a encarou de cima a baixo, antes de entender o que estava acontecendo.

— Eu... posso falar com você? — ela perguntou, arfando, sem olhar diretamente para Bianca. Estava constrangida, ele podia notar. O que faria? Valentina não podia simplesmente sair falando com ele na frente das pessoas, podia? Não era porque não teriam aula hoje que ela precisava arrumar um jeito de se encontrar com ele.

— Estou ocupado — disse. Ouviu Bianca soltar uma risadinha ao seu lado e tentou ignorar. Valentina continuou parada, sem saber o que dizer em seguida.

— Vou ter um recital na semana que vem e...

— Já disse que estou ocupado. Vaza.

Valentina revirou os olhos e respirou fundo. Mordeu os lábios, porque a vontade de gritar era enorme. Então ele, depois de tanto tempo, ainda tinha medo do que as pessoas falariam se os vissem juntos? Como se muita gente não soubesse que ele estava dando aulas para ela! Era a Bianca? Devia ser. Ele costumava ficar mais babaca que o normal na frente dos amigos, se isso era sequer possível.

— Você não ouviu, Gontcharov? Vaza — Bianca disse, sorrindo. Kim olhou para ela e fez uma careta.

— Vocês são perfeitos um para o outro. — Valentina engoliu a vontade de xingar e se virou de costas, correndo de volta para o prédio de aulas. Não iria se atrasar por causa dele. Na sua cabeça, imaginava diversas formas de matar Kim durante a aula de piano do dia seguinte, o que provavelmente não deixaria sua mãe orgulhosa (Érica, sim). Talvez a prática de banda à noite com os amigos a fizesse descontar toda a raiva na guitarra, o que seria algo muito bom e digno do punk rock. Kim teria seu momento, como sempre.

— Você também, pode ir embora. — Ele se voltou para Bianca, tirando a mão da bailarina de sua perna. Não estava nada confortável com aquilo, e se tinha alguém de quem não queria estar perto, era ela.

— Não vou embora. A gente não terminou de conversar.

— O problema é seu — Kim rebateu, se levantando e fechando o caderno de partituras. Saiu andando em direção ao prédio de aulas, onde provavelmente se trancaria até a noite em sua sala de prática de piano, sem que ninguém realmente enchesse seu saco. Vida social era algo superestimado.

Valentina fazia um longo e elaborado solo de guitarra e toda a sua raiva, frustração e cansaço escorriam pelos dedos direto nas cordas velhas e gastas. A barulheira era ensurdecedora, pois o amplificador estava no máximo. A banda, ainda sem nome, já ensaiava havia quase uma hora, e ela ainda se sentia irritada. Precisava extravasar. Precisava tirar da cabeça a expressão de desprezo de Kim quando falou com ela. Precisava imaginar que aqueles acordes eram seus sentimentos confusos, e ela os destruiria em forma de rock.

Sarah tentava chamar a atenção da amiga, gritando e balançando os braços. Nunca tinha visto Valentina tão furiosa assim; pelo visto Kim tinha atingindo o ponto fraco dela, dessa vez.

— Tim, você deveria ter mandado ele pro inferno. Ou sei lá. Sei que ele é muito gato e às vezes a gente fica sem saber o que fazer...

— Ei! — Pedro gritou de trás da bateria, fazendo a namorada dar de ombros. Valentina balançou a cabeça categoricamente.

— A beleza dele não me intimida. Ele só é um babaca. Meu arqui-inimigo. Eu tinha que ter respondido! Quem ele pensa que é? Vejo o Kim mais do que vocês, ele não tem direito nenhum de ser estúpido comigo quando bem entende. Inclusive quando tá do lado da Bianca! Só porque ela é linda também? Só porque eles são um casal perfeito? — Valentina continuava tocando notas agressivas e fazendo os amigos tamparem os ouvidos com os ruídos desconexos que saíam do amplificador. Queria xingar, queria gritar com todo mundo em forma de música. Seu coração doía e ela nem mesmo sabia exatamente o porquê.

— Ele faz o que quer, isso nunca foi novidade. Agora, por favor, pode parar de maltratar a coitada da guitarra e se concentrar no que realmente importa aqui? — Fernando resmungou, sentado no chão, mostrando um papel de caderno para os amigos. Estavam discutindo havia muitas semanas sobre o nome que dariam para a banda, já que agora, com Valentina, não eram simplesmente um power trio. — Que tal Dexter? É um bom nome.

— Dexter é incrível! — Valentina concordou, de repente se sentindo animada, e segurou o braço da guitarra para evitar que fizesse muito barulho. Pedro concordou.

— O que Dexter significa? — Sarah perguntou, apoiando o violino no ombro novamente.

— O cientista do laboratório que passava no Cartoon Network.

— O *serial killer* mais famoso dos livros de ficção?

— O assassino vingativo daquele seriado sanguinário da Netflix!

Pedro, Fernando e Valentina falaram ao mesmo tempo, respectivamente. Sarah encarou os três, confusa.

— São a mesma pessoa?

— Não o do Pedro. Você realmente pensou em *O Laboratório de Dexter*? — Fernando perguntou, incrédulo, vendo Valentina rir alto.

— Vocês não?

♫

Já eram quase 22h quando Valentina entrou sozinha no elevador da Casa Branca, com os fones de ouvido acoplados tocando The Smiths a toda altura de forma raivosa e dramática. Os amigos tinham ficado na sala de prática de banda, mas ela precisava ligar para a mãe antes de dormir e preferia fazer isso do seu quarto, tranquila. Por incrível que parecesse ao mundo exterior, o conservatório não estava vazio, e alguns alunos andavam em grupos de um lado a outro, com seus instrumentos e partituras, com olhares cansados e perseverantes, indiferentes ao toque de recolher. Valentina continuava atraindo alguns olhares e admitia que, de vez em quando, imitava a cara de entediado que Kim fazia para fugir das pessoas e das convivências sociais. Era intimidadora e enigmática o suficiente para que achassem que ela realmente não queria papo, o que era a pura verdade. Se algum dia ele deixasse de ser babaca, iria agradecer-lhe por esse sábio ensinamento.

Murmurando a música com as mãos nos bolsos da calça jeans, Valentina caminhou pelo corredor até ouvir uma leve movimentação na porta do dormitório em frente ao dela, onde moravam duas garotas que ela via mais do que sua própria companheira de quarto misteriosa. Levantou a cabeça a tempo de ver Kim passando próximo dela na direção contrária. Sem pensar duas vezes e querendo arrumar problemas de forma suicida, Valentina girou o corpo e seguiu o garoto até estarem sozinhos no elevador, agora ao som da rádio do conservatório com música clássica. Era "Bolero", de Maurice Ravel, e a garota ficou surpresa por ter reconhecido. Pronto, agora ela entendia de música de elevador! Suas mãos suavam, e ela não sabia por que estava tão nervosa.

— Pode encontrar a Bianca, vou treinar sozinha amanhã. Não queria atrapalhar sua vida social e romântica — Valentina disse, debochada e completamente infantil, ela tinha noção disso. Mas não sabia de onde estava vindo aquela vontade de gritar e chacoalhar a cabeça do garoto.

— Não acho que seja uma escolha sua.

— Sua é que não é.

— E o que quer dizer com encontrar com Bianca? O que você tem com isso? — Kim encarou a garota, olhando bem dentro dos olhos dela. Ele nunca tinha feito isso antes, ainda mais dentro do elevador, e pegou Valentina despreparada. O lugar, de uma hora para outra, pareceu apertado, e o ar ficou denso.

— Nada. Não tenho exatamente nada com isso. — Valentina segurou a respiração, vendo ele se virar de frente para a porta. Estavam quase chegando ao térreo. Resolveu fazer uma pergunta que ainda não tinha feito em voz alta e sabia que morreria de vergonha logo depois. — Você gosta dela? Da Bianca? — O que era uma pergunta idiota, obviamente. Porque eles eram tipo namorados, certo?

— O que isso te interessa?

— Dá pra responder? Não é uma pergunta difícil. Idiota, talvez. Não difícil.

— Eu não gosto dela. Quem gosta? — Kim fez um barulho estranho com o nariz, como se não devesse ter falado sobre Bianca com Valentina. — E você continua sem ter nada a ver com isso. Então, boa noite e até amanhã. Se atrasar, você vai tocar Rachmaninoff até o amanhecer.

— Mas eu disse que não quero ter aula amanhã! Estou te liberando da função chata e entediante de passar horas comigo na sala de prática!

— Se você quer ser dramática, o problema é seu. — Kim saiu assim que o elevador chegou ao térreo e abriu as portas. Valentina ficou parada, decepcionada, fuzilando-o com o olhar, até que as portas se fecharam novamente e ela se afundou em um sentimento estranho. Sentiu-se solitária. Ela não podia se envolver tanto assim com alguém como Kim. Seu coração tinha limites. E o que ela esperava ouvir? O garoto implorando para passar tempo com ela? Esperava que ele enumerasse todos os motivos pelos quais os dois deveriam passar horas juntos?

Esse mesmo diálogo entre eles já tinha acontecido algumas vezes nas últimas semanas. Não exatamente o mesmo,

Valentina nunca tinha ultrapassado a linha tênue entre pensar e falar sobre Bianca, por exemplo, mas a autopiedade e o autoflagelamento já tinham acontecido, e ela tinha noção de que estava sendo dramática e sentimental quando o colocava nessas situações. E não estava nem aí de colocar isso para fora, claro, mas Kim nunca reagia bem aos sentimentos, ele parecia sempre incomodado de falar com ela sobre isso. Sempre virava as costas ou citava alguma música difícil de Rachmaninoff que ela precisaria tocar para desviar do assunto. Rachmaninoff era difícil pra caramba!

Em um dos treinos da semana anterior, Valentina já tinha ido embora da aula quando ficou brava com ele. Já tinha gritado de volta, antes, quando ele havia sido grosseiro. E, por várias vezes, tinha se achado um peso morto para o garoto, já que ele não falava nada positivo ou negativo sobre o tempo que passava com ela, e Valentina não sabia o que ele tinha a ganhar com tudo isso.

Caminhou de volta para o seu dormitório com The Smiths tocando novamente em seu celular. Provavelmente sua mãe já tinha ido dormir. E Érica não respondia suas mensagens.

I am human and I need to be loved,
just like everybody else does...

(Eu sou humana e preciso ser amada,
assim como todo mundo precisa.)

21

BABY, I LOVE YOU

(RAMONES)

Valentina acordou minutos antes de o despertador tocar. Odiava quando isso acontecia, claro, porque eram minutos de sono perdidos. Cada minuto contava! Esfregou o rosto e sacudiu as pernas, notando que estava muito frio e que seria sacanagem se não conseguisse usar seu vestido de caveiras favorito para o recital do dia seguinte. O clima ali em Vilela era comum para uma cidade no alto de uma montanha: frio, sol, frio, sol, ventos cortantes. Não tinha como fugir daquilo, ainda mais agora que os dias quentes tinham passado.

Sabia que havia dormido mal porque estava nervosa. Como aluna oficial da Margareth Vilela, Valentina tinha mudado muito em poucos meses. E com muitas dessas mudanças estava totalmente feliz e confiante. Com outras, nem tanto. Se por um lado estava aprendendo a apreciar música clássica e os diferentes sons do piano (e isso provavelmente tinha feito seu ouvido absoluto valer a pena), por outro ela tinha desaprendido a ser alguém solitária. Não só isso, ela não se importava por agora usar um notebook de última geração. O seu velho tinha estragado e seu pai cretino financiou um de alta tecnologia, mesmo ela tendo dito que pagaria ela mesma por um mais barato. Ela definitivamente devolveria o dinheiro depois, mais uma conta para a lista. Sua guitarra querida já não era o seu sonho de consumo. Ela queria mais, queria coisas melhores e novas, tudo o que o punk rock a tinha ensinado a não precisar. Fora a anarquia, claro, que ela tentava vez ou outra colocar em prática nas aulas de Kim e era respeitosamente mandada ao inferno. Tinha seus dias bons e ruins. Nada disso, obviamente, tornava ela uma pessoa ruim. Só, talvez, uma pessoa que agora tinha ambições.

Nunca tinha imaginado ficar nervosa daquele jeito porque teria seu primeiro recital de piano. A apresentação era obrigatória aos alunos da divisão, como um teste prático que fazia parte da aula, e sua professora ainda parecia duvidar da sua capacidade. O que era um saco e tinha feito Valentina perder o sono. A semana passou rápido demais, e ela não podia imaginar o que faria se acabasse arruinando suas chances de provar que estava muito melhor e que até Bach teria aceitado ela como aprendiz. Tudo bem, essa talvez fosse uma informação incorreta, mas Valentina gostava de sonhar.

— Adivinhem quem será o novo comandante geral estelar da rádio do conservatório? — Fernando perguntou assim que se encontraram na entrada do prédio de aulas, vendo vários alunos passarem correndo entre eles.

— A Deborah Melo do 6º semestre? Ela faz umas mixagens sensacionais! — Pedro considerou.

— Supondo que você disse o novo, no masculino, vou chutar o... Zico? Aquele cara que toca tímpano? Mas a Deborah seria incrível. A Mariana Medeiros, da divisão de Condução, também manda muito. — Valentina apontou o celular para o amigo, que negou veementemente.

— Eu que não sou. — Sarah deu de ombros, incrivelmente desinteressada. Fernando bufou apontando para si mesmo, fazendo com que os três encarassem atônitos sua figura esguia de calça justa, blusa amarrotada e casaco de couro.

— Mas você... sabe, você invadiu a rádio aquela vez... — Pedro disse baixinho, fazendo com que Valentina desse um tapa em sua cabeça, repreendendo-o por falar em voz alta. Fernando sorria abertamente, colocando os cabelos ruivos para trás da orelha.

— Talvez eu precise de uma medalha de xerife. Se esse povo quer música clássica, eles vão ouvir muito Ron Carter, Joel Quarrington e Lucky Dados.

— Ah, por favor... — Sarah balançava a cabeça de forma negativa, impaciente. — Mas você realmente merece, isso é incrível, xerife. Parabéns!

— Contanto que não me faça dormir, você continua sendo incrível! — Valentina bateu nas costas do amigo, vendo Pedro partir direto para um abraço. Os dois ficaram pulando de forma infantil até Bianca passar por eles, junto de uma turma de bailarinos, e fazer barulhos de reprovação com a boca.

— A gente acha que já passou do ensino médio... — ela disse em voz alta, caminhando lentamente para uma das salas de aula.

— Como alguém tão bonita pode ter o coração tão ruim? — Sarah perguntou de forma dramática e Valentina deu de ombros. Bianca provavelmente não conhecia o ensino médio que ela conhecia, porque esse não teria sido exatamente seu exemplo de comportamento juvenil e sem noção. Ao contrário do que ela estava fazendo, que Valentina tinha certeza que era algum tipo de bullying. *Valentões não passarão!*

— Vamos, Tesouro, não se misture com essa gentalha! — Fernando disse, arrancando gargalhadas dos amigos e de algumas pessoas que passavam por eles.

Horas mais tarde, Kim batia o pé furioso ao lado do piano de Valentina. Estavam em um dos auditórios menores do conservatório para que ela se acostumasse com a acústica e se familiarizasse com o ambiente onde seria seu recital. Valentina rolava os dedos pelas teclas, acompanhando a partitura e garantindo que não estava fazendo nenhuma bobagem. Para Kim, aquilo tudo parecia desordenado.

— Vou repetir que foi uma ideia muito idiota escolher Stravinsky para o recital. Você teve o quê? Duas semanas para ensaiar? — disse Kim, assim que ela pausou um dos arranjos, porque não estava exatamente gostando do que ouvia. Ele debruçou sobre ela para mostrar como se fazia, deixando Valentina um pouco sem ar. Estava muito próximo, muito próximo!

— Hum... — Ela tentou se concentrar em qualquer coisa fora o cheiro dele, seu pescoço e seu rosto próximo ao dela. — Mas Stravinsky tem essa pegada meio louca e nada séria, é como eu me vejo tocando!

— Isso não quer dizer que você toque isso bem — Kim resmungou quando ela imitou seu arranjo de um jeito áspero, vendo ele se afastar e voltar para a lateral do piano. — Se você quer realmente fazer isso, se concentre na sua mão esquerda. Ela está um pouco mole e não tem espaço pra moleza na sonata para piano dele. Você precisa ficar atenta!

— Eu *estou* atenta — Valentina respondeu entredentes. Mordeu os lábios, colocando os cabelos para trás da orelha e se concentrando o máximo que podia. Voltou a tocar do início. Não era uma peça fácil, longe disso, mas Valentina tinha escolhido a dedo o que, naquela altura, significava muito para ela. Kim podia reclamar à vontade.

Voltou a tocar e a repetir o trecho que estava ensaiando. A peça em si não tinha um nome exato, isso acontecia muito nas criações dos gênios das orquestras. E essa em especial era cheia de notas diversas que brigavam entre si, formando um som amalucado e cheio de personalidade. Valentina logo pensava em filmes antigos de terror. Como as músicas eram repletas de fórmulas, ela também sabia que eram repletas de história.

Kim notava como ela se mexia enquanto tocava, o que ficava mais divertido a cada aula. O corpo da garota se movia inteiro, como era para ser, e sua cabeça ia de um lado ao outro, acompanhando os sons com os lábios e os olhos. Ela provavelmente não sabia disso, mas piscava quase que em acompanhamento com as notas, o que era engraçado. Não, Kim, era ridículo. Ridículo. Que droga.

O celular do garoto tocou pela terceira vez, só naquela última hora, e isso estava distraindo Valentina. Claro, ela não tinha nada a ver com isso, mas não conseguia deixar de ficar curiosa, porque ele sempre olhava o visor e desligava. Só que, da quarta vez, ele atendeu; Valentina fingiu não prestar atenção, encarando a partitura. Isso não era saudável para o seu psicológico, obviamente. O que ele ainda fazia com aquela garota? Não era como se ele realmente gostasse de Bianca, ele mesmo já tinha dito. Era Bianca no telefone, não era? Ele precisava esfregar na cara dela como o relacionamento dos dois estava ótimo?

— Eu já estou indo! — Kim falou para quem estava ao telefone e olhou para Valentina, que fitava as teclas do piano, muito séria.

Ela riu, sarcástica. Ele estava brincando, certo? Ela tinha um recital no dia seguinte! Kim quem tinha sugerido que praticassem no auditório para que ela se acostumasse e se sentisse mais confortável. E agora ele iria embora? O garoto mordia a boca, parecendo confuso, ouvindo quem quer que estivesse do outro lado. Valentina não queria saber. Se ele estava a fim de passar a noite com outra, o problema era dele. Não era? Bateu forte com o punho nas teclas do piano e empurrou o banquinho para trás. Kim levou um susto e encarou a cena boquiaberto. Ela se levantou, mostrou o dedo do meio para ele e saiu apressadamente, descendo a escada do palco com tanta raiva que quase tropeçou.

Kim desligou o celular sem responder ou se despedir de sua mãe, sentindo como se um buraco estivesse se abrindo debaixo dele. Onde ela estava indo? Por que estava fugindo?

— Tim? — tentou chamar. Ela continuou andando, sem olhar para trás. Sem pensar, ele correu atrás dela. Era visível que estava furiosa, claro, mas ele não entendia o motivo. Que direito ela tinha de ficar com raiva?

Valentina saiu da sala do pequeno auditório, cruzou o corredor mal iluminado e abriu a porta que dava para a área arborizada do prédio. Estava de noite, fazendo muito frio, e ela lembrou que tinha deixado o casaco perto do piano. Que idiota. Se abraçou, ainda sentindo muita raiva, e desceu a escadaria até o caminho de pedras. Ouviu Kim chamá-la um pouco atrás, mas não se virou. Queria que ele ficasse bem longe dela.

— Onde... o que você está fazendo? — ele berrou, parando na porta, no alto das escadas. Tudo lá fora estava escuro, exceto por algumas luzes de postes acesos. — Você pode parar de fugir de mim?

Era isso. Valentina pôde perceber a bola de sentimentos subir pelo seu corpo, como um arroto; então, parou e deu meia-volta. Não sabia bem o que estava sentindo. Mas fugir? Estava com tanta raiva que queria gritar, chorar, xingar ou simplesmente se jogar no chão, imóvel. Mas ele estava parado a alguns metros, esperando uma resposta. E ela era boa em dar respostas malcriadas.

— Eu nunca fugi de você, Kim! Você que é um babaca insensível e não nota as pessoas à sua volta!

— O que eu tenho pra notar?

— Eu, Kim! — ela berrou de volta. Sentiu que tinha começado a chorar sem querer, ou podia ser apenas o vento frio demais. — Ou pessoas que gostam de ficar perto de você de verdade. Sinto muito se você não compreende isso, porque não sabe como é esse sentimento.

— Isso é ridículo. — Ele se aproximou dela, furioso, passando as mãos pelos cabelos. — Vindo de uma garota que está até essa hora comigo só porque tem recital amanhã! Você diz que alguém gosta de ficar perto de mim? Estou vendo alguém fugir!

— É você quem foge! Todos os dias! — O vento estava forte e cortante e Valentina não sabia se estava tremendo de raiva ou porque estava congelando. Ainda bem que aquela parte do campus estava vazia a essa hora, isso seria fofoca certa no dia seguinte.

— Eu fujo do que eu sei que não funciona. Você diz que não noto as pessoas? Eu noto você. Sei que você acha que fala o que sente e o que quer, mas na hora que precisa, sai correndo. Como agora. Covarde!

— Você é um babaca! E eu odeio gostar de você! — ela confessou, abaixando o nível da voz aos poucos. Ela tremia, e as lágrimas quentes escorriam por suas bochechas geladas. A raiva era tanta que ela achou que fosse explodir. Raiva porque ele tinha feito com que dissesse algo que não queria. Não era a hora. Não desse jeito. Quem estava pensando que era? Ah, droga, ele tinha razão.

— O que você disse? — Kim perguntou baixinho, terminando de descer as escadas. Valentina bateu o pé no chão, nervosa. — O que disse?

— Disse que gosto de você! — ela gritou, sentindo a garganta doer. — E que você é um babaca!

— Eu não ligo de ser um babaca — Kim falou, confuso. Ela gostava dele? Como? Por quê? Tinha tantas perguntas na cabeça e, por um tempo, sentiu que tudo à sua volta tinha paralisado. Um silêncio total. A bagunça toda tinha sumido e ele não ouvia mais nada. Achou que ela riria e diria que era brincadeira, como normalmente fazia. Esperou. Mas, segundos depois, ela ainda parecia brava, encolhida e chorosa. Quis segurar seu rosto. Quis saber como era a sensação de encostar nela. Mas não sabia o que fazer.

— Você pode nunca ter gostado de ninguém, Kim... — Valentina passou as mãos nos olhos, secando as lágrimas e borrando o rosto de lápis preto. O garoto a fitava sem dizer nada. Ela estava cansada de esperar qualquer reação dele.

— Mas eu sou feliz por isso. Por ser capaz de sentir alguma coisa! Tenho pena de você.

— Eu também — ele falou, mexendo nos cabelos e olhando para os lados. Estava envergonhado, com medo, sentia as pernas tremerem, e com toda certeza não era de frio. Ele aguentava muito bem temperaturas extremas. Viu que Valentina ainda esperava, mas como ele não disse mais nada ela saiu batendo os coturnos sujos em direção ao prédio dos dormitórios, deixando-o sozinho. Seu cérebro ainda parecia vazio, mergulhado numa escuridão que ele não conhecia.

O que tinha acabado de acontecer?

22

SONATA PARA PIANO

(IGOR STRAVINSKY)

Ai, meu Deus! Ai, meu Deus! Ai, meu Deus. Respire fundo, Valentina! Obviamente Kim não se lembraria de tudo que tinha ouvido na noite passada, né? Ela tinha gritado demais? Será que tinha sido injusta? Valentina não tinha certeza de nada. Estava nervosa por causa da pressão do recital e sentia uma espécie de vergonha junto com falta de coragem de encarar o garoto. Era injusto ele chamá-la de covarde, certo? Mal tinha admitido para si mesma que gostava de Kim, por que então estava admitindo para ele? Não era certo.

Bom, era verdade. Era totalmente verdade. Ela gostava dele desde a primeira vez que o tinha visto bêbado caído no corredor. E passar tanto tempo perto dele, nas aulas, nas escadarias e nos murais do conservatório só tinha feito com que ela ficasse mais acostumada à sua presença e que, naturalmente, aquilo se transformasse em outra coisa. Ele era incrível, mas também era um imbecil. Tudo estava errado. E obviamente ele não sentia o mesmo por ela, então Valentina precisava respirar fundo e encarar que tinha feito o que podia. Tinha aberto seu coração, gritado a plenos pulmões e deixado bem claro que ela tinha todos os motivos do mundo para querer ficar perto dele. O que ele faria com aquela informação já não era mais da sua conta, embora ela quisesse que fosse. E ela tinha mais com o que se preocupar no momento. O recital seria dali algumas horas e ela não tinha nem lavado o cabelo!

Correu para o banho, colocando a sonata para piano de Stravinsky para tocar em seu celular. Precisava continuar memorizando todas as notas e sons, apesar de saber a partitura de cor. E se desse mancada? E se fizesse tudo errado? Kim tinha razão quando disse que essa era uma música incrivelmente difícil! Onde ela estava com a cabeça?

Valentina estava surtando. Era isso. Oficialmente, estava surtando de preocupação, medo, insegurança e todas as coisas horríveis que se alojavam na cabeça dela quando tinha algo muito importante para fazer. Aquela dor de barriga antes de uma apresentação, antes de falar em público, antes de entregar um pouquinho de si para um monte de gente que estaria prestando atenção em cada movimento. A sensação de que tudo estava errado, mesmo quando parecia certo. Ela só precisava respirar fundo. Érica sempre dizia que se você pode sobreviver ao próximo minuto, você pode aguentar qualquer coisa na vida. Era só viver um minuto de cada vez, respirando fundo e contando o tempo para deixar o desespero para trás.

Parecia a coisa certa a fazer, embora se entregar ao pânico fosse mais atrativo no momento. Vestiu seu vestido de caveiras com uma meia-calça preta por baixo e calçou os coturnos de sempre. Fez uma trança lateral no cabelo e marcou bem os olhos com lápis preto, finalizando com um batom transparente que apenas realçava o rosado de seus lábios finos. Respirou fundo e saiu apressada do quarto, não podia se atrasar para o recital. Percebeu que a porta da sua companheira de dormitório estava aberta. Parou por alguns segundos, tentada a dar uma olhada para finalmente descobrir quem ela era, mas desistiu quando o celular vibrou e viu a mensagem de Fernando no chat da banda.

> *Fernando Sartori:* Estamos indo para o Festival, Tim! Você tem certeza que não quer ninguém assistindo ao recital? A gente pode levar cartazes e fazer dancinhas organizadas.
> *10:01*

Valentina continuou caminhando pelo corredor, colocando o casaco militar surrado para fingir que o frio incomodava pouco. Ela sorriu, sabendo que tinha ótimos amigos.

> *Tim Souza:* De jeito nenhum. Encontro vocês mais tarde, o meu recital é um dos primeiros! ROCK'N'ROLL! Aproveitem por mim!
> *10:02*

Eles desejaram boa sorte, trocaram votos de superação e todas as coisas que pessoas queridas falam quando tentam animar alguém. Era o tipo de coisa que as pessoas faziam nessas situações, mas Valentina se sentia muito agradecida pelo apoio que estava tendo, embora nada disso fizesse a dor de barriga ir embora. Além da clara má sorte que tinha, já que o Festival que queria tanto ir caiu bem no sábado em que sua turma iria se apresentar. E a banda We Are Infinite iria tocar na mesma hora que ela, de tarde, o que talvez fosse um sinal de bom presságio porque, afinal, eles eram sensacionais. Ela não conseguia se decidir.

Aumentou o som de Stravinsky no celular e, fechando os olhos, caminhou o mais calmamente que podia para o prédio de aulas. Você pode viver mais um minuto, Valentina. Aguente firme. E convenhamos, Stravinsky era bom pra caramba!

Kim estava entediado. Não era possível que ninguém fosse interessante o bastante em lugar nenhum! Sua mãe, sentada à sua frente, ficava no celular enquanto almoçavam juntos no restaurante do conservatório, o que sempre acontecia nas poucas vezes em que se encontravam. Kim comia devagar, uma garfada de cada vez, esperando que ela pudesse parar de resolver coisas de trabalho para de fato terem um diálogo normal, um momento em família. Ele sabia que essa necessidade de chamar a atenção dela não era normal na sua idade. Já deveria ter parado com isso há anos, mas não era tão fácil fazer quanto era pensar.

— Você está indo bem, eu suponho? — ela comentou assim que desligou o telefone. Kim, um pouco mais animado, se agarrando a qualquer migalha de atenção que ela dava, concordou.

— Sim, senhora. E o trabalho?

— Ah, você sabe. Pais dando palpites, problemas com a prefeitura... sempre a mesma coisa.

Ele concordou e voltou a comer. Ela fez o mesmo. Ficaram alguns segundos desconfortáveis em silêncio, até que ela colocou o garfo no prato e juntou as mãos, parecendo preocupada.

— Eu... ouvi de alguns professores que você tem passado um bom tempo com a filha do Gontcharov. Você sabe, a esquisita. Alguns professores não parecem gostar muito dela, mas de alguma forma acho que você pensou estar fazendo uma caridade?

— Tim? Quer dizer, a Valentina? — Kim perguntou, sentindo a decepção aparecer. Ela não estava preocupada com ele, claro. Estava preocupada com as aparências, com ela mesma, como sempre.

— Tanto faz. Quero que isso pare de agora em diante.

Kim sentiu as narinas inflarem e, de repente, perdeu a vontade de comer. O que estava acontecendo? Sua mãe estava dando palpites sobre com quem ele deveria ou não passar o tempo? O tempo que ela mesma não passava com ele? Que direito ela tinha?

— Eu não acho que...

— Kim, isso não é um pedido. É uma ordem. Não quero mais saber de você perto dela. Não me dediquei tanto a sua educação para que agora tenha sua reputação manchada. Você tem um futuro brilhante pela frente, e é o futuro da Academia. Se quer alguma garota para se divertir, você tem opções melhores. Saiba escolher direito. — Maria Lúcia se levantou, limpou a boca com o guardanapo de pano e deixou-o dentro de seu prato, ainda cheio de comida. Kim se levantou também, como tinha aprendido a fazer. Mas, dessa vez, não esperou que ela se virasse para ir embora – deu meia-volta e saiu do restaurante com passos largos e pesados.

Ele podia ouvir sons nervosos vindos da sua própria cabeça. Sons incompreensíveis. Pareciam sinfonias de Bach e Tchaikovsky misturadas com a crescente tristeza de Beethoven, o que o deixava desnorteado e enjoado. Ele não entendia por que sua cabeça não podia deixá-lo em paz. Só queria poder almoçar direito, bater papo com a mãe e não ser cobrado por uma perfeição que ele não tinha. Não é que quisesse algo com Valentina ou que passasse tanto tempo com ela para se divertir, ou seja lá que expressão que sua mãe tinha usado. Isso era ridículo. Ele estava ensinando e aprendendo, fazendo alguma diferença! Era difícil entender? E quem usava as pessoas assim?

Tudo bem que Valentina era uma explosão de sensações novas dentro dele, que ainda não entendia muito bem. Claro que ela era esquisita e cheia de personalidade, mas a cada dia era mais um sopro de ar fresco dentro de uma sala fechada, cheirando a madeira e produtos de limpeza. Ele podia estar ensinando a ela, mas estava aprendendo também. Mesmo que fosse a ter mais paciência, porque ela sabia bem como fazer ele perder a cabeça.

Mesmo que nem sempre isso fosse tão ruim assim.

Que droga. Talvez fosse melhor obedecer à mãe, porque isso estava indo longe demais.

Ignorando algumas pessoas pelo caminho, inclusive Marcus, Kim seguiu pelo caminho de pedras entre os prédios, em direção às salas de aula e auditórios. O recital de Valentina seria dali a uma hora e ele queria ver se, apesar da loucura que tinha sido a noite passada, a garota seria profissional o suficiente para arrasar na apresentação e provar para si mesma que, se queria ser pirada como Stravinsky, ela podia. Tinha personalidade suficiente, tinha talento e ouvido, embora pecasse um pouco na técnica. Mas isso era algo que se aprendia com o tempo e com perseverança. E Kim nunca tinha visto uma menina começar do nada, sem nunca ter visto um piano antes, e chegar aonde ela estava chegando. Tinha que dar o braço a torcer.

É claro que não na frente dela. Ele não era doido.

Enquanto estava sentado no fundo do auditório praticamente vazio e com cadeiras ocupadas apenas pelos alunos que se apresentariam, ele tentou impedir, mas sua mente vagou pela noite anterior. Por mais incrível que parecesse, mesmo com seu remédio e sem nenhuma ajuda de entorpecentes, Kim tinha conseguido dormir muito melhor do que ultimamente. Valentina tinha dito que gostava dele, e não de uma forma óbvia e interesseira, como costumava acontecer. Não queria se gabar, mas precisava admitir que declarações daquele tipo eram bem comuns e ele estava acostumado. Por isto aquela tinha sido especial: ele tinha sido pego de surpresa. Valentina não era como as outras pessoas à sua volta, que ficavam caladas quando Kim falava alguma coisa, que concordavam com tudo o que ele dizia, que apenas sorriam ou saíam de perto quando ele mandava. Nem alguém que queria sempre sua atenção. Ela gritava com ele, ela o irritava, fazia o que bem queria e isso era muito mais do que ele estava acostumado a ver.

Porque a regra é clara: se você cresce com todo mundo à sua volta dizendo que você é um gênio, você acredita nisso. E provavelmente sofrerá depois que se encontrar no meio da sociedade como uma pessoa normal, mais uma no meio de tantas.

Não que Kim fosse medíocre, ele sabia que era um gênio de verdade. Medicamente comprovado, aliás. Mas sua genialidade o fazia destoar da sociedade de um modo geral, e se adaptar era extremamente difícil e exaustivo. Sua cabeça começava a rodar e o estômago estava embrulhado. Quando é que o recital começaria mesmo?

A verborragia do seu cérebro estava aumentando e ele não conseguia se concentrar direito. Fechou os olhos e respirou fundo algumas vezes, mas isso só deu espaço para que seu coração batesse um pouco mais forte e ele começasse a sentir coisas que não queria sentir. Precisava ignorar esse lado imediatamente.

♩

Valentina sentia as mãos suarem, mas, de alguma forma, estava feliz. Sabia que aquele recital não decidiria sua nota do semestre, era só uma oportunidade de tocar numa câmara de verdade, em um auditório, e de se sentir em um palco. Quantas pessoas não passaram por ali e hoje eram pianistas profissionais e artistas do mundo da música? Quantas pessoas não realizaram sonhos ali, não se emocionaram e receberam ovações de uma plateia de verdade? Ela sabia bem a oportunidade que estava tendo. Isso, inclusive, fazia com que seu corpo tremesse em êxtase e ela sentisse uma dor de barriga aguda que não passaria indo ao banheiro. Era nervosismo mesmo.

Quando a professora de piano anunciou seu nome completo de forma pomposa, ela se esforçou para não fazer uma careta e subiu as escadinhas laterais sob o aplauso dos poucos alunos que estavam por lá. A maioria, ela sabia, também se apresentaria, mas isso não era motivo para ficar triste. Ela poderia tocar para um auditório vazio, ficaria feliz só de poder estar no palco. Lá de cima, agradeceu os aplausos com uma breve mesura, sentindo um sorriso infantil no rosto. Ainda cega pela luz dos holofotes, se aproximou do piano, que se tornou, em tão pouco tempo, seu melhor amigo. Deu um tapinha de leve no instrumento, sorrindo, e se sentou no banquinho, estalando os dedos e arregaçando as mangas do casaco. Em segundos, começou a tocar e sentiu que nunca tinha sido tão feliz na vida. As teclas pareciam naturais, os movimentos eram conhecidos, os sons eram os mesmos e ela percebeu o que Kim tinha falado em uma de suas primeiras aulas: era divertido.

Ela deu um tapa no piano antes de se sentar?! O que ela tinha na cabeça? Kim esfregou o rosto com as mãos, um pouco ansioso por Valentina. Mas quando ela começou a tocar, de casaco encardido, Kim esqueceu todo o nervosismo e abriu a boca, abismado com o som que vinha do palco. Era, definitivamente, a sonata para piano de Stravinsky. As notas dissimuladas, as mãos em diversos movimentos, a cabeça da garota mexendo junto dos braços e o som limpo de quem tinha certeza do que estava fazendo. Na hora, a frase de um antigo professor veio em sua mente: "a melodia é horizontal e a harmonia é vertical", o que fazia todo sentido naquele momento. Valentina até tinha errado um ou outro arpejo, nunca as notas, mas estava indo muito bem. Kim sorria verdadeiramente orgulhoso. Talvez ficar longe dela fosse uma tarefa realmente difícil.

Isso era sensacional. Sensacional! Vamos lá! Tanananananananataaaaam! Essa mão vem por cima, essa por baixo. Ótimo. Ótimo! E, se ela trocasse essa nota por outra próxima, as pessoas iriam reparar? Combinaria bem mais, mas quem era ela para discutir a composição de um músico consagrado? Valentina conseguia ouvir o som vindo do piano e reverberando pelo auditório em uma harmonia incrível com seu próprio coração, o que era algo brega de se pensar. Mas sua mente estava viajando e suas mãos pareciam saber exatamente o que precisavam fazer. Em um momento, fechou os olhos e balançou a cabeça e os cabelos conforme o ritmo da peça e era uma sensação maravilhosa. Maravilhosa! *ME DÊ UM FÁ PORQUE ESTOU FAAABULOSA!*, era o que sua mente gritava.

𝄞

Kim esperou até que ela terminasse, a trança tinha se desfeito e ela estava completamente descabelada. Ia se levantar discretamente ao som de aplausos abafados para sair do auditório. Não queria que ela o visse ali. Muito menos depois da situação da noite anterior. Era melhor deixar que Valentina respirasse sozinha. E era melhor que ele pensasse no que faria dali para a frente.

♫

Valentina desceu do palco e voltou a se sentar na sua cadeira, no auditório, recebendo os parabéns do garoto quase albino, Iago, que sempre se sentava próximo a ela nas aulas de piano. Ele estava bem feliz e animado, e Valentina só queria agradecer muito porque tinha sido uma experiência incrível. Quem dera Kim pudesse ter visto como ela tinha se saído. Talvez ele fosse achar aceitável ou talvez tivesse mais uma cartilha de coisas que precisassem trabalhar dali para a frente. Ela sorriu aplaudindo a próxima aluna, Carina Maforte, que logo começou a tocar Chopin de forma incrível.

Valentina assistiu a todas as apresentações, aplaudindo e curtindo cada peça e cada interpretação. Era bem legal ver como cada músico colocava sua personalidade nas melodias e as transformava da forma como queria. Às vezes podia ser sem querer, mas Valentina ficou realizada em saber que provavelmente a música dela também levava sua própria marca. Estava tão extasiada que acabou se esquecendo de que deveria encontrar os amigos no Festival logo após a apresentação. Já não parecia mais tão importante assim.

23

CHANGES

(DAVID BOWIE)

— O irmão do Pedro é incrível! — Sarah disse, rindo, sentada no sofá de Valentina. Já era tarde da noite, mas a amiga tinha ido direto para lá depois do festival para contar as novidades. — Que ele não me escute falando isso. Por algum motivo ele odeia que elogiem o irmão. Ficou bem bravo porque o Fernando quis tirar a camisa e mostrar o peitoral durante o show dele!

— Algumas pessoas não sabem a família que têm! — Valentina respondeu, sentando ao lado da amiga e entregando uma latinha de refrigerante para ela.

— Graças a Deus os meus pais são completamente incríveis. Vou até mandar amor pra eles por mensagens agora, só um minuto.

Distraída, Valentina zapeava os canais da televisão, se dando a noite de descanso como um presente. Tinha recebido elogios da professora e isso era uma vitória enorme depois de uma tempestade. Como Beethoven acreditava.

— Estou impossível, agora faço citações mentais de músicos clássicos! — ela disse em voz alta, sorridente, recebendo uma expressão confusa de Sarah. Valentina deu de ombros, voltando a atenção para a televisão. Ouviu o celular anunciando uma mensagem e, de forma preguiçosa, foi checar. Se espantou ao ver que era de Érica, já que elas não conversavam direito havia semanas. Sentia muitas saudades.

Érica Sanchez: Desculpe não responder suas mensagens, mas você tb não tem sido uma ótima amiga. Just saying. *22:30*

Tim Souza: COMO ASSIM??? Eu te mandei várias mensagens! O que estou fazendo de errado? *22:31*

Valentina esperou a resposta, sentindo o estômago revirar de nervosismo. Sarah estava assistindo a um programa de vestidos de noiva, então a garota não se sentiria culpada de dar atenção ao celular.

Tim Souza: Isso não é muito justo. *22:32*

Érica Sanchez: Você me manda mensagem, Tim. Mas é sempre sobre você. Sobre sua vida por aí, sobre seus problemas. Você alguma vez perguntou o que tem acontecido na minha vida? *22:32*

Não, ela não tinha feito isso. Que horror, ela realmente não tinha feito nada disso! As coisas estavam tão diferentes, e era tudo tão novo, que Valentina não tinha notado que não estava dando atenção suficiente para Érica. Amizades não podiam ser unilaterais. Isso não era certo. Ela não estava sendo justa.

Tim Souza: Me desculpe. De verdade. Acabei mergulhando nos meus próprios problemas e sendo totalmente egoísta. Você é muito importante pra mim. Quero saber tudo sobre você!! *22:34*

Érica Sanchez: Não quer. _|_ *22:35*

Tim Souza: CLARO QUE QUERO! O que você tem feito e quais os seus planos de dominação mundial??? Eu cometi o erro de parecer que não me importava, porque achei que você me contaria quando quisesse. Me desculpa! *22:36*

Érica Sanchez: Tenho realmente algo pra contar. E na verdade é triste, porque você é a primeira pessoa com quem eu quero falar sobre isso! Eu odeio você.
22:37

Tim Souza: CONTA LOGO!1!11!
22:39

Tim Souza: Você me ama, é só admitir.
22:39

Érica Sanchez: Calma, eu estava digitando... então, eu estou namorando. E é bem sério dessa vez. Do tipo sério mesmo.
22:40

Tim Souza: Mais sério que aquela vez com o Luiz-desentupidor-de-pia?
22:42

Érica Sanchez: Nossa, bem mais! Nem me lembre daquele traste!
22:43

Tim Souza: Mais sério que o relacionamento de Han Kyul e Go Eun Chan do dorama Coffee Prince?
22:44

Érica Sanchez: Espero que sim. Como você lembra desse dorama??
22:45

Tim Souza: E qual é o nome do sortudo???
22:46

Érica Sanchez: Na verdade é sortuda.
22:47

Érica Sanchez: Ela se chama Gabriela. E é incrivelmente linda. Tipo a Kristen Stewart.
22:47

Tim Souza: Uau! Uaaau! COMO ASSIM? Me conta tudo! Ela deve ser incrível!
22:49

Érica Sanchez: Sim, ela é. ELA É!! E eu nem sei muito o que contar, também não sabia que ia me apaixonar assim. Sei lá, parece brega falar disso? A gente se gostou desde a primeira vez que se viu. *22:50*

Valentina sorriu. Ela sabia bem como era esse sentimento de gostar de alguém desde a primeira vez. Estava tão animada por Érica! A amiga realmente precisava se descobrir e ser feliz, ela merecia. Todo mundo merece. Valentina nunca julgaria alguém, esse papel não era seu nem de ninguém. Érica tinha todo direito de ser quem quisesse ser e de ficar o mais feliz que pudesse. Isso era incrível! A amiga sempre quis um relacionamento sério como nos dramas a que assistia, e Valentina sabia como ela ficava triste por nunca achar alguém legal o suficiente. E já tinha tido vários relacionamentos ruins, abusivos, curtos e com caras a quem ela tinha se entregado sem receber a mesma coisa em retorno. Achou que precisava ligar para a amiga e gritar de animação, porque realmente queria saber todos os detalhes! E, claro, estava com saudades, já que sabia que tinha estado distante por culpa de todas as mudanças da sua vida. No telefone, percebeu que a amiga estava tão feliz que se sentiu contagiada e, obviamente, precisou contagiar Sarah também. Érica precisava desse apoio. Ela talvez fosse enfrentar algumas barreiras dentro de casa, pois sua mãe era uma pessoa tradicional e rigorosa demais, mas Valentina sabia que toda forma de amor era amor. Um dia todas as pessoas do mundo entenderiam isso.

Valentina tentava prestar atenção no que o professor falava, sobre como a ideologia anarquista influenciou o estilo do punk rock, mas mesmo sendo um assunto que adorava, era impossível se concentrar. No dia anterior, passou o domingo inteiro trancada no quarto tentando entender direito o que estava sentindo – era um misto de ansiedade e esperança.

Ela nunca havia se sentido dessa maneira. Era confuso e irritante. Respirou fundo, olhando em volta da sala. Ainda bem que Kim não tinha ido assistir à aula de História da Música I, ou ela não saberia como agir. No final do dia teriam treino de piano e seu coração disparava só de pensar em ficar em uma sala sozinha com ele.

Fechou os olhos, tentando não ter uma crise de pânico. Ainda não acreditava que tinha se declarado aos berros. Mas precisava admitir que era uma atitude bem rock'n'roll. Era como se tivesse posto todo o seu coração em uma canção sombria, dolorosa e poética. Cheia de acordes pesados e um solo barulhento. Ela precisava ser sincera consigo mesma e com o que sentia, certo? O problema era que ela não sabia o que ele sentia. Nem sabia se ele ainda iria querer dar aulas para ela!

Será que ela havia passado dos limites? E, além do mais, ele tinha Bianca por perto. Para que iria querer Valentina? Roeu as unhas, descascando ainda mais o esmalte preto que claramente precisava ser retocado. Que preguiça. Pensou em cancelar o treino, talvez fingindo estar doente, mas acabou, horas depois, com passos trêmulos, indo em direção à sala de prática 87. Sua mente pensava rápido, mas 87 não era exatamente um número com tantas referências. Sabia que era o número atômico para o elemento Frâncio, que era sumariamente ignorado nas aulas de Química. Provavelmente por ser o segundo elemento menos abundante na natureza, porque ninguém se importava com os excluídos e as minorias. 87 também era a décima oitava obra para piano de Shostakovich, chamada "24 Prelúdios e Fugas". E ela realmente não fazia ideia de como tinha decorado essa informação, era algo que sua cabeça simplesmente fazia. Ah! Como ela poderia esquecer que o álbum *Never Let Me Down* do David Bowie, lançado em 1987, tinha uma música chamada "87 and Cry", uma obra-prima? Mas sua música favorita dele ainda era "Changes", apesar de menos complexa que "Starman".

Essa última tinha sido de uma grandeza e uma sensibilidade que ela nunca tinha ouvido antes.

Aparentemente, a verborragia sobre números tinha feito seu caminho até a sala de prática um pouco menos doloroso. Ali estava ela, de frente para a porta, ouvindo um suave som de piano vindo de dentro. Deixou a mão no ar por alguns segundos até ter coragem de bater de leve na porta. A sala ficou em silêncio e Kim apareceu em sua frente. Os olhos puxados dele praticamente entraram nos olhos dela. Valentina se sentiu despida, como se ele pudesse ler sua alma, saber quem ela realmente era. O coração da garota estava disparado e ela tinha certeza de que todo o conservatório poderia escutá-lo. Não queria perder a conexão do olhar de Kim, mas suas pernas tremiam e ela precisava dizer algo.

— Olha... — ela começou, mas Kim logo interrompeu, respirando fundo.

— A aula de hoje está cancelada. Eu gasto muito tempo com você e não estou focando no meu próprio treino. — Era uma mentira, claro. — Então, vou simplesmente fechar a porta e a gente vai esquecer tudo isso, certo? — O garoto continuou olhando para Valentina por alguns segundos, mas ela não teve nenhuma reação. Ele imaginou que ela fosse gritar ou fazer o que fazia de melhor: enfrentá-lo. Mas ela apenas se virou de costas e saiu andando, lentamente, como se não tivesse processado ainda o que Kim tinha dito. Ele mesmo não havia processado. Fechou os olhos e bateu a porta com força atrás de si, voltando a se sentar ao piano, ouvindo sons ensurdecedores na cabeça e precisando colocar aquela bagunça toda para fora em forma de música.

Valentina olhava para o padrão do chão do corredor e sentia as veias dos olhos pulsarem junto com o coração. A luz ali era forte e branca, mas ela estava com a visão turva e embaçada, provavelmente do mesmo jeito que estava seu coração no momento. O que tinha acontecido? Kim tinha desistido das aulas de piano pelo que ela tinha dito alguns dias antes? Isso fazia sentido? Sua cabeça estava em silêncio. Diferente do normal, ela não conseguia pensar em mais nada.

Pela primeira vez em muito tempo, Valentina chorou. Deitada no quarto, ela não impediu seu corpo de expressar os sentimentos da forma como queria: com uma enxurrada saindo pelos olhos, lágrimas geladas que rolavam pelo rosto até o travesseiro. Ela deixou todos os últimos acontecimentos passarem pela sua cabeça e chorou por cada um deles, como talvez já devesse ter feito. Estava triste com o aparecimento do cretino do seu pai, alguém que ela sempre quisera ter na vida, mas não daquele jeito. Ela queria ter tido seu pai por perto. Se sentia em pânico pela responsabilidade de estar na Margareth Vilela e não saber se estava à altura de todas as outras pessoas e do que esperavam dela. Estava assustada pelo que sentia por Kim, sem saber o que fazer dali para frente. Ela sabia que ele não era uma pessoa muito constante, mas não imaginava que fosse se afastar só por ela ter revelado seus sentimentos. Ele devia estar assustado, mas era um incrível babaca. Um enorme babaca em quem ela não conseguia parar de pensar.

Depois de sentir muita pena de si mesma, Valentina encarou o teto do quarto por algum tempo e decidiu continuar tentando. Não era a opção mais fácil, definitivamente, mas era a que Valentina precisava tomar. Ela ainda tinha aulas difíceis de piano pela frente, e se Kim pensava que poderia simplesmente fingir que ela não existia mais, estava redondamente enganado. Valentina não desistiria dele. Não "dele" como interesse amoroso ou sei lá, mas do seu talento em transformar a garota em uma pianista de verdade em tão pouco tempo. Ela ainda precisava disso.

Kim ainda pensava sobre o que sua mãe tinha dito da última vez que se encontraram. Ele precisava ficar longe de Valentina? Precisava. Talvez. Ele queria isso? Não. Será que queria? Sua cabeça, como sempre, estava uma bagunça e ele não conseguia colocar todos os pensamentos em ordem. Mas de uma coisa tinha certeza: sua mãe não tinha nenhum direito de controlar sua vida. Não mais do que ela já controlava, o que era injusto. E ele tinha autoridade para fazer o que bem entendia quando se tratava do seu tempo extra.

Tinha passado a noite inteira acordado pensando no que havia feito, cancelando as aulas com Valentina para afastá-la. Em momento nenhum achou que isso era o certo a ser feito. Estava orgulhoso dela, do que tinha apresentado no recital e de como tinha tido coragem de gostar dele. Gostar de verdade, mesmo que ele não fosse uma pessoa muito legal com ela.

Mas ainda não sabia o que deveria fazer. Ele não sentia falta dela exatamente, só pensava nela o tempo todo. Obviamente porque se sentia culpado, não tinha nada a ver com sentimentos, claro. Ele continuava repetindo isso para si mesmo enquanto tentava ignorar a imagem de Valentina decepcionada em sua cabeça. O que deveria fazer?

O garoto queria estar em qualquer outro lugar que não ali, sentado no refeitório na hora do almoço. Não entendia por que ele precisava socializar; talvez sua mãe só quisesse usá-lo como modelo para lembrar a todos os alunos de que a Academia Margareth Vilela treinava gênios. Duvidava que ela realmente se preocupasse com seu bem-estar, mesmo seu psiquiatra o incentivando a ter uma vida social. Mas ele não via como aguentar a conversa de Bianca e Júlio ajudaria a acalmar seu cérebro; na verdade, isso piorava. Ele observou Valentina entrar acompanhada de seus amigos excluídos e caminhar em direção à mesa que costumavam ocupar, e sentiu o coração bater um pouco mais rápido. Algo tinha mudado. Respirou fundo e decidiu fazer algo por impulso que provavelmente se arrependeria depois, mas que tinha certeza de que era o certo. Estava totalmente influenciado pela sensação de liberdade que tinha experimentado com ela.

— Valentina Gontcharov? — ele gritou, ainda sentado, como se tivesse dado um comando. Imediatamente as conversas em volta cessaram e as pessoas olharam para a garota, que parou no meio do caminho e virou o corpo em direção a ele. Ela tinha uma expressão apavorada no rosto. Reconheceu a voz de Kim imediatamente. Ele nunca falava com ela em público, o que será que queria? Logo depois da noite passada! Iria humilhá-la na frente de todos? Faria alguma pegadinha? Obviamente ele seria um babaca com ela porque estava perto dos "amigos". Os Bostinhas. Kim sorriu, totalmente consciente de que era o centro das atenções, e apontou para o relógio de pulso que usava. — Se chegar atrasada na aula particular amanhã, vou mudar seu curso pra Balé e você nem vai saber o que te atingiu.

O refeitório inteiro estava silencioso, era possível escutar até um alfinete cair. Como se todos ali estivessem surpresos demais para respirar. Mas ninguém estava mais surpreso do que Valentina, que arregalou os olhos, sem saber como reagir. Sentia o olhar questionador das pessoas à sua volta, esperando uma resposta. Ela entraria no jogo, não se intimidaria. Então, sorriu abertamente, um sorriso divertido. Ele tinha voltado atrás. Ele tinha voltado atrás!

— Isso é uma ameaça? — Valentina perguntou alto, com as mãos na cintura, se agarrando a essa oportunidade. Imediatamente todos os alunos viraram a cabeça em direção a Kim, em perfeita sintonia, como se assistissem a uma partida eletrizante de tênis.

— Tanto faz. Vamos começar com Chopin.

Valentina sustentou o olhar dele por alguns segundos. O garoto parecia ter prendido a respiração, e então ela soube que poderia dar mais uma chance a ele. Ela precisava das aulas e ele não tinha motivos para continuar passando tanto tempo com ela. Então, o que quer que ele tivesse pensado antes, claramente tinha mudado durante a noite. Valentina sabia, a julgar pelos anéis roxos em volta dos olhos, que

Kim não tinha dormido. Ficava bem claro para ela quando isso acontecia. Ela jurou ter escutado alguém engasgar e logo o refeitório foi dominado por um burburinho. Ela não conseguia parar de sorrir; voltou a atenção para os amigos e se sentou na mesa de costume. Kim voltou a encarar seu prato de comida, sem muita fome, e tentou ignorar os amigos, chocados. Seu rosto se fechou na expressão de tédio de sempre.

— O que foi isso, Tim? — Fernando perguntou quando os quatro se sentaram. As pessoas ainda encaravam Valentina de forma curiosa, como se ela fosse algum tipo de bicho em exposição no zoológico.

— Não faço ideia. — ela deu de ombros, ainda com o coração disparado. Não tinha contado sobre a noite anterior aos amigos, e a verdade é que estava feliz com a situação e não queria esconder de ninguém. Essa felicidade repentina deixou tudo mais esquisito.

— O Kim... falou... com você... na frente... de todo mundo! DE TODO MUNDO! — Sarah deu gritinhos, sorrindo demais para ser normal. — Se esse fosse um filme de adolescentes norte-americano, você seria a próxima rainha do baile!

— Não fala besteira! A gente já saiu do ensino médio!

— Totalmente rainha do baile! — Fernando zombou.

— Vou escrever fanfics! O shipper name de vocês seria KimTim. Isso é perfeito!

— Kinchi? Tipo a comida coreana? — Fernando perguntou, e Sarah gargalhou ao lado dele. Eles pareciam estar se divertindo e Valentina tinha certeza de que estava com uma expressão abobalhada no rosto. Não podia evitar.

— Acha que ele gosta de você? — Pedro perguntou de forma inocente, mas isso fez com que o peito de Valentina batesse ainda mais forte e ela, de repente, perdeu a fome. Era impossível Kim gostar dela, sabe? Não precisava ter esperanças por nada. Era melhor nem pensar nisso para não sofrer mais depois. Era melhor manter o *status quo*, como diriam em *High School Musical*. Ele era um idiota. Lindo, porém um idiota, que não tinha sentimentos e brincava com as pessoas da forma como queria. Ele certamente tinha feito esse show na frente de todo mundo para se divertir, ver Valentina ser alvo de comentários e risadas.

Ela se virou e encarou a mesa de Kim, ao mesmo tempo que viu Bianca se levantar do lado dele de forma explosiva e sair do refeitório como um furacão, com Júlio em seu encalço. Kim, na verdade, nem pareceu notar, porque continuou encarando as mãos e a comida, entediado, como se nada tivesse acontecido. Ela continuou olhando, porque o semblante dele era lindo e misterioso, até que ele levantou o rosto e os olhares deles se encontraram. E então foi como se o mundo todo tivesse parado de girar.

24

I'M IN LOVE WITH A MONSTER

(FIFTH HARMONY)

Valentina estava completamente concentrada no ensaio da banda Dexter, na sexta-feira. Já havia semanas que tentavam escolher uma música para tocar no final do semestre e não entravam em acordo. Pareciam um disco riscado de tanto que falavam sobre o assunto. Ensaiaram dezenas de músicas possíveis, de rock a MPB, de samba a peças eruditas. Sarah inclusive tentou convencê-los a escolher uma música do Justin Bieber, o que foi sumariamente vetado por Fernando, enquanto Pedro ponderava. Valentina insistia que eles tinham que tocar algum clássico do rock em homenagem a ela. Afinal, ela tinha ganhado a aposta!

— A gente pode misturar Bieber com Vivaldi? Tenho boas ideias! — Sarah sugeriu, fazendo Valentina colocar a língua para fora. O que Justin Bieber tinha de rock?

— Tudo menos Justin Bieber. Que tal The Vamps? — Fernando perguntou. Pedro deu de ombros.

— O que é? É tipo aquelas japonesas do Babymetal? — Pedro perguntou.

— O que é Babymetal? — Sarah olhou para Pedro, que começou a tocar na bateria para tentar explicar, o que soou incrivelmente parecido com qualquer música de heavy metal que Valentina já tivesse ouvido. Não chegava perto da música incrível que as Babymetal faziam.

A discussão sempre ficava acalorada, e eles precisavam sair da sala para tomar alguma coisa, claro que nada alcoólico. Era apenas refrigerante, embora Pedro estivesse em uma fase natureba bebendo sucos verdes e participando de treinos físicos na academia do conservatório. Tinham combinado que só discutiriam assuntos da banda dentro da sala de prática 42, o que os forçava a conversar sobre qualquer coisa banal do lado de fora.

Valentina caminhava ao lado dos amigos, reparando nos pequenos brilhos das pedras que cobriam o caminho entre os prédios e que sempre estavam cercadas de flores coloridas com folhas muito verdes. O sol estava fraco, já que o dia estava frio, e passava por entre algumas nuvens com pequenos reflexos na grama, fazendo o quadro geral parecer uma pintura impressionista. Ela ouviu o som de uma flauta por perto e isso fazia com que tudo ficasse ainda mais bonito. Ela precisava agradecer muito ao seu pai cretino pela oportunidade de estar naquele lugar.

Um ano atrás, ela nunca poderia ter se imaginado entre sons tão ricos e pessoas tão incríveis. Isso porque quando tinha entrado na Margareth Vilela as pessoas pareciam ricas, e os sons, incríveis. Mas ela tinha mudado, tinha aprendido a não fazer prejulgamentos. Nada daquilo incomodava mais Valentina e, inclusive, ela começava a distinguir notas de diversos instrumentos de acordo com o que via. Não sabia se cientificamente tinha um nome para isso, para enxergar música com objetos e cenários, mas era algo muito claro na cabeça dela. Olhava para as pessoas conversando e podia ouvir violinos. Prestava atenção nos detalhes das paredes e dos rodapés, e tinha certeza que sons de oboés e violas ecoavam pelos corredores. A música tinha transformado totalmente sua cabeça.

Marcus e Júlio passaram por eles e fizeram caretas. Valentina mordeu o lábio e refez seu pensamento na mesma hora. A música não conseguia transformar todas as coisas.

Os dois continuavam parecendo imbecis misóginos, e ela achava que isso não mudaria assim tão fácil.

— ...aliás, já que vocês estão praticamente casados, você já aprendeu a tocar a música favorita de Kim no piano? — Sarah perguntou, como se estivesse no meio de uma frase que Valentina não tinha ouvido o início. Estava perdida em pensamentos e se assustou um pouco ao voltar para a realidade. Também se assustou porque não fazia ideia de qual era a música de que Sarah estava falando. — Você não sabe? A gente já não disse isso antes? — Ela encarou Fernando, que deu de ombros.

— Acho que só você, que é praticamente presidente do fã-clube, sabe essa informação.

— Não, isso é fácil de saber! Não acredito que vocês não notaram antes! — Sarah começou a rir, fazendo Valentina se sentir boba.

— Diferente de você, eu não fico reparando em tudo que o Kim faz. — Pedro pareceu levemente enciumado.

— Como assim? Eu passo muito tempo com ele e não sei de nada. Do que você está falando? O que estou perdendo?

— Às vezes, quando ele está andando sozinho pelos corredores, Kim murmura "A Sonhar", do Schumann.

— Você quer dizer "Träumerei"? — Fernando corrigiu usando o nome original em alemão, e a amiga balançou a mão, como se isso não fosse importante.

— Com certeza é uma música importante pra ele. Nunca vi ele tocando, mas conheço como a palma da minha mão. É a música favorita da minha mãe também.

Schumann. Como Valentina não tinha percebido isso? Vez ou outra ela podia ouvi-lo murmurando alguns sons e notas, mas nunca tinha ligado a uma música específica. E, agora que sabia dessa informação, estava muito curiosa para saber como era a peça e porque era tão importante para ele.

Mais tarde, em seu quarto, colocou "Träumerei" para tocar diversas vezes enquanto encarava o teto, deitada na cama, imaginando uma história para a música. Sempre tinha alguma história. Ela tinha pesquisado na internet que era sobre memórias e cenas da infância e, aos poucos, tudo começou a fazer sentido. Será que Kim se imaginava criança enquanto ouvia essa peça? Será que isso fazia bem a ele? Em pouco tempo, Valentina já tinha decorado basicamente todas as notas que compunham a música e ficou com muita vontade de correr até as salas de prática para testar no piano, mas já passava do toque de recolher. Mas ela sabia que não conseguiria dormir por conta da ansiedade. A que horas as salas de prática abriam mesmo?

Kim levantou cedo no sábado e fez um lanche rápido no dormitório mesmo, pois não queria encarar a barulheira do refeitório logo de manhã e precisava manter o cérebro calmo para estudar. Decidiu dedicar o dia ao treino de "Carmina Burana" e só pararia no final da tarde, quando deveria se encontrar com Valentina para praticarem juntos. Ele precisava admitir que tinha sido muito irresponsável revelar que eles treinavam juntos na frente de todos, porque sabia que não iam deixá-la em paz. Mas também tinha sido bem divertido ver a cara de todo mundo, inclusive de Bianca, que nunca tinha imaginado a situação. Nem ele mesmo teria imaginado. Kim ainda não sabia o que estava fazendo, mas esperava que Valentina fosse perdoar sua bagunça mental e as decisões ruins que tomava.

Caminhava pelo corredor com as mãos nos bolsos da calça jeans justa, prestando atenção nos padrões do chão, quando começou a ouvir, ao longe, sua música favorita. "Träumerei" ressoava pelo corredor e ele não imaginava quem estaria deixando-o tão feliz daquela forma, àquela hora do dia. Cada nota e cada tom estava correto, e o som era lindo. Kim fechou os olhos, ainda caminhando em linha reta, entrando em um transe profundo que costumava trazer paz para sua cabeça complexa. Seguiu até chegar na porta de uma das salas de prática de piano, que estava um pouco aberta, e espiar o que estava acontecendo.

Valentina estava sentada diante do único piano da sala, com os cabelos amarrados para cima, vestindo um pijama de flanela com desenhos de corações, e mantinha os olhos fechados enquanto o som ecoava pela sala. Era completamente lindo. Para Kim, naquele momento, tudo o que estava vendo e ouvindo era incrível. De alguma forma, ele estava emocionado. Ela tinha acordado cedo para treinar? E por que logo sua música favorita?

Entrou na sala silenciosamente e se encostou na parede. Valentina não notou sua presença, e ele preferiu assim. Dessa forma poderia apenas observá-la. Reparou em como ela encurvava o corpo em direção ao piano e como balançava a cabeça no ritmo da música. Schumann tinha criado uma peça para viver para sempre. Ali, saindo da ponta dos dedos de uma garota esquisita e rebelde, a música parecia ter sido feita para ela. E Kim não poderia estar mais apaixonado.

Apaixonado? Ele revirou os olhos com esse pensamento. Ele não podia estar realmente apaixonado. Podia? Essas coisas não aconteciam assim tão depressa.

— Kim? — Valentina, perguntou, de repente, parando de tocar. O silêncio pareceu pesar entre eles. O garoto a encarou e tentou um sorriso, que pareceu mais uma careta. Não queria assustá-la. Independentemente do que estivesse sentindo, o som estava realmente muito bom e ele só queria que ela continuasse tocando.

— Talvez, se você arrumar o arranjo naquele momento de virada... — falou em voz alta, fazendo com que Valentina arqueasse a sobrancelha sem entender direito. Kim caminhou até ela, sentou-se ao seu lado no banquinho e tocou a parte que achava que poderia melhorar. Precisava ficar perfeito. Valentina estava com os olhos arregalados, surpresa com a proximidade. O braço esquerdo dele encostava no seu direito, o que era bastante perturbador. Até porque ela estava de pijama! Seu coração disparou e ela não sabia o que fazer, fora respirar fundo e tentar prestar atenção. — Você está aqui desde que horas?

— Não conseguia dormir, então vim assim que deu 6 horas. Nossa, nem notei que já se passou tanto tempo! — Ela continuava respirando fundo, vendo-o pausar o arranjo e pegar suas mãos pequenas, colocando-as sobre o teclado para que ela voltasse a tocar. Ele tinha pegado nas mãos dela. Nas mãos dela! Valentina tocou a parte que ele tinha ensinado, mas sentia os braços e pernas tremerem. Ele estava muito próximo.

Kim observou a garota arrumar o arranjo e ficou orgulhoso. Sim, com certeza soava melhor daquele jeito. Sorriu de forma encorajadora para ela, ao mesmo tempo em que Valentina virou o rosto para olhá-lo, deixando os dois em uma situação desconfortável e íntima. O coração dele fazia barulho de bumbos e percussão, não se aguentando dentro do peito, e sua cabeça parecia ecoar milhares de músicas diferentes ao mesmo tempo. Fitou a boca da garota pensando no que poderia fazer para que aquilo parasse.

Valentina não podia acreditar em como ele era bonito de perto. Não conseguia ouvir mais nada, porque o som do seu próprio corpo entrando em colapso era alto demais. Olhou da boca de Kim para os seus olhos, e quando ele passou a língua pelos lábios ela achou que poderia morrer. Viu que ele levantou a mão e pegou em seu queixo, com os dedos quentes e calorosos, puxando seu rosto para cima. Olhando direto para seus olhos, viu o rosto dele se aproximar lentamente e, como tinha imaginado tantas vezes, sentiu os lábios vermelhos dele encostarem nos seus, queimando sua boca com um calor que ela nem sabia que estava sentindo falta. Valentina não queria fechar os olhos. E se fosse mais uma peça de sua imaginação? E se tivesse dormido no piano e sonhado com isso? Não queria acordar.

Kim não se lembrava de se sentir tão nervoso assim por alguma coisa em sua vida. Ele só podia sentir a boca da garota na sua enquanto Schumann tocava a toda altura na sua própria cabeça. Como em um passe de mágica, todo receio e incerteza foram embora. Valentina era doce e calma, nada como ele tinha imaginado olhando por fora, o que era incrível. A sinfonia gritava em seu ouvido enquanto sua mão subiu pelo rosto dela para segurar sua nuca e aproximá-la. Ela não precisava continuar tão distante, era doloroso demais.

Abraçou a garota e o beijo ficou mais intenso, com a respiração dos dois falhando enquanto tentavam puxar o ar. Tudo naquilo parecia perfeito. Tentou fazer com que ela virasse o corpo de frente, mas o fato de estarem sentados no banquinho deixava os movimentos um pouco travados. Enquanto ele a puxava para perto, o corpo da garota escorregou e ela apoiou as costas nas teclas do piano, fazendo um barulho alto e ensurdecedor de notas desconexas e bagunçadas. Os dois, ainda com as bocas grudadas, sorriram. Kim levantou Valentina, que era mais leve do que ele imaginava, apoiou seu corpo no piano, e os dois ficaram de pé, ainda se abraçando. As mãos da garota percorriam suas costas e ele tinha que lutar consigo mesmo para manter as suas próprias mãos nos cabelos dela, antes que se descontrolasse. Ele queria tocar todo o corpo dela. Estava perdendo a razão completamente.

"Träumerei" continuava a tocar. A cabeça de Kim era uma grande orquestra, e todos os seus pensamentos pareciam estar em ordem como há tempos não acontecia. Graças a ela! Ele sabia que estava fazendo a coisa certa. Aquele beijo era certo. Daquele jeito, abraçados e com as bocas grudadas numa ferocidade repleta de paixão, Valentina não era mais a garota esquisita vestida como uma roqueira pobretona que não se encaixava na Margareth Vilela. Kim não era mais o principezinho metido e gênio incompreendido que não se importava com ninguém. Eles eram um só. Como as notas que compunham uma bela melodia.

— A gente vai acabar quebrando o piano! E não tenho dinheiro para pagar o conserto! — Valentina sussurrou, sorrindo, enquanto ele beijava seu pescoço. Como se tivesse vida, o piano respondeu com um barulho grave, pois Kim prensou ainda mais o corpo da garota nas teclas. Ele levantou o rosto, que estava vermelho, concordando. Se afastou, puxando Valentina consigo e ficaram em pé, com os rostos próximos e se encarando. E então, como se tivessem ensaiado, caíram na gargalhada. Com a respiração ofegante e trêmulos, sentaramse no chão com as costas apoiadas na parede. E ficaram num silêncio confortável.

— Como você descobriu qual era minha música favorita? — Kim perguntou, curioso. O cabelo estava grudado na testa por causa do suor, o que para Valentina só o deixava ainda lindo. Meu Deus, ela tinha acabado de dar uns pegas no Kim?!

— É sua música favorita? — Ela riu da careta que ele fez. ELA TINHA BEIJADO O KIM! — A Sarah me contou. Sabe a Sarah, a menina que você mandou ficar longe de mim no primeiro dia de aula?

— Não. — Ele soou indiferente. — Mas fico meio assustado por ela saber essa informação.

— Eu também.

— Agora preciso descobrir a sua música favorita. Senão isso não será justo.

— E precisa ser? — Valentina sorriu. — Tenho muitas músicas favoritas! Provavelmente todas do The Runaways, por exemplo.

— Não sei o que é isso.

— Você é esquisito.

Kim concordou, franzindo a testa.

— Do que mais você gosta? — perguntou.

— Hmm... gosto de David Bowie. Esse você sabe quem é, né? Gosto de Sex Pistols, da Joan Jett e de centenas de bandas de punk rock que você provavelmente nunca ouviu falar.

— Provavelmente.

— Gosto de uma banda chamada McFly, mas não falo pra ninguém porque pode sujar minha reputação.

— McFly não é uma boyband?

— Não! Claro que não! São quatro caras. Em uma banda. Oh meu Deus, você está certo. Ah não, não, não... — Valentina bateu na própria testa, fazendo Kim sorrir. Ele estava sorrindo de verdade, e por mais de uma vez, na frente dela! Isso era algum recorde que ela precisava guardar na memória. Além de, obviamente, ter beijando Kim. ELA BEIJOU O KIM! — E eu gosto de Stravinsky. E Beethoven. E, argh, a quem eu quero enganar? Nunca pensei que fosse gostar de nada disso!

— Bem-vinda ao meu mundo. — Kim mexeu nos próprios cabelos, encostando a cabeça na parede. — É basicamente disso que eu gosto. Não tem muito mistério.

— Ah, você tem muito mistério sim! Ô se tem... — Valentina rebateu. Também encostou a cabeça na parede, ainda sentindo o coração disparado e a boca levemente dolorida. Ela realmente tinha beijado Kim, e o mais legal era que nem tinha sido ela quem tinha começado, como acontecia na sua imaginação. E o beijo dele era incrível, delicioso, doce e quente... ok, melhor se concentrar na conversa, porque ela estava começando a hiperventilar.

— ...e eu odeio basicamente tudo. Se é pra ser sincero, as pessoas me deixam entediado.

— Dá pra notar. — Os dois deram uma risadinha de leve e a garota ficou um pouco pensativa. — Você gosta de kimchi? Já que... sabe, é coreano e tudo mais? Essa é uma pergunta idiota.

— Gosto. Mas também gosto de hambúrguer e batata frita. E pizza. — Kim deu de ombros. Ela entendeu o recado, e não queria ter soado xenófoba; em seguida, estendeu a mão no ar, próxima ao rosto dele. Ela não sabia o que estava acontecendo, ou mesmo se eles se beijariam de novo, mas ficar perto de Kim era uma sensação incrível. E precisava saber se tinha sido assim para ele também.

Ele olhou para a mão estendida e algumas coisas passaram depressa por sua cabeça. Todo mundo poderia apontar e dizer que essa seria uma atitude e uma escolha idiota, mas Kim não se importava com todo mundo. Para ele, essa era uma boa escolha. Ao lado dela, ele estava em paz. Livre.

Segurou a mão da garota de volta e sorriu de leve enquanto mordia o lábio. Na mesma hora, Bianca entrou na sala de prática, assustando os dois ali. Ele se lembrou de que não tinha fechado completamente a porta e a bailarina provavelmente estava atrás dele. Ela olhava estupefata para a cena. Kim e Tim sentados no chão e de mãos dadas! Por alguns segundos, o mundo pareceu parar, até que Bianca deu meia-volta e saiu da sala, batendo a porta com força. Valentina soltou a mão de Kim, em pânico.

— Ela vai contar pra todo mundo! Corre atrás dela! Ela vai te dar ouvidos! — disse, e levantou-se depressa, mas viu que Kim continuava sentado, passando as mãos pelos cabelos, despreocupado.

— Deixa ela contar. Em breve todo mundo vai saber que você está apaixonada por um monstro mesmo.

25

ONE WAY OR ANOTHER

(BLONDIE)

— Não estou apaixonada por você! — Valentina repetiu pela décima vez, enquanto voltavam caminhando para a Casa Branca. Ela estava de pijama e precisava se trocar. Kim a acompanhava pelo simples prazer de ver o choque no rosto das pessoas por eles estarem andando juntos.

— Continue mentindo pra si mesma, você é péssima nisso. — Ele mantinha as mãos nos bolsos do jeans, sorrindo. Já não conseguia parar de sorrir. Com certeza, algo no seu cérebro estava em curto-circuito. Continuava ouvindo "Träumerei", mas sua mente estava mais organizada. Ele só conseguia pensar em como o beijo dela tinha sido doce como seu cheiro, e que talvez não fosse algo que ele pudesse ignorar tão fácil. Ele não sabia o que estava sentindo, mas definitivamente se sentia bem com ela por perto. A garota batia os coturnos velhos pelo chão e parecia uma criança mimada com o pijama de corações, enquanto fazia uma cara emburrada.

— Foi você quem me beijou! — Ela abaixou a voz depois que notou que tinha falado um pouco mais alto do que deveria. — Foi. Você. Quem. Me. Beijou — ela repetiu, acusando-o. — Então, se tem alguém apaixonado aqui, é você! Superapaixonado. Me amando demais.

— Não fui eu que fiz uma declaração aos berros.

— Não fui eu que beijei você primeiro.

— Esse é seu único argumento? Não seja tão comum, Tim. — Kim sorriu ao ver a expressão irritada da garota. No hall de entrada do prédio de dormitórios encontraram Sarah e Pedro de mãos dadas, prontos para sair. Os amigos olharam para os dois, lado a lado, e Sarah pareceu muito eufórica.

— Vocês se beijaram! — ela disse, dando pulinhos.

Kim arregalou os olhos e contorceu o rosto. Olhou para Valentina, que estava com a língua para fora, muito vermelha. Era uma gracinha que ela ficasse assim, com vergonha.

— Vocês se merecem, esquisitas! Não se atrase para a aula mais tarde, não é por estar apaixonada por mim que eu terei mais paciência com você — ele disse em seu tom seco habitual, se afastando em direção aos jardins. Mas parou, de repente, encarou Sarah e soltou um suspiro cansado. — Aliás, me desculpe por... você sabe. Qualquer coisa que eu tenha dito e tal. — E saiu, se distanciando deles.

— MEU DEUS! — Sarah quase gritou. Estava hiperventilando, sacudindo as mãos, surpresa e alegre. Agarrou a amiga pelo braço, puxando-a em direção ao elevador. — Pedro, vai treinando na frente, porque eu e a Tim temos muito o que conversar! E nossa amiga aqui precisa muito de um banho frio.

Valentina saiu do banheiro com o cabelo molhado e viu Sarah aninhada no sofá, rindo sozinha e olhando para o celular. A amiga chegou mais perto para ver o que era tão engraçado, até notar que era fofoca em alguma rede social sobre ela e Kim.

— Ei, o que é isso?

— Ship, amiga. KimTim. Isso é real, quer você queira ou não. Estamos criando hashtags e piadas internas.

— Estamos? — Valentina fez uma careta e foi para o quarto, com Sarah em seu encalço.

— Você conseguiu algo que todas as garotas que já passaram pela Margareth Vilela tentaram. Não menospreze esse momento. Ele é radiante!

— Você está falando como alguém que engoliu um unicórnio.

— Será que a Bianca já sabe? Será que isso vai fazer ela baixar um pouco a bola de dona do conservatório? Porque agora temos uma nova primeira-dama!

— Cala a boca! — Valentina jogou o travesseiro na amiga, rindo. Depois fez uma careta enquanto vestia a roupa. Sua felicidade não parecia tão grande: de repente, sentiu uma dor estranha na barriga. — Ela viu. Não exatamente o beijo em si, mas viu que a gente estava sentado e de mãos dadas. Ela viu e foi bem terrível. Tinha certeza que ela ia chutar a minha cara.

— Não sinto pena dela, mas sei que ainda preciso de muito para ser uma pessoa evoluída. A sororidade me diz pra não odiar outras garotas, mas é bem complicado.

— A sororidade ensina que não podemos odiar alguém apenas por ser mulher, mas quando a pessoa é mau-caráter faz sentido que não se queira ficar perto. A Bianca com certeza, me odeia neste momento. E eu jurava que os dois estavam juntos, eram namorados, sei lá... — Valentina sentou na sua cama, ao lado de Sarah, um pouco confusa.

— Obviamente não são.

— Obviamente — Valentina concordou e as duas riram como crianças. De repente, alguém bateu a porta do dormitório com um estrondo, assustando as garotas. Valentina se levantou, curiosa. Quem era e como havia entrado em seu o dormitório?

Será que? Não! Valentina correu para a sala, tropeçando em Sarah no caminho. Lá, deu de cara com uma garota muito miudinha e magrinha, com os cabelos pretos cortados rente às orelhas e enormes óculos de grau. Ela lembrava a Edna Moda, de *Os Incríveis*, mas era asiática, com a pele morena e olhos pequenos e escuros. A garota segurava um case de contrabaixo que tinha o dobro de seu tamanho e usava um laço da Hello Kitty maior do que sua cabeça.

— Não use a minha toalha para tirar a sua maquiagem, é a décima vez que vejo um panda no tecido branquinho! — a menina reclamou como se conversasse com Valentina todos os dias. Inacreditável! Elas nunca nem tinham se visto antes. Valentina percebeu que a companheira de quarto tinha um sotaque carregado, provavelmente não era brasileira. Uau! Ela não era nada como tinha imaginado. Inclusive pela força com que socava a porta do seu quarto, nas vezes em que o despertador de Valentina não parava de tocar. Não podia imaginar aquilo tudo vindo de alguém tão fofa como ela.

— Então não deixe suas toalhas molhadas jogadas no chão.

— Justo. — A garota se virou de costas, com o enorme contrabaixo fazendo com que andasse curvada. Saiu do dormitório sem dizer mais nada, batendo a porta atrás de si. Valentina e Sarah se entreolharam com os olhos arregalados.

— Você viu isso? Quais serão os próximos mistérios da vida? Estou intrigada com o dia de hoje. Preciso ler meu horóscopo.

♫

Valentina tinha certeza de que todos estavam olhando para ela. Se isso já acontecia com frequência antes, por ter um estilo diferente (ou seja, muito melhor) e ser uma Gontcharov, agora ela estava com uma síndrome aguda de perseguição. Tinha certeza de que as pessoas cochichavam, apontavam e falavam sobre ela. Provavelmente, a essa altura, já tinha se espalhado pelo conservatório que ela e Kim estavam juntos. Quer dizer, estavam? Tinha sido só um beijo. Mesmo que tivesse sido O beijo, não eram namorados nem nada do tipo. Mas ainda assim era assustador. Porque ela queria não se importar com a opinião alheia, mas a verdade é que se importava demais, às vezes. O punk rock deveria estar muito envergonhado por sua causa.

Sarah estava de um lado, e Pedro e Fernando de outro, quando cruzaram o caminho de pedras para o prédio de aulas. Como era sábado, eles tinham o dia livre para praticar. Valentina estava virada, não tinha conseguido dormir durante a noite, indo logo cedo treinar a música favorita de Kim no piano. O que tinha sido uma ideia maravilhosa, já que o destino fez eles se encontrarem e, bom, teve O beijo. Não se sentia cansada, pelo contrário, estava mais elétrica do que nunca. O celular vibrou, ela abriu o aplicativo de mensagens e viu que tinha mais de vinte. Érica estava histérica sobre o beijo dos dois. Valentina ficou confusa. Como ela sabia?

— Eu te disse que estavam comentando na internet! E a Érica precisava saber, então mandei uma mensagem privada no Twitter. É algo grande demais para não ser dividido!

Valentina começou a responder as mensagens, sorrindo e pensando no quanto estava sendo boba e infantil. E não se importava com isso, essa era a verdade. Ela podia ser boba o quanto quisesse, às vezes era legal se sentir leve assim. Não era nenhum tipo de esperança. Era só bobeira mesmo.

— Aliás, preciso contar que tenho um novo ídolo do violino — Sarah avisou, mexendo no celular, procurando um vídeo no YouTube para mostrar aos amigos. — Ele é da Orquestra Sinfônica Municipal de São Paulo e é mil vezes melhor que o Alexander Gontcharov. Desculpa, Tim.

— Fique à vontade.

— Nossa, ele manda muito mesmo! — Pedro comentou enquanto assistiam ao vídeo formando uma pequena roda no gramado.

— Ei, vocês anotaram ideias pra nossa apresentação de final do semestre? Não temos muito tempo pra ensaiar, e se a gente for tocar rock'n'roll mesmo, acho que vão pegar no nosso pé — Fernando perguntou quando voltaram a caminhar em direção à sala de prática de banda número 42.

— Adoro ser o centro das atenções. — Pedro inflou o peito, fazendo Sarah revirar os olhos.

— Não se preocupem, tive uma ideia genial. — Valentina sorriu, sacudindo com entusiasmo a pasta com partituras e letras em suas mãos. Eles tinham uma música para produzir.

Kim estava no piano, tocando uma das Bachianas de Heitor Villa-Lobos – um dos compositores mais pontuais da música erudita brasileira contemporânea –, completamente alheio ao que as pessoas falavam do lado de fora da sala de prática. Ele nem queria saber. Tinha noção de que as novidades chegariam aos ouvidos de sua mãe e, pela primeira vez, quis que ela ficasse bem inconformada. De birra mesmo, de forma infantil e sem vergonha. Tinha sido um ótimo filho, o menino perfeito, e em retorno recebia ordens e regras. Bateu com força nas teclas do piano, fazendo um barulho alto que ecoou em sua mente. Respirou fundo e passou as mãos nos cabelos. Kim já tinha 20 anos e ainda era tratado como aquela criança de 8 que estava aprendendo a tocar piano. Ele entendia que sua mãe queria seu bem, mas ela precisava saber que ele queria a mesma coisa.

E, além do mais, tinha sugerido ao psiquiatra que trocasse alguns dos remédios que tomava, porque não aguentava mais precisar de estímulos externos para conseguir dormir. Estava ficando cada vez mais difícil entender o que se passava na sua mente, e ele não aguentava mais passar mal de tanto beber, simplesmente porque às vezes não se sentia ele mesmo. Sabia que não era o certo. Ele não queria mais fazer isso.

Ouviu alguém bater na porta e franziu a testa, porque não estava na sua sala habitual e provavelmente a pessoa que estava do lado de fora não sabia que era ele ali dentro. Irritado com a interrupção, pronto para ser grosseiro, caminhou até a porta e encontrou Marcus parado do outro lado. Ele parecia nervoso, estava vermelho e de braços cruzados. Kim percebeu que algumas garotas diminuíram o passo para acompanhar o que estava acontecendo.

— O que você fez com a Bianca, cara? — Marcus perguntou, parecendo muito decepcionado, embora bastante temeroso de falar assim com Kim. Dava para ver que ele estava confuso.

— Eu nunca fiz nada com a Bianca.

— Você trocou ela por... por aquela garota? Pela esquisita? O que você tem na cabeça? Você não é assim, o que está acontecendo?

Kim respirou fundo pensando se ele merecia alguma resposta. A verdade é que nunca tinha gostado de Marcus e do seu jeito malandro de ser. Nunca. Às vezes achava os dramas dele divertidos e tinha se acostumado com a sua presença, mas naquele momento só teve a confirmação de que ele não precisava de uma pessoa assim como amigo. Pensou que se Marcus calasse a boca, iria apenas ignorá-lo e voltar a tocar, mas ele continuou falando, inflando o peito com mais confiança.

— Ela é uma Gontcharov, isso eu até tentei entender, mas e daí? Se você quer só comer alguém, tem tanta gente melhor! A garota é ridícula, Kim. Ela não serve pra você. Ela não é ninguém.

— Vou te dar dez segundos para repensar no que você acabou de dizer — Kim disse, lentamente, cruzando os braços sobre o peito para não fazer algo de que pudesse se arrepender depois. Estava com raiva. Na verdade, estava furioso. Era mais alto que Marcus, então encarava o garoto de cima para baixo, com a mesma expressão de tédio que constantemente demonstrava na frente dele.

— Ok, ela é alguém. É uma vadia interesseira.

Kim apertou os olhos, respirando fundo uma vez só, reunindo toda sua falta de paciência.

— Resposta errada. — E, sem pensar duas vezes, partiu para cima de Marcus dando um soco tão forte em seu rosto que ele cambaleou para trás e caiu sentado no chão com um baque. A mão de Kim doeu pra caramba, mas ele não se importou com isso no momento, se preocuparia depois. Era a primeira vez que fazia algo assim, e pensou que não queria fazer nunca mais. — Ela é alguém, que não é do seu nível, e provavelmente saberia se defender sozinha se estivesse aqui. E mesmo se quisesse ser vadia, esse problema não seria seu ou meu, na verdade. Você deveria se preocupar com a sua vida e estudar, porque é um péssimo maestro e nunca vai sobreviver em uma orquestra de verdade. Faça esse favor pra sua mãe.

Virou as costas e bateu a porta da sala de prática, alongando as costas e dobrando as mangas da camiseta. Onde ele tinha parado mesmo? Ah, nas Bachianas.

Valentina escutou uma comoção vinda do corredor quando saiu da sala de prática de bandas para pegar alguma coisa para comer. Parou na porta, confusa. Queria ter levado barrinhas de cereais ou as caixinhas de Mupy que tinha comprado na cidade, mas com os acontecimentos do dia ela tinha esquecido totalmente. A preguiça de ir até o dormitório era enorme e as chances de ela se deitar no sofá e dormir até o dia seguinte eram ainda maiores. Ainda parada, via as pessoas passando por perto, conversando. Escutou alguém dizer algo sobre Kim e Marcus e automaticamente ficou interessada. E muito curiosa. Esquecendo que estava com fome, andou pelo corredor em busca de qualquer informação, até que ouviu um garoto falar sobre uma briga. Entre Kim e Marcus? Isso era impossível. Precisava saber mais sobre isso! Será que Kim estava nas salas de prática de piano?

Esbarrou em algumas pessoas no caminho, mas isso não era exatamente importante. O que Kim pensava que estava fazendo? Quando chegou no 2º andar, na parte das salas de piano, andou mais devagar para tentar saber onde Kim poderia estar. Alguns alunos estavam ali, conversando normalmente como se nada tivesse acontecido, até que Valentina, distraída, passou por Marcus e outro garoto, que apenas a olharam de cima a baixo com desprezo. Valentina parou de andar para encarar os dois, achando que pudessem dar qualquer escândalo ou agir como idiotas misóginos, mas eles simplesmente abaixaram a cabeça e continuaram andando, o que foi muito estranho. E Marcus estava com o nariz inchado e tinha manchas de sangue espalhadas na camisa. Onde Kim estava com a cabeça? Devido a sua reputação, não seria capaz de sair batendo nos próprios amigos por qualquer coisa, isso soava bem fora do normal.

Algumas salas estavam vazias, mas Valentina parou em frente a uma delas, de onde saia o som incrível e limpo de uma música que ela não conhecia. A técnica e os tons estavam perfeitos, e por algum motivo ela podia chutar que era a sala onde Kim estava. Se estivesse errada, pediria desculpas e tentaria novamente.

Bateu na porta algumas vezes, ansiosa. Kim apareceu do outro lado, com o olhar entediado e a postura de um lorde inglês de milhões de anos, que era bem comum dele. Segurava a mão e pareceu espantado de vê-la ali no corredor, então Valentina simplesmente entrou na sala sem convite e esperou ele fechar a porta atrás de si.

— O que você fez? — ela perguntou, apontando para o próprio nariz. — Ficou incrível na cara dele, mas as pessoas estão desesperadas por qualquer fofoca lá fora.

— As pessoas ou você? — Kim andou lentamente até ela, com os braços cruzados e a mesma expressão enigmática no rosto. Droga, por que ele tinha que ser tão sexy?

— Eu também, mas isso é o de menos. — Valentina sorriu. — É sério, o que houve? Por favorzinho, me conta alguma coisa!

— Eu não me lembro. — Kim fez bico, soltando os braços e segurando os ombros da garota. — Agora vá embora porque tenho muito trabalho a fazer.

— Mas eu quero saber o que aconteceu! — A garota foi arrastada por ele até a porta, enquanto tentava se desvencilhar das mãos em seus ombros. Mãos que ela queria em todo seu corpo, nos seus cabelos, no seu rosto e ela precisava focar em simplesmente não ir embora assim, de repente, sem qualquer tipo de informação.

— Não tem nada pra saber, Tim. Não seja comum. Só vá embora e a gente se vê mais tarde — Kim insistiu, vendo que ela se debatia para não ser empurrada porta afora. Próximos ao batente, a garota se virou de frente para ele e, no susto, se jogou na sua direção, grudando as bocas e os corpos como se estivessem fazendo aquilo há algum tempo.

Kim ficou com os olhos arregalados pelo susto, enquanto só pensava que precisava praticar e tinha parado em uma parte crucial da música, mas sentiu um calor crescer na barriga e empurrou a garota contra a porta, espremendo o corpo pequeno dela contra o seu. As mãos passeavam pelos seus braços, pela sua cintura e voltavam para sua nuca e seu cabelo. Aquilo era incrível, e a orquestra na cabeça de Kim estava perfeitamente afinada.

26

BAD REPUTATION

(JOAN JETT & THE BLACKHEARTS)

A semana não foi nada do que Valentina pensou que seria. Na sua cabeça, depois de ter estudado na mesma escola de bairro por muitos anos, todo mundo estaria falando sobre Kim, Marcus, as aulas particulares, Bianca e o provável envolvimento dos dois. Mas a verdade é que, depois que deixou de ser novidade, ninguém ligava se ela estava beijando o herdeiro do conservatório ou não. A Academia era para ser levada a sério, e as pessoas estavam mais preocupadas com as provas e apresentações de fim do semestre. Todo o transtorno de ter beijado Kim estava na sua própria cabeça. O garoto continuava tratando ela do mesmo jeito, como se o fato de darem uns amassos de vez em quando na sala de prática de piano fosse algo normal e nada de especial tivesse realmente acontecido. Mas ela percebia que ele sorria mais, que tinha mais paciência e que, inclusive, perguntava sobre o dia dela, como se fossem melhores amigos.

— Não preciso dizer o que comi no café da manhã, certo? Isso é um passo muito sério no nosso relacionamento — Valentina brincou, fazendo o garoto revirar os olhos. Eles não tinham um relacionamento. Sequer se beijavam com a frequência que Valentina queria, porque ela queria o tempo todo. Mas Kim parecia nervoso toda vez que ela encostava nele, mesmo que fosse sem querer. Ele encolhia os ombros e ela tinha certeza de que, em alguns momentos, via seu rosto ficando vermelho. Se não soubesse da existência de Bianca, poderia jurar que Kim nunca tinha namorado ninguém na vida.

No fim da noite, quando caminhavam lado a lado para o prédio de dormitórios depois de algumas horas de prática, Valentina notou que ele encarava toda aquela pegação como algo diferente. Ela encostou o braço no dele e sentiu suas mãos roçarem levemente em sua pele quente. Mas o mais impressionante foi vê-lo puxar o braço e enfiar a mão no casaco, olhando para ela como se aquilo fosse proibido.

— Lembro do dia em que ganhei o violão velho do meu avô de presente e de como meus dedos doíam muito tentando imitar movimentos que eu tinha visto em vídeos de rock — Valentina contou depois de alguns segundos em silêncio constrangedor. Ele parecia incomodado por ter encostado nela, como se não devesse cruzar alguma linha importante. Por incrível que parecesse, Valentina achava fofa a ingenuidade dele.

— Eu lembro do dia em que ganhei meu primeiro piano de cauda, com 8 anos, meses depois de ter vindo para o Brasil com a minha mãe. E de como era bonito e reluzente e quatro vezes maior que eu — Kim falou, olhando para a frente. Valentina sorriu, franzindo a testa.

— Você devia ser uma criança bem pequena.

— Eu era uma criança pequena. Cresci muito na adolescência.

— Você sempre quis ser pianista? — ela perguntou, também enfiando as mãos nos bolsos da calça. A noite estava fria, e enquanto passavam pelo caminho de pedras entre as árvores o vento ficava cada vez mais gelado. Ela estava somente com uma camiseta leve e tinha esquecido o moletom de guerra e o casaco militar. Não queria tremer e fazer Kim pensar que ela estava forçando qualquer tipo de cena de filme romântico, na qual ele emprestaria seu blazer de tecido caro para que ela não sentisse frio sob o luar. Mas seu corpo não estava exatamente obedecendo.

— Queria ser um ídolo do K-Pop naquela época, porque todo mundo no meu orfanato era apaixonado por música pop. Influência da freira que cuidava da gente e que, pensando agora, parece algo bem bizarro para uma velhinha gostar. Ela tinha pôsteres nas paredes de caras malhados e de capas de álbuns — Kim confessou, rindo. Valentina abriu a boca e soltou uma risada.

— Isso é sério?

— Não, eu sempre quis ser pianista. Mas a parte da freira é verdade! — Kim respondeu, olhando de novo para a frente e deixando Valentina confusa. Ele não pretendia revelar tanto de si mesmo, mas se sentia confortável para falar com ela sobre seu passado. Ninguém sabia da sua infância na Coreia do Sul, só sua mãe e seu psiquiatra. — Eu tinha um pianinho de brinquedo quando mais novo e me lembro de simplesmente tocar as teclas, sem nenhuma coordenação.

Kim viu que a garota tremia de frio, mas não sabia exatamente o que deveria fazer. Se desse seu blazer ela iria pensar que ele estava sendo apenas simpático e cordial, ou pensaria que estavam em uma relação séria? Ele queria uma relação séria? Ele não podia se distrair dos treinos e de quem queria se tornar. Mas o que isso tinha a ver com o frio? Balançou a cabeça, vendo que estavam chegando no prédio de dormitórios, e respirou fundo, desanimado, porque não tinha feito nada para ajudar Valentina. Ele não entendia por que estava com tanta vergonha dela. Era ridículo se sentir infantil assim.

As despedidas eram ainda mais estranhas. Vez ou outra ele fingia atender o telefone para sair de perto e simplesmente balançava a mão para que ela fosse sozinha para o elevador, sem precisar lidar com o momento. Mas normalmente Kim ia até a porta do quarto da garota, com as mãos nos bolsos, e esperava ela entrar sem falar nada, embora ele quisesse abraçá-la e dar um beijo de boa-noite, como todo casal fazia. Eles eram um casal? Será que deveria fazer isso?

Valentina estava parada na porta do quarto e os dois encaravam o chão. Kim deu um passo para a frente, quase esbarrando nela, enquanto sua mente se enchia de música e calor, tocando "Träumerei" como se nunca tivessem saído da sala de prática de piano. Respirou fundo, se concentrando no fato de que a garota estava ansiosa. Sem conseguir pensar diante de todo o barulho da sua cabeça, ele se inclinou na direção de Valentina e beijou de leve seus lábios, que estavam gelados e quase roxos. Os dois sorriram quando se distanciaram e Kim sabia que era aquilo que deveria fazer, embora sentisse a barriga doer de forma estranha e a sinfonia da sua cabeça ficar completamente fora de compasso.

Todo o tempo extra de Valentina era passado na sala de prática de piano ou na prática de banda, onde estavam trabalhando na música que ela tinha escolhido e que, finalmente, os amigos haviam aceitado. Criavam e recriavam em cima da partitura de "I Love Rock'n'Roll", de Joan Jett & The Blackhearts, ídolo atemporal de Valentina. Ela era exemplo de uma mulher forte em um meio essencialmente masculino, que batalhava pelo seu lugar e não ligava para sua reputação. Sarah nunca tinha ouvido Joan Jett antes e, Valentina podia dizer, estava ficando apaixonada. Cada vez que entravam na sala de prática, trazia informações como se estivesse estudando a roqueira minuciosamente.

— Sabiam que Joan Jett foi nomeada pela revista *Rolling Stone* a 67ª melhor guitarrista de todos os tempos?

— Quem era a primeira na época? — Fernando perguntou e Sarah deu de ombros, fazendo Valentina rir. Sabia que a amiga era esforçada e provavelmente estava tentando se identificar com a cantora para entender melhor a música que ela fazia, o que era completamente louvável. Sarah, inclusive, tinha imprimido a biografia de Joan Jett e colocado nas pastas de todos eles sem que vissem.

— Fiz nossa inscrição para a apresentação mais cedo, agora é só esperar o resultado. Ano passado negaram nosso power trio em poucos dias, então não deve demorar — Fernando disse, vendo os amigos concordarem.

— Acho que consegui tirar a música na bateria da forma correta. Meu professor de percussão tentou me ajudar, mas eu podia jurar que ele preferia estar em uma aula de reco-reco do que me ajudando — Pedro falou enquanto ajustava as caixas e o surdo.

Valentina sabia que “I Love Rock'n'Roll” seria a escolha perfeita para a apresentação do fim do semestre, já que a música e a letra em si falavam muito sobre quem ela era. E levar sua própria identidade para o palco era algo importante demais para ignorar com técnicas virtuosas. Mesmo que tivesse que deixar sua velha Fender de lado para tocar piano, ela ainda poderia ser ela mesma.

A primeira vez que Kim ouviu falar sobre o convite para estudar na Royal College of Music tinha sido depois de uma aula extremamente cansativa de Rítmica Avançada. Sua mãe havia enviado uma carta para o seu dormitório com o convite pessoal do reitor. Isso mesmo, uma carta! Ela nem ao menos se deu o trabalho de telefonar para ele. Kim duvidava que sua mãe apareceria pessoalmente, com certeza ela estava irritada com o envolvimento dele com Valentina, mas poderia ter ligado, certo? O papel dizia que o reitor estava impressionado com alguns vídeos de Kim tocando piano e com suas notas e currículo exemplares. A escola inglesa oferecia bolsas de estudo para músicos de todo o país e ficaria honrada se ele aceitasse fazer parte da orquestra. Em Londres. Na Inglaterra.

Esse convite era algo muito importante. Grandioso. Quantos jovens músicos não sonhavam com essa oportunidade?

Kim já tinha visitado a Royal College of Music quando mais novo, em uma das visitas de sua mãe a suas instituições favoritas de música pelo mundo, a trabalho. Academias da França e da Alemanha, e até da Rússia, eram escolhas do garoto para quando se formasse na Margareth Vilela, mas a Royal College of Music parecia extremamente tentadora naquele momento. E com convite exclusivo, o que era ainda melhor.

Só que alguma coisa não estava clara. Em sua cabeça bagunçada, Kim voltava ao pensamento de que era bem estranho receber esse convite de repente, logo depois de sua mãe mandá-lo se afastar de Valentina e eles aparecerem juntos publicamente. Poderia ser uma manobra para separar os dois? Ela seria baixa a esse ponto? Ele andava pelo quarto de um lado para o outro, batendo a carta na mão enquanto pensava.

Kim se jogou na enorme cama e encarou o teto. Ele poderia estudar na Royal College of Music no momento que quisesse, pois tinha o dinheiro e o nome de peso da família, mas um convite pessoal do reitor era especial. E, por mais que gostasse de Valentina, ele não colocaria a paixão pelo piano em segundo plano. Nunca tinha feito isso e nunca faria. Só não concordava com a data de admissão na nova escola de música, que seria menos de um mês antes das apresentações finais do semestre. Em vez de falar com a mãe sobre isso, o que seria o próximo passo lógico, Kim sorriu ao decidir entrar em contato diretamente com o reitor inglês. As coisas seriam feitas do seu próprio jeito ou não seriam feitas de forma nenhuma.

♩

— Vocês conseguem acreditar que o Marcus e o Júlio estão sentados do lado do Kim numa boa? — Sarah perguntou aos amigos, enquanto almoçavam no refeitório na sexta-feira. Todos se voltaram ao mesmo tempo para a mesa onde o pianista estava. Kim mexia no celular, claramente entediado, sem tocar na comida. Marcus estava ao seu lado, comendo e conversando com Júlio como se nada tivesse acontecido e o rosto inchado fosse totalmente normal. O que só mostrava o quanto eram estranhos e faziam de tudo para manter as aparências de populares. Eles definitivamente deveriam montar uma banda.

— Mas você nem sabe se realmente aconteceu alguma coisa, isso é só uma fofoca. O Kim não falou nada, né? — Fernando perguntou para Valentina, que deu de ombros, concordando.

— Nada.

— Vocês agora só se beijam e não conversam mais — Pedro disse, fazendo a amiga engasgar com a própria comida e bater em seu braço. Quem dera eles só se beijassem. — Ai, vou precisar do braço no semestre que vem. Pelo jeito vou reprovar em flauta e vou ter que escolher um novo instrumento clássico, se eu quiser continuar aqui. Acho que tocar bateria não está me ajudando a ter os movimentos mais leves. A professora diz que eu sou extremamente rudimentar!

— Anota aí, tímpanos são a escolha certa — Fernando falou de boca cheia, sacudindo o garfo para o amigo. Pedro concordou, dando de ombros.

— Tinha pensado na viola...

— Pelo amor de Deus, não seja idiota! — Sarah repreendeu ao mesmo tempo em que os amigos reclamavam todos juntos sobre o péssimo discernimento de Pedro para decidir o que era melhor para sua vida como percussionista. O garoto começou a rir e mostrou o formulário de aplicação de instrumentos, deixando o papel cair sem querer em cima da salada de batata que estava comendo.

— Eu já tinha colocado tímpano na ficha, vocês acham mesmo que eu cometeria esse erro de novo?

— ACHAMOS! — Fernando, Sarah e Valentina gritaram em uníssono. Os quatro amigos explodiram em gargalhadas.

Valentina ria tanto que uma lágrima escorreu por sua bochecha. Ela passou a mão no rosto e olhou para trás ao mesmo tempo em que Kim levantou o rosto. Os dois trocaram sorrisos e voltaram ao que estavam fazendo, como se aquilo fosse tão normal quanto qualquer outra coisa. O coração de Valentina batia forte e aquela sensação na barriga sempre aparecia quando pensava nele. A mesma sensação que tinha ao subir num palco e se expor para tantas pessoas. Era tão bom e tão incerto.

Saíram do refeitório atrasados para as aulas da parte da tarde, e Valentina tinha uma longa e chata prova teórica de Composição e Letras pela frente. Ela andou apressada, com os amigos em seu encalço, cortando caminho ao atravessar os jardins em direção ao prédio de aulas. O horário após o almoço era quando o campus ficava mais movimentado, todos os milhares de alunos e funcionários passavam por ali indo e vindo de aulas, treinos, apresentações ou da área de esportes. Grupos se formavam nos gramados, grupos caminhavam atrasados. Pessoas e mais pessoas se movimentavam como o auge de uma sinfonia no momento mais imponente e grave. O conservatório era o maestro, e cada um ali era uma peça importante na orquestra principal.

Valentina acompanhava o movimento do campus enquanto notas brotavam em sua cabeça. Distraída, quase esbarrou em Kim, que estava parado no meio do caminho mexendo no celular, completamente alheio ao seu redor. Era como se ele não tivesse um horário a seguir, como se não existissem regras acima dele. Ele viu a garota e os amigos se aproximando, guardou o celular no bolso da calça e ficou de frente para eles. Valentina não sabia o que fazer, era um daqueles momentos incômodos em que precisavam decidir rapidamente se ignoravam um ao outro, se cumprimentavam, se abraçavam ou gritavam.

Seus olhares se encontraram e, de repente, ela soube o que seria certo, além de ser exatamente o que queria fazer.

Se Kim ficava com vergonha de encostar nela ou de pegar na sua mão, ele que lidasse com isso. Avançou alguns passos, ficou na ponta dos pés e encostou a boca na dele. Ela estava beijando Kim em pleno gramado, em plena tarde de aulas, na frente de toda a Academia.

Por um segundo ficou com medo de ele não corresponder e empurrá-la para longe. Mas Kim segurou sua cintura, trazendo o corpo dela para mais perto do seu, e devolveu o beijo. Suas línguas se encontraram, e Valentina sentiu um arrepio passar por seu corpo, como uma descarga elétrica. Para Kim, o mundo pareceu ter congelado. As folhas das árvores pairavam no ar, o vento não balançava nenhum galho e o volume do som de "Träumerei" de Schumann crescia gradativamente em sua cabeça conforme ele aprofundava o beijo. Era como a cena de um filme meloso no qual a câmera girava em torno deles, mostrando ângulos diferentes para que se lembrassem daquilo para sempre. Era uma sensação quente, onde as pontas dos dedos dos pés e das mãos pareciam formigar. Como se fosse o final de um grande espetáculo em que a plateia explodia em aplausos.

— Bravo! Bravo! — Fernando e Pedro gritavam, enquanto Sarah mandava que se calassem.

Kim e Valentina desgrudaram as bocas quando os gritos dos amigos os puxaram de volta para a realidade. Se afastaram, ainda extasiados com o que sentiam no momento. Valentina acenou para Kim e voltou a andar, acompanhada pelos amigos. Ele levantou a sobrancelha, atordoado e maravilhado ao mesmo tempo, e pegou o celular para fazer anotações em uma peça que estava compondo desde a primeira vez que se beijaram. Finalmente estava conseguindo criar sua primeira música. O cérebro andava menos bagunçado e ele conseguia se concentrar melhor. Nada no mundo faria com que perdesse o bom humor naquele momento.

A não ser, claro, Bianca, que apareceu logo depois, querendo conversar de qualquer jeito.

♫

Depois das aulas e de um rápido ensaio com a Dexter, Valentina se viu massacrada por Kim na prática de piano. Mozart era muito difícil, e ela sentia que seus dedos cairiam se continuasse treinando daquele jeito. Fora que, de qualquer forma, era muito importante que ela aprendesse a tocar corretamente "I Love Rock'n'Roll" no piano, e ele não estava ajudando em nada tomando todo o tempo para praticar música clássica. Na verdade, era como se ele ignorasse solenemente essa parte da vida dela, dizendo que Mozart era mais importante. Ela bufava e reclamava em voz alta e Kim apenas ignorava e mandava que começasse de novo, sem dó nem piedade.

— Essa ideia de tocar rock não é das melhores que você já teve — ele reclamou quando fizeram uma pequena pausa para beber água e esticar as pernas. Valentina tinha pensado em inventar qualquer dor de barriga para fugir dali, mas tinha decidido ficar porque sua consciência sabia o que era importante para ela e blá-blá-blá, todas essas coisas chatas sobre responsabilidade e esforço. O semestre estava quase acabando, não podia dar mole, e ela não ficaria melhor em piano se não fosse pressionada daquele jeito.

— Você nunca acha que as minhas ideias são boas.

— Tem razão. Preciso te dar mais crédito, você foi incrível com Stravinsky — Kim concordou enquanto bebia um gole d'água, fazendo a garota ficar confusa.

— Como assim? Você nem assistiu.

— Você que pensa que não.

— COMO ASSIM?! — Valentina abriu a boca, sem saber o que dizer. Kim apenas sorriu, satisfeito por surpreendê-la.

— Na verdade, preciso te contar uma coisa importante. Não que realmente seja do seu interesse ou...

— Fala logo! — Valentina ameaçou jogar água nele e ele concordou, colocando as mãos nos bolsos.

Então, contou tudo sobre a Royal College of Music e sobre o fato de que tinha aceitado o convite. Não tinha como recusar uma oportunidade daquelas, era o futuro da sua carreira que estava em jogo. Ele partiria dali a três semanas. Contou sobre a importância da escola de música, sobre como já a tinha visitado quando criança e só escondeu o fato de que talvez sua mãe estivesse por trás de tudo aquilo, embora não fizesse diferença nenhuma naquele momento. Valentina não tinha que estar envolvida na bagunça da sua vida mais do que já estava na da sua cabeça e do seu coração.

Ela ficou calada por um tempo, mas concordou com ele, balançando a cabeça.

— Três semanas exatamente quando? Antes ou depois das apresentações do fim do semestre?

— Provavelmente antes.

— Ah, isso é um saco. Para quem vou me exibir quando estiver no palco? — perguntou, sorrindo. Sua voz estava vacilante, e seu coração, apertado, mas ela não tinha como ficar triste. Era uma chance maravilhosa! Kim ficou um pouco surpreso, mas sorriu também. Era um sorriso lindo, que ela lamentava muito não poder ver todos os dias pelo resto da vida. E ele estava pensando exatamente a mesma coisa sobre o sorriso dela. — Mas você merece! Estou muito feliz pelo convite da Royal não sei que lá Music! Tenho certeza de que se existirem revistas sobre pianistas famosos e muito gatos da Europa, você aparecerá em todas as capas! Colírio do DóRéMi! Muso Erudito!

— Royal College of Music — ele corrigiu, rindo. Estava genuinamente agradecido pelo apoio dela, como se um peso invisível tivesse saído de suas costas, nem ele mesmo sabia o porquê. Ela era bem mais madura do que aparentava, e agora Kim tentava não julgar mais as pessoas a partir de suas roupas e do tipo de música que ouviam. Essa era uma das várias coisas boas que ele tinha aprendido com Valentina.

— Rôyal Côllege of Miúsic — ela repetiu algumas vezes com um sotaque britânico extravagante que soava muito como um filme qualquer de Sherlock Holmes. Kim repensou por alguns segundos sobre a maturidade dela.

— Vou tentar ficar pra ver sua apresentação, mas não depende exatamente de mim.

Mentira, dependia sim e ele já sabia que poderia ficar. Mas não precisava entregar todo o ouro assim, de cara. Ela podia sentir a falta dele por alguns dias, não podia? Ah, meu Deus, quem ele era? O que estavam fazendo com o Kim que ele conhecia? Que tipo de joguinho adolescente era aquele? Era melhor beijar Valentina logo e parar de pensar. Não podia prever o futuro, mas o presente parecia bom demais para ele simplesmente ignorá-lo.

À noite, enquanto caminhavam de volta para a Casa Branca de dormitórios, os dois ficaram em silêncio. Andavam lado a lado, com as mãos nos bolsos, pensando em coisas diferentes. Valentina achava que a Royal College of Music deveria ser incrível e que, se possível, visitaria todas as outras escolas de música pelo mundo. Tinha pesquisado muitas pela internet e parecia um mundo inteiro a se conhecer. Já Kim queria beijar Valentina. Queria abraçá-la, queria tocar seu rosto e memorizar cada pedaço dela que ele ainda não conhecia. Schumann tocava em sua cabeça enquanto pensava nisso, e ele sabia que estava completamente perdido.

27

BOULEVARD OF BROKEN DREAMS

(GREEN DAY)

Deitada na cama e olhando para o teto, Valentina não sabia dizer se tinham se passado cinco minutos ou três horas, mas suas pernas começavam a doer por ficar na mesma posição por muito tempo. O teto não tinha nada de anormal, era branco e bem pintado, sem defeitos ou sujeiras, mas, de alguma forma, parecia bem mais interessante do que o mundo lá fora.

O celular estava ligado na playlist de punk rock (com alguns pop punk no meio, ela precisava admitir) e Green Day estava no modo de repetição. Ela nem sabia quantas vezes já tinha escutado a mesma música. "Boulevard of Broken Dreams" era triste, como Valentina estava tentando se sentir, então fazia sentido que a estivesse ouvindo tantas e tantas vezes. Ela queria sentir alguma coisa, queria trazer à tona os sentimentos que sabia que eram normais naquela situação. Valentina sempre tinha sido muito dura consigo mesma, sempre parecendo forte para que sua mãe não se sentisse ainda mais culpada. Mas precisava colocar suas dores para fora. Ali, sozinha em seu quarto no dormitório da Margareth Vilela, ela não precisava parecer forte para ninguém.

Como seria a vida no conservatório sem Kim por perto? Seria normal? Seria horrível? Ela sabia que ele não era exatamente o que fazia aquele lugar ser especial, mas, assim como seus amigos, era parte disso. Era parte do que tornava o conservatório a sua casa. Mas ela não estava tão triste com a notícia como pensou que ficaria. Não tinha chorado, não tinha sofrido e nem estava conseguindo derramar pensamentos lastimáveis ou comoventes. Ela só conseguia sentir que era o certo. Que ele estava seguindo um sonho, a mesma coisa que ela estava fazendo ali. Talvez o Royal College of Music fosse a Academia Margareth Vilela de Kim, o que era incrível. E ele merecia, o cara era um gênio!

Valentina gritou e chutou o ar, balançando as pernas para cima como uma criança mimada. Gritou de novo, se sacudiu por inteiro, até que voltou a se deitar, com as mãos no peito. Fez uma autoanálise e percebeu que realmente só conseguia ficar feliz por ele. Nada de tristeza, nada de lástima ou comoção. Era felicidade mesmo. Por mais difícil que fosse ficar longe dele.

Ah, droga. Valentina sabia que tinha amadurecido bastante, mas precisava ter perdido toda sua essência adolescente? Queria sofrer por amor e sentir dor, chorar, espernear e se lamentar sozinha por uma perda inestimável. Queria dormir abraçada com o travesseiro, sujando a cama de maquiagem e pensando em como a vida era injusta e que ela merecia ser feliz, enquanto escutava a playlist mais fossa que conseguisse fazer! Talvez ouvisse Muse e My Chemical Romance, só para variar um pouco o sofrimento. Mas ela só conseguia sorrir. Um sorriso bobo e sincero, que aparecia de repente enquanto ela fazia caretas e esperava a tristeza chegar. Sacudiu as pernas, pegou o celular, sem desligar a música, e enviou uma mensagem para o grupo dos amigos.

Tim Souza: Sou oficialmente uma adulta chata que encara a vida de forma positiva.
23:30

Fernando Sartori: Parabéns. Uau.
23:32

Pedro Foster: Eu tô chorando aqui porque bati meu dedinho na porta. Isso não é justo.
23:32

Sarah Albuquerque: Está tudo bem aí?
23:33

Sarah Albuquerque: Não você, Pedro! Já mandei colocar gelo nisso.
23:33

Tim Souza: EU PRECISO CHORAR E SOFRER E MORRER DE AMOR!!!!!
23:34

Fernando Sartori: Ninguém precisa, isso é pressão da sociedade. Não seja mais uma vendida ao capitalismo... e eu já não sei mais do que estou falando. WTF
23:35

Pedro Foster: Já coloquei gelo!!!
23:35

Sarah Albuquerque: Ah, isso é por causa do Kim?
23:36

Tim Souza: Será que isso significa que eu, tipo, não amo ele? Ou que não gosto dele o suficiente pra chorar porque o cara vai ficar longe de mim pro resto da vida?
23:37

Pedro Foster: Talvez.
23:38

Pedro Foster: Que drama.
23:38

Pedro Foster: Ninguém liga pro meu dedinho.
23:38

Fernando Sartori: Você obviamente gosta dele, isso é ridículo.
23:39

Tim Souza: Mas eu estou feliz! Não exatamente pulando de felicidade, mas tô me sentindo animada com o fato de que ele vai conquistar o mundo e aparecer em revistas sobre pianistas gatos na Europa.
23:41

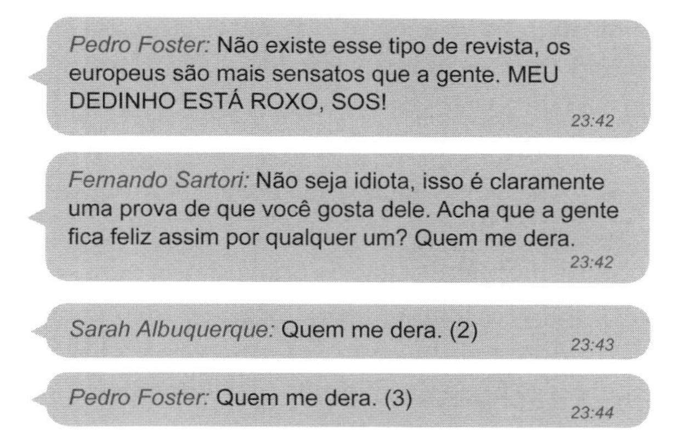

Valentina deixou o celular de lado e pensou no que Fernando tinha dito. Ela realmente estava feliz por Kim, e não pelo fato de ele ir embora. Sorriu pensando que, talvez, ser madura fosse a coisa certa. Ela torceria por ele pelo resto da vida, e a luta de Kim para alcançar seus objetivos seria incentivo para que Valentina fizesse o mesmo. Ela também podia realizar seus sonhos. Afinal, ela estava ali, não estava? E deveria, com certeza, colocar alguns pôsteres nas paredes do quarto. Não estava certo daquele jeito.

Dormiu ouvindo Green Day e acordou no dia seguinte com a mensagem de Sarah avisando que a Dexter ensaiaria a partir das 10h na sala de sempre. Nem sabia como o celular ainda tinha bateria! Valentina se sentou na cama, esfregou os olhos e, antes de se levantar, viu que sua mãe também tinha enviado algo. Obviamente eram áudios, ela não entendia porque a mãe não digitava como uma pessoa normal.

— Tim! Ai, será que você tá ouvindo? Teste. Será que eu apertei o botão certo? — A voz da sua mãe soava irritada no primeiro áudio.

— Eita, mandei o áudio sem qu-... — Esse era o segundo áudio. Valentina estava achando graça de como a mãe era enrolada com aparelhos eletrônicos.

— Filha! Você não vai acreditar, eu queria te ligar, mas já está muito tarde e você deve estar dormindo. Isso mesmo, acabei de chegar em casa e são 2h da madrugada! Hahaha. Tô me sentindo jovem de novo, nem lembro a última vez que voltei tão tarde! Então, lembra do amigo que a Marcinha do 202 disse que ia me apresentar? Eu te contei, né? Finalmente saímos pra jantar e, olha, ele é um pão! É contador e tem a própria firma, é divorciado e não tem filhos. Adora vinhos e pediu uma garrafa toda chique pra gente. Eu só fiquei lá, fingindo que entendia de uva, mas até parece! Enfim, queria te contar porque você é minha melhor amiga e eu estou tão feliz! Tomara que esse namoro vá pra frente e vocês possam se conhecer quando você vier pra casa nas férias de julho. Então, torça por mim! Ai, estou morrendo de saudades. Te amo.

Valentina não parava de sorrir, e seu coração ficou apertado de saudades. Queria tanto que sua mãe fosse feliz. Não que ela precisasse de alguém para ser feliz, ninguém precisava. Mas seria bom saber que sua mãe não estava solitária e teria alguém legal para compartilhar o dia a dia. A garota encarou os pés com a meia furada no dedão, abobalhada. Sua mãe parecia alegre! Era o que provava o tanto de emojis enviados depois dos áudios. Tinha flores, bichinhos, estrelas e aquelas mãos rezando. Ela tinha certeza que era algo que todas as mães (e adultos em geral) usavam como em um culto secreto de quem não sabia mexer no teclado do celular. A NASA provavelmente tinha um estudo sobre esses seres extraordinários.

O ensaio da Dexter já estava acontecendo havia pelo menos duas horas e o resultado estava muito bom. Tinham conseguido pegar "I Love Rock'n'Roll" e transformar a música em uma sinfonia simples, mas bem bacana, com apenas quatro instrumentos, e todos pareciam satisfeitos. Mas alguma coisa não parecia se encaixar para Valentina. Ela, ao piano, parava e encarava as teclas sem saber onde estava o erro. Não soava tão bem quanto ela tinha imaginado inicialmente, e sabia que poderia ficar muito melhor.

Lembrando do ensaio de Kim com a orquestra que tinha assistido semanas antes, no qual ele tocava piano e pensava em todos os instrumentos de forma conjunta, Valentina se sentiu inspirada para tentar algo parecido. Não era nem de longe um gênio da música como Kim, mas não custava arriscar. Quando tocaram novamente, ela ficou de olho em tudo o que os amigos faziam, querendo dar palpite.

— Pedro, acho que você não precisa usar bumbo duplo nessa música — resolveu dizer. Fernando levantou os braços, feliz.

— Exatamente o que eu tinha dito, obrigado!

— Isso é um complô! — Pedro fez careta, mas concordou em tentar sem. Valentina pareceu satisfeita com o resultado, embora não fosse exatamente aquilo que a incomodava de verdade. Continuou prestando atenção nos amigos, mas nada parecia sobressair. Sem pensar muito, encarou o piano e revirou os olhos.

— Posso pedir pro Kim vir até aqui e me ajudar com a melodia? Estou sentindo que tem alguma coisa faltando e...

— Claro! — Sarah respondeu rapidamente, e deram uma pausa para beber água. Pedro estava deitado no chão, suado, e Fernando tirava o casaco de couro.

— Aposto que só estão chamando ele pra ficar olhando e dando risadinhas — Pedro resmungou, enciumado, e recebeu um leve chute de Valentina como resposta.

Ela pegou o celular sem saber se Kim realmente responderia. Ele nunca tinha sequer visto suas mensagens anteriores, mas, como ela não desistia, resolveu tentar mais uma vez. Enviou o número da sala para o número dele, como ele mesmo tinha feito, e esperou. Ela só tinha que esperar, não podia fazer mais nada. Roía as unhas e encarava a caixa de mensagens a todo instante, mas, fora isso, não tinha mais o que fazer. Será que ele responderia? Será que estava muito ocupado com as coisas para a viagem?

Quase uma hora depois, enquanto voltavam a tocar a música com algumas mudanças, ouviram uma batida na porta. Valentina pulou do piano sem nem esperar os amigos pararem de tocar, quase tropeçando no banquinho e ajeitando o cabelo e a roupa enquanto girava a maçaneta. Kim estava do outro lado, usando uma camisa social preta e com os cabelos penteados para trás, em um estilo rockabilly. Valentina prendeu a respiração por alguns segundos, então sorriu abobalhada e puxou o garoto pelo braço para dentro da sala. Kim mordia o lábio, sem entender o que estava acontecendo, até que olhou para a banda toda a postos e revirou os olhos.

— Vou ter que trocar meu número de celular?

— Foi você quem começou! — Valentina reclamou, fechando a porta atrás de si. Kim fez menção de sair e ela bloqueou a passagem. — Fica só um pouquinho. Escuta o que estamos fazendo e diz se tem algum problema? Juro que não vai levar muito tempo! Por favorzinho?

Ela obviamente queria que ele ficasse por ali a noite toda, que morasse ali, que se fundisse com o piano ou qualquer coisa esquisita que pessoas apaixonadas pensavam, mas não diria nada disso em voz alta. Kim continuou com cara de tédio, mas se virou para a banda e cruzou os braços, esperando que voltassem a tocar. Valentina correu para o piano e, mesmo sob reclamações de Pedro, recomeçaram a música do início, como se estivessem se apresentando de verdade para alguém importante. E não deixava de ser, claro.

Kim franziu a testa enquanto ouvia a versão de Joan Jett que eles tinham feito. Ele achava que já tinha escutado a música antes e tentou encontrar em sua mente, que agora se movia em upbeat sem que ele quisesse, essa informação. Era simples, batidas certas, notas repetidas e regulares. Não tinha muito mistério, pelo visto. E era a cara de Valentina, cheia de atitude. Estudantes dos primeiros semestres, que ainda não tinham muita noção de harmonia, costumavam cometer os erros que ele logo percebeu. Fez o máximo que podia para se concentrar no que tocavam, prestando atenção em todos os instrumentos separadamente e notando alguns empecilhos na visão geral da música. Ele sabia que era um favor para Valentina e que isso era bem importante para ela, então não se oporia a ajudar. Mas deixaria claro que nunca na vida faria isso para um grupo de amadores simplesmente por simpatia. Não existia isso.

Assim que terminaram a música, ele se aproximou e resolveu falar o que estava pensando. Se ficassem bravos, não precisaria mais ficar por ali, o que era ótimo. Apesar de que a música não tinha ficado completamente idiota como ele tinha pensado. Valentina tinha feito um bom trabalho, embora não incrível e, certamente, não com todo o talento que ela tinha.

— Você... Sarah? Sua linha de melodia é ótima e, sinceramente, não percebi problema nenhum com o que tocou. Vi muito violinista no sétimo semestre que não toca metade do que eu ouvi você tocando aqui, então é isso. Na segunda estrofe você parece sem força, se puder focar nisso... — Kim recomendou, fazendo Sarah corar e assentir com a cabeça, explodindo de felicidade. Valentina ficou feliz por ele estar participando de algo que era tão importante para ela. Estava se sentindo orgulhosa, feliz da vida, cheia de esperança. Só esperava que ele fosse um pouco simpático com os amigos, porque ela estava acostumada com a grosseria, eles não. — Você, na bateria. Não sei o seu nome e não interessa. O que está fazendo é muito pesado. Muito. Não tem essa necessidade. E não ficou bom. Refaça a linha, porque a bateria pode estragar todo o resto.

Pedro ficou vermelho. Valentina encarou o amigo sem saber se ele jogaria uma baqueta em Kim ou o que faria com a crítica recebida, mas a verdade é que concordava com a informação e viu Fernando balançar a cabeça em acordo também. Mas Pedro respirou fundo e concordou, em silêncio. Sem responder, sem nenhum xingamento, fazendo os amigos sorrirem e mostrarem os polegares em forma de apoio. Kim se virou para Fernando.

— Contrabaixista, você é bom. Pode fazer o início pra mim de novo?

Valentina apenas observava, notando que o que Fernando fez depois de ser corrigido por Kim soava muito melhor. A linha do contrabaixo era ótima, o amigo tinha feito um bom trabalho e ela estava bastante orgulhosa. Ficou distraída, olhando para Kim de forma boba, até que percebeu que ele estava chamando sua atenção.

— Tim, você está soando horrível.

— *Você* é horrível! — ela rebateu rapidamente, sem pensar duas vezes. Sarah soltou uma gargalhada e Kim revirou os olhos.

— Eu não sou horrível, você sabe disso. — Ele sorriu, se aproximou do piano dela e, sem avisar, se sentou ao lado de Valentina no banquinho. — Mas por que você não mistura arranjos peculiares, como de Stravinsky, no meio da música? Ia ficar bem... interessante.

Valentina tinha acabado de vestir o pijama quando ouviu alguém bater na porta do dormitório. Confusa e com frio, caminhou até a pequena sala, girou a maçaneta e encontrou Bianca parada no batente. Ela usava um figurino bonito e elegante que Valentina já tinha visto em outros dançarinos, e parecia extremamente irritada.

— Você venceu, Gontcharov — disse, sacudindo as mãos e entrando no dormitório sem ser convidada. Valentina não sabia o que fazer. O que ela estava fazendo ali? Viu Bianca caminhar pela sala, observando enquanto fazia careta para as paredes sem graça e o ambiente sem personalidade. Valentina sabia que deveria ter colocado o pôster do Sex Pistols o quanto antes.

— Eu não estava competindo em nada, não sei do que está falando.

— Esse seu jeito ingênuo não combina com a rebeldia do seu cabelo.

— Não sei por que isso te interessa. — Valentina estava cansada. Ela queria brigar? Tinha treinado o dia todo, suas costas doíam e os dedos latejavam. Não precisava de um motivo para ficar brava. Fechou a porta e cruzou os braços, vendo Bianca sentar no sofá e encarar os próprios pés calçados em sapatilhas simples.

— Sabe por que eu voltei pra Margareth Vilela?

— Porque o mundo não era bom o bastante?

— Porque Kim estava aqui. E eu também não passei na audição na França, o que não vem ao caso. — Bianca balançou a mão, parecendo triste. O que estava deixando Valentina muito mais confusa. Elas não eram amigas e não tinham nada em comum. Exceto Kim.

— Não sei por que está me contando isso.

— Eu também não. — Bianca sorriu de leve, olhando para a garota. — E eu não faço ideia de por que Kim preferiu ficar com você a ficar comigo. Sinceramente, não costumo ser legal assim, mas você só é bonitinha. O que você fez?

— Obrigada? Eu não fiz nada. Não sei por que acha que isso era uma competição. Olha — Valentina respirou fundo e se sentou ao lado dela —, você é linda. E supertalentosa!

— Acho que você está doida. — Bianca ergueu uma sobrancelha, fazendo Valentina sorrir.

— Sua vida não pode ser só em torno de um cara. E você não pode achar que garotas devem disputar e competir por causa de homem. Ninguém ganhou ou perdeu aqui. Cada uma só está vivendo sua própria vida, sei lá.

— Você continua doida.

— Posso estar doida, mas você está fora de si. — Valentina sorriu, vendo Bianca se levantar e olhar feio ao redor. — O que veio fazer aqui? Posso te ajudar em alguma coisa?

— Não seja tão simpática, isso não é sobre você.

— Mas...

— Eu tô indo embora. Vim te dizer que você venceu e que eu não estou a fim de ser comparada à filha esquisita do Gontcharov. Pedi transferência e vou para a Rússia, que é onde eu realmente deveria estar e onde meus talentos serão realmente valorizados.

Uau! Bianca provavelmente não tinha para quem contar aquilo ou, certamente, não estaria no dormitório de uma desconhecida num domingo à noite. Valentina apenas concordou com o desabafo da outra. O que era um bom sinal, pois elas não precisavam brigar ou competir por qualquer coisa que fosse. Muito menos por um garoto. Embora a própria Valentina tivesse se comparado com Bianca milhares de vezes na sua cabeça, agora sabia o quanto era errado e o quanto gerava insegurança em todos os envolvidos. Ela finalmente tinha perdido a impressão de que Bianca era uma vilã clichê de fanfics. Ela até parecia real.

Viu a garota se despedir e, com um sorriso, abrir a porta do dormitório e sair. Valentina ainda ficou um tempo sentada, sem entender o que tinha acontecido, então saiu correndo até o quarto e pegou o celular. Precisava contar a fofoca para os amigos, eles não iam acreditar!

Quando se sentou na cama, ouviu outra batida na porta. Será que Bianca tinha esquecido alguma coisa? Será que diria alguma bobagem para estragar o momento que as duas tiveram? Valentina coçou os olhos e caminhou até a porta, se assustando ao ver Kim parado no corredor. Ele usava um sobretudo pesado e preto e seus cabelos estavam bagunçados – completamente lindo. O garoto mordia os lábios, as mãos nos bolsos da calça, e fez um movimento de leve com a cabeça que indicava que não queria ficar parado ali naquele corredor vazio. Valentina abriu espaço, e Kim entrou no dormitório e fechou a porta atrás de si.

— Você quer conversar sobre alguma coisa? — Valentina perguntou, confusa, vendo que ele se mexia de forma nervosa.

— Na verdade, não quero conversar.

Kim continuou olhando para Valentina, que sorriu, sentindo que seus olhos brilhavam como unicórnios em mundos mágicos. Sem pensar duas vezes, se jogou em cima dele, enlaçando os braços em volta do seu pescoço e prendendo as pernas em volta do seu corpo. Kim segurou a garota, mantendo-a pressionada contra ele, juntando as bocas de forma furiosa e quase agressiva. Apoiou o corpo dela na parede, prensando-o e sentindo seu corpo esquentar. Era a melhor sensação do mundo. Como ele poderia deixar aquilo para trás?

As mãos de Valentina seguravam os cabelos de Kim com toda força, e ela sentia a boca ficar dormente. A língua dele era quente e ela não podia deixar de pensar que não tinha hora melhor para aquilo acontecer. Ela sabia que Kim era reservado e estava esperando que ele se sentisse confortável o suficiente com ela, o que era exatamente o que estava acontecendo naquele momento, ela podia sentir.

Pulou do colo dele e puxou-o pela mão até o quarto. A desculpa, em sua cabeça, era de que não queria que sua roomate aparecesse do nada e os visse no maior amasso na sala comunal do dormitório. Mas a verdade é que queria Kim como nunca tinha tido vontade de outra pessoa na vida. Ele estava vermelho e mais sorridente que o normal, e apenas se deixou levar.

— Isto está uma bagunça — ele reclamou assim que ela abriu a porta. Valentina revirou os olhos, sorrindo.

— Não seja babaca, não estraga o momento!

Ela segurou seu sobretudo e, antes que pudesse fazer um movimento inesperado e jogá-lo na cama, Kim segurou sua nuca e voltou a beijá-la com força e avidez. Ainda de forma agitada e desengonçada, deitou por cima dela e sentiu todo o seu corpo com as mãos, gravando cada centímetro em sua memória. Sua mente era uma explosão, Schumann e Stravinsky disputando quem tocaria mais alto, e aquilo parecia um reflexo completo de tudo o que ele era. E de tudo o que Valentina significava para ele. Era muito amor e música.

28

SPACE ODDITY

(DAVID BOWIE)

A vida é como uma orquestra: são necessários muitos instrumentos em harmonia para que a música toda faça sentido. Mas, na maioria das vezes, você nem sabe tocar esses instrumentos. E sempre vai ter alguém dizendo que seu gosto musical é ruim, mesmo que seja o som que te faz feliz. E isso é um saco! Principalmente quando se é jovem e cheio de sonhos.

Às vezes, para assumir a regência de nossas vidas, precisamos trocar a partitura. Afinal, por que alguém escolheria uma orquestra se pode ter uma banda de rock?

A verdade é que quando se faz o que gosta, tudo começa a fazer sentido e a valer a pena.

A última semana antes da apresentação do fim do semestre estava fazendo Valentina perder a cabeça. Eram as últimas provas no conservatório e ela sabia bem a importância de tudo aquilo para o seu sonho e seu futuro. Tinha certeza de que estava indo bem, embora Teoria e Percepção Musical não fosse exatamente seu forte e ela tivesse feito uma prova completamente medíocre no começo da manhã. Mas estava contando com a apresentação do dia seguinte para eliminar matérias e ganhar a confiança dos seus professores antes de ter notas em um boletim que poderia fazer seu segundo semestre miserável. Ela precisava pensar positivo. A Dexter, pelo menos, tinha sido aprovada para se apresentar, certo?

— Foi o nome Gontcharov na ficha, fiz questão de colocar em letras maiúsculas — Fernando afirmou ao saírem do refeitório depois do almoço na terça-feira.

Depois da aprovação, duas semanas antes, tinham recebido um caderno com todas as regras das apresentações, explicadas passo a passo, embora Sarah soubesse tudo de cor.

— Será no auditório principal, os professores que participam podem assistir e não são permitidos convidados de fora. A não ser que seja algum tipo de presidente, rainha ou vendedor de cachorro-quente.

— Todo mundo ama cachorro-quente — Pedro concordou.

— Não são todos os professores que participam? E agora? — Valentina mordeu os lábios, fazendo uma careta enquanto caminhavam pelo gramado. Já tinha feito a lista das provas em que precisaria de notas extras e isso ferrava completamente seu sistema.

— Alguns não sentem necessidade. Tipo o professor de Composição e Letras, sabe? Não é como se todo mundo fosse cantar músicas próprias.

— Mas as pessoas podem compor e...

— Tim, ele não participa. Pode tirar da sua lista — Sarah repetiu, rindo. Sentaram em um espaço aberto no campo, vendo alunos jogarem tênis ao longe.

— Mas não estava na minha lista. Sou bem eficiente em Composição e Letras, modéstia à parte. — Valentina sorriu e amarrou os cabelos compridos em um coque malfeito. Estava de óculos escuros porque o dia finalmente estava quente e ensolarado. Via alguns alunos estirados em cadeiras de praia tomando sol, o que era bem engraçado. — Já a professora de piano precisa participar — completou.

— As divisões de instrumentos clássicos participam. É meio que um jeito óbvio de avaliar a performance — Fernando disse, também colocando seus óculos escuros.

Pedro deitou, apoiando a cabeça nas pernas de Sarah. Os amigos queriam aproveitar um pouquinho do ar livre antes de enlouquecerem outra vez com o fim do semestre.

Já na sexta-feira, o dia anterior à apresentação, os ânimos não estavam tão calmos. As pessoas corriam para todos os lados com cadernos abertos e com os narizes enfiados em livros teóricos. Se tinha uma coisa que não mudava nunca, não importa se estivesse no ensino médio ou no conservatório, era o fato de que todos precisavam de notas. Uma falha no sistema de educação mundial, claramente, mas que lembrava à Valentina os vários sofrimentos passados nas aulas de Biologia. A facilidade que tinha em Matemática e Química faltava no estudo das plantas pteridófitas e todas essas informações que nunca tinha usado desde então.

Depois de sair da aula de Violão, na qual tivera que fazer sequências de movimentos e acordes além de afinar o instrumento de ouvido para receber uma boa nota (o que tinha sido fácil para ela), Valentina roía as unhas de ansiedade e explicava para a mãe, por mensagem, que ela não precisava faltar ao trabalho para ir até a Cidade da Música, já que a apresentação não era aberta ao público em geral. Mas, obviamente, mães não achavam que existia esse tipo de coisa.

— Sabem o que aconteceu logo depois do meu teste de violino? Não que eu realmente me importe, porque amanhã é que devo ser avaliada, mas foi bem sério! — Sarah contava aos amigos, que praticamente ignoravam seu falatório. Fernando estava ouvindo música com um caderno de Psicologia da Música nas mãos, e Valentina não tirava os olhos do celular.

— Você caiu? Sei lá... — Pedro perguntou e a garota negou, soltando a mão dele e abrindo a maleta do violino que carregava consigo. Tinha uma expressão preocupada no rosto. Tirou o instrumento de dentro e sacudiu-o na frente dos amigos.

— Pior! Uma das cordas arrebentou hoje de manhã! Logo a ré! Isso é um péssimo sinal, porque ré é tipo andar pra trás e...

— Sarah! — Pedro riu, achando graça do desespero dela. — Você trocou a corda, certo? Amanhã você...

— Claro que troquei, não sou maluca! Mas era a ré, gente!

Valentina ouvia os amigos falando sobre a corda de Sarah, que ela tinha certeza que era algum presságio, mas perdeu o fio da meada quando Kim passou pelo corredor com Marcus e Júlio em seu encalço, exatamente como no primeiro dia de aula. Ele usava um suéter verde e mantinha as mãos nos bolsos da calça justa. Ela sorriu, e ele, em vez de ignorar sua presença como faria no início do semestre, sorriu na direção dela também e piscou um dos olhos. Para Valentina, ele pareceu completamente sexy. Ela sabia que estava sendo boba, sorrindo de forma infantil e apaixonada, mas não podia evitar. Precisou ser sacudida pelos amigos para continuar caminhando para a sala de Composição e Letras antes que perdesse a aula, porque já tinha perdido totalmente a cabeça.

Kim estava prestes a cabular as aulas da tarde, esperando o elevador na Casa Branca de dormitórios, quando o celular tocou e ele não reconheceu o número. Achou estranho ser internacional e atendeu rapidamente. Do outro lado da linha, o reitor da Royal College of Music falava animado sobre como o Rio de Janeiro era um lugar quente e sobre como estaria esperando o garoto, no dia seguinte, no restaurante mais chique de Vilela para conversarem. Kim apenas concordava, sendo simpático, ainda parado na porta do elevador, mas não estava entendendo nada. O que o reitor estava fazendo no Brasil? E em Vilela? Eles tinham combinado que Kim iria para a Inglaterra no fim do ano, estava tudo acertado.

Quando desligou o telefone, ainda confuso, recebeu uma mensagem de sua mãe, o que era raro.

> *Omma:* Eu não me importo com o que você tem que abrir mão. Você não vai estragar sua vida por teimosia. Não me desobedeça mais. Bjs.
> *13:11*

Kim encarou a porta do elevador até ela se abrir, como que por ordens da sua mente, e ele entrou no cubículo pensando que naquele momento estava feliz por ter conhecido Valentina e ter trocado seus remédios. Antes, esse tipo de sentimento faria com que sua cabeça virasse uma bateria de escola de samba.

Agora precisaria pensar no que fazer no dia seguinte para conseguir encontrar o reitor e assistir à apresentação de Valentina ao mesmo tempo. Com isso, sua cabeça ficava confusa. De uma forma bem estranha e, argh, romântica, ele não sabia o que era mais importante no momento. Por hora, iria para o quarto e tomaria um remédio para dormir. Sabia que precisava do seu sono de beleza para se decidir.

Valentina saiu do ensaio da Dexter às 22h, exatamente no horário do toque de recolher, e resolveu voltar para o dormitório, já que teria um dia cheio no sábado. Estava cansada, mas ansiosa para tocar no grande palco uma das suas músicas favoritas! Pensava nos arranjos que tinha feito e na roupa que usaria quando se tocou de que não tinha falado com Kim o dia inteiro e que, mesmo que tivessem combinado que não teriam aulas práticas juntos naquela semana, ele estava prestes a ir embora. A ir embora, tipo, para sempre! Seu coração disparou enquanto subia o elevador do prédio de dormitórios, e ela sentia o corpo tremer levemente, com muita adrenalina. Kim já teria ido embora? Ele não falaria nada com ela? Eles não se beijariam loucamente, trocariam palavras românticas e promessas de "nos vemos em breve quando você for pra Europa"? O que ele estava fazendo? Valentina sabia que estava mais assustada do que deveria e que ele nunca iria embora sem se despedir, até porque tinha visto o garoto passar no corredor mais cedo. Não é? Então por que estava com tanto medo? Seu coração parecia que sairia pela boca, e ela precisou mandar mensagem para os amigos, caso enfartasse ou sei lá.

Tim Souza: Meu coração tá doido, se eu sumir é porque pifou. 22:11

Sarah Albuquerque: O que vc tá sentindo??? 22:12

Fernando Sartori: Certeza que é por causa do Kim. Não é? 22:12

Tim Souza: Claro que é. Será que ele já foi embora e não falou nada? 22:12

Valentina saiu do elevador no andar de seu dormitório e seguiu pelo corredor ainda no celular com os amigos.

Tim Souza: Se ele tiver feito isso eu tenho o direito de ficar superbrava? 22:13

Sarah Albuquerque: Ele não iria embora assim! Deve estar ocupado com o piano. 22:13

Pedro Foster: Os caras da academia falaram que ele não foi nas aulas da tarde e nem deu as caras depois do almoço. 22:14

Sarah Albuquerque: Pedro, não piora a situação!!!! ¬¬
22:15

Tim Souza: Ele não foi nas aulas? E AGORA, GENTE?
22:15

Valentina parou no meio do corredor e percebeu que estava em frente ao quarto de Kim. Tinha andado até lá inconscientemente, o que era assustador. Ela deveria bater na porta? Deveria descobrir o que ele estava fazendo? Não podia imaginar porque ele iria embora sem pelo menos se despedir. Eles podiam não ter nada sério, mas ela significava algo para ele. Ou não?

Afinal, por que Kim tinha aceitado dar aulas para ela?

Sua cabeça começou a borbulhar de inseguranças. Ele tinha dito que provavelmente iria embora antes das apresentações do fim do semestre, mas ela achou que ele, ao menos, diria quando. Não era como se ele dividisse muitas coisas com ela, mas eles dividiam fluidos corporais! Era o mínimo a se fazer.

Bateu na porta do quarto de Kim algumas vezes e não ouviu barulho nenhum lá dentro. Depois de longos minutos encostada na parede, bateu novamente. Nada. Sentou no chão, sentindo as pernas moles e o corpo meio fraco. Pegou o celular para se distrair. Érica tinha enviado uma foto dela e da namorada abraçadas e sorrindo verdadeiramente. Valentina respondeu com emoticons de coração, sentia-se bem por ver a amiga feliz. Abriu o chat dos amigos e leu a discussão deles sobre que roupas usariam na apresentação, completamente alheios ao sofrimento dela.

Por mais irônico que fosse, ela tinha ficado muito feliz com a oportunidade que Kim tinha recebido, e em momento nenhum conseguiu se sentir triste por ele estar indo embora. Mas agora, sentada sozinha naquele corredor onde o encontrou pela primeira vez, ela sentia vontade de chorar. Achou que eles teriam pelo menos uma despedida, um desfecho para o relacionamento nada comum que tinham. "Não seja comum, Tim", ela praticamente podia escutar a voz dele. Ela não veria mais seus olhos pequenos, seus cabelos bonitos e bagunçados e não ouviria mais a sua música. Pensou em "Träumerei" e a peça inteira começou a tocar em sua cabeça. Fechou os olhos, mexendo os braços de acordo com as notas que tocava mentalmente, sacudindo a cabeça e pensando que aquela seria uma ótima lembrança.

Mas ela não podia chorar. Afinal, precisava estar linda e fabulosa no dia seguinte. Sorriu, imaginando o que Kim diria se a visse com a cara inchada e borrada de maquiagem; provavelmente faria alguma piada sem graça sobre como ela tinha vindo do lixão. Se levantou, encostando a mão na porta do quarto do garoto.

Um dia, quem sabe, eles se veriam de novo. Agora ela era somente do rock'n'roll.

29

I LOVE ROCK'N'ROLL

(JOAN JETT & THE BLACKHEARTS)

Kim acordou com dor de cabeça e se sentou na cama sem saber exatamente o que tinha acontecido. Piscou, esfregou o rosto e, então, soube que tinha tomado a dose errada do remédio. Sua mente estava totalmente em silêncio, e isso era assustador e incomum, ele sabia. Por que diabos fazia essas coisas consigo mesmo? Não era como se sábado não fosse um dia cheio de bagunças mentais o suficiente, ele ainda precisava estar com uma enorme dor de cabeça? Olhou para o celular e viu que estava praticamente na hora de encontrar o reitor do Royal College of Music no restaurante na cidade, fora do conservatório, e que ainda não tinha bolado o plano perfeito para fugir a tempo de assistir Valentina detonar os coleguinhas e professores de nariz empinado na apresentação final. O que fazer?

Ele realmente tinha usado a palavra detonar? Professores de nariz empinado? O que aquela garota tinha feito com ele?

Valentina não tinha conseguido dormir direito. Pela manhã, já tinha tomado banho e se arrumado exatamente como tinha planejando na noite anterior, enquanto se revirava nos lençóis. A calça de couro velha e justa serviria muito bem, junto com a camiseta branca puída e o coturno de guerra. Pensou em si mesma no palco com Joan Jett e achou que o visual seria radical e condizente. Pensou em si mesma com Sarah, Fernando e Pedro, e seria ainda mais perfeito.

O sono que sentia era irrelevante. Pintou os olhos de preto, sem esconder as olheiras, e pensou em todas as notas que precisaria tocar durante a tarde, ouvindo os sons como se realmente estivesse de frente para o piano. Era algo que seu cérebro fazia com frequência quando tentava dormir e não conseguia. O que era um infortúnio, já que as pessoas deveriam ser capazes de dizer “desligue” e a cabeça simplesmente parar de funcionar por algumas horas. Era justo. Triste era ter que ficar imaginando que erraria a décima terceira nota e o arpejo no final e que todo mundo perceberia o deslize e que isso a faria repetir de período, faria o cretino do seu pai achar que ela não era capaz e deixaria sua mãe preocupada pensando que tinha errado em sua educação, o que seria absurdo. Pensou em tudo isso antes de simplesmente repetir as notas e a letra de “I Love Rock'n'Roll” diversas vezes até o dia amanhecer.

Antes de se levantar, viu várias ligações não atendidas de Érica e mensagens de sua mãe desejando uma ótima apresentação e falando para ela provar para o cretino do pai todo o talento que ele tinha perdido, tudo em caixa alta e cheio de pontos nos lugares errados. Valentina sorriu, espantada, porque percebeu que esse já tinha deixado de ser seu grande objetivo. Ela faria tudo aquilo porque queria, e não precisava provar nada a ninguém. Como alguém que não tinha deixado o punk rock para trás, porque fazia parte de quem ela era.

A apresentação da Dexter seria por volta das 14h, mas antes das 11h Valentina já tinha saído do dormitório, pronta, em direção à sala de prática de piano. Não tinha fome nem nada, mas não faria mal algum treinar um pouquinho mais antes de fazer sua primeira apresentação com uma banda de verdade em um grande palco. Ela podia ignorar a dor nas costas e o sono, só não conseguia ignorar a saudade de Kim, o que era totalmente irritante.

Mas pensou que se pudesse aguentar o próximo minuto, conseguiria sobreviver pelo dia inteiro. E isso bastava.

Kim, sentado na mesa do melhor restaurante da cidade e usando a melhor roupa que tinha encontrado no pouco tempo que havia tido para se arrumar, continuava olhando para o relógio sem querer parecer mal-educado, mas preparado para sair correndo e ele mesmo dirigir o carro de volta para o conservatório, se precisasse. Sabia que seu motorista trabalhava para a mãe e não para ele, e tinha medo que o homem pudesse atrasá-lo de propósito. Se antes estava em dúvida, agora tinha certeza que a mãe tinha algo a ver com a vinda do reitor para o Brasil. A mensagem dela deixava claro o quanto ela achava que podia controlar a vida dele.

Enquanto almoçavam, o reitor contava sobre suas experiências e o garoto sorria, educadamente, mas sem prestar atenção em metade do que ele falava. Sua cabeça pensava em todas as possibilidades possíveis misturadas com todas as músicas que conseguia lembrar. O som dele mesmo era tão alto e real que a voz do reitor ficava baixinha e sem importância.

Ele piscava os olhos para compreender a conversa e sua cabeça insistia em trazer a imagem do rosto de Valentina. Por que se importava tanto em trocar aquele momento por ela? Sua mente fez um estrondo, como o som de um trompete. E Kim entendeu o que ainda não tinha entendido muito bem antes. Ele era uma pessoa difícil de gostar, mas quando ele gostava de alguém, era difícil ignorar o que sentia. E, de uma maneira inexplicável, ele gostava muito de Valentina.

A banda da garota iria se apresentar em meia hora e o reitor da Royal College of Music parecia que não iria parar de falar. O que ele iria fazer?

♪

Eram quase 14h e Valentina respirava fundo, sentindo o estômago embrulhar, prestes a vomitar o pouco que tinha comido no almoço. O que seria uma pena, já que ela estava muito bem-arrumada. Cometeu o erro de olhar o celular, que tinha uma mensagem não lida do cretino do seu pai. Ela não sabia tudo o que ele estava dizendo, mas a frase "não faça besteira, honre meu nome" aparecia no visor como prévia. E era tudo o que ela precisava ver. Sorriu, fazendo um barulho estranho com a boca, e deletou a mensagem sem ler. Não precisava disso e não podia deixar que a afetasse. Ela não fazia música para provar nada para ele. Não mais. Fazia por ela mesma.

Um grupo de jazz estava terminando de se apresentar no palco e ele era tão bom que até Fernando, sempre tão autoconfiante, pareceu inseguro. Valentina podia jurar que ele estava tão verde quanto a Bruxa Malvada do Oeste. Pedro ensaiava alguns movimentos em uma bateria imaginária e Sarah se olhava no espelho e passava um batom vermelho de forma insistente e infinita. Era a primeira vez que se apresentariam como uma banda de verdade, sem qualquer amadorismo adolescente. Eram estudantes de música profissionais, tinham talento e um objetivo; nada poderia fazer com que aquilo não desse certo. Nem o fato de que Kim tinha ido embora sem falar com ela e que isso abria um buraco fundo no seu coração. Ela precisava usar a cabeça.

Ouviram os aplausos para o outro grupo e Valentina teve uma vontade súbita de ir ao banheiro. Saiu correndo pelo corredor da coxia do palco, deixando os amigos preocupados com a ideia de terem que subir ao palco antes de a garota voltar.

Kim tinha tido a incrível ideia de levar o reitor para o conservatório. Na verdade, nem foi difícil convencê-lo.

Assim que soube que estava tendo um pequeno festival de apresentações dos alunos da Margareth Vilela, o homem se interessou. Kim só precisou reforçar que o convite para assistir as apresentações tinha vindo da direção, e até encenou uma ligação em que a mãe exigia a presença dos dois no auditório. Não reconhecia esse Kim, mas tinha certeza de que ele era mais divertido e rebelde, embora descabelado e com dor de cabeça. Faltando minutos para o horário de a banda de Valentina entrar, ele dirigia o mais rápido que podia pela estradinha cheia de árvores, com o senhor no banco ao lado achando tudo completamente fascinante. Kim tinha despistado o motorista e pegado o carro com o manobrista do restaurante. Depois lidaria com o inferno que seria enfrentar a fúria de sua mãe.

♩

Pedro terminava de arrumar a bateria no palco, e os instrumentos dos outros já estavam posicionados detrás da grande cortina de veludo vermelho. O espaço era uma imitação dos grandes teatros, fazendo tudo parecer grandioso demais, o que só deixava Valentina mais nervosa. Ela voltou correndo e segurou a mão de Sarah. Tirar e colocar a calça de couro justa para fazer xixi de três em três minutos era sacanagem e ninguém nunca a tinha avisado da dificuldade que era. Como Joan Jett fazia?

— A primeira apresentação de muitas! — Fernando entoou, parecendo mais confiante do que realmente estava. As garotas sorriram e respiraram fundo, se posicionaram no palco junto com Pedro e esperaram que a banda fosse introduzida e as cortinas fossem levantadas para começar o grande show de rock'n'roll que provavelmente ninguém ali queria ver. Ouviam os burburinhos da plateia do outro lado e sabiam que boa parte dos alunos do conservatório estava assistindo, fora os professores e, provavelmente, parte da direção. E qualquer rei e rainha que quisesse aparecer, claro.

O punk rock era rebelde, mas eles precisavam de aprovação, então sorriram um para o outro e deram o sinal.

Um leve barulho de microfonia soou pelo auditório e os burburinhos diminuíram. Luzes se acenderam e a voz do apresentador ecoou grave, apesar de jovem:

— A próxima apresentação é de uma... hum, banda composta por alunos do segundo semestre e uma aluna do primeiro. As divisões são de violino, contrabaixo, piano e flauta.

— Sem flauta! — Pedro gritou por trás da cortina, deixando o apresentador confuso. — Sem flauta!

— Humm aparentemente sem flauta, acho que seria divisão de percussão. O grupo... quer dizer, banda, se chama Dexter e... humm... a música que vão apresentar é "I Love Rock'n'Roll".

Assim que ele terminou de falar, a cortina pesada e vermelha começou a subir e Valentina pôde ver as pessoas do outro lado. Algumas batiam palmas e outras pareciam vacilantes quanto ao que estavam prestes a assistir. Mas nada disso importava, finalmente estava em um palco de verdade e o frio em sua barriga dizia que ela poderia fazer de tudo, até vomitar no piano reluzente e preto, o que não seria divertido. Ouviu a contagem das baquetas de Pedro e respirou fundo. Esse era o momento. Ela sobreviveria até o final.

♫

Kim entrou correndo no auditório, depois de passar por todo o conservatório sem parar para respirar, praticamente arrastando o reitor consigo. Sua cabeça fazia um chiado agudo de televisão fora do ar que ele não sabia identificar de onde vinha. No auditório, a música da banda de Valentina tinha acabado de começar e ele se sentou na última cadeira perto da porta. O reitor se sentou ao seu lado, mas ele não reparava em mais ninguém. Só tinha olhos para Valentina, confiante e deslumbrante em frente ao piano. A introdução que tinham preparado estava, sinceramente, impecável. As pessoas à sua volta comentavam como o grupo tinha feito uma escolha estranha e nada convencional de música, o que era um bom sinal. A escolha era como Valentina. Era rebelde, complexa e livre.

Os dedos de Valentina corriam pelas teclas do piano como se tivessem feito isso a vida inteira, sem que ela precisasse pensar no que fazer ou em que nota tocar. O som que saía do instrumento era incrível, e ela não sabia como poderia viver dali para a frente sem essa gama de tons e musicalidade. Não sabia como tinha vivido sem aquilo. Mexia o corpo de forma elétrica, no ritmo da música, enquanto balançava os cabelos platinados e desgrenhados junto com os braços. A melodia que tinha criado misturava acordes e arpejos de muitas músicas clássicas que já tinha aprendido a gostar. De uma forma maluca, combinava direitinho. Quem diria! Aquela ali era Valentina agora. Não só a garota punk rocker rebelde que tinha chegado na Margareth Vilela quase seis meses antes. Era também sonhadora e leve, como a música clássica. E era real, o que a deixava muito feliz. Sua mãe ficaria orgulhosa. Érica ficaria apavorada.

Em diversos momentos, imitava a melodia da guitarra no piano e, dali, escutava Sarah tocando a linha de voz no violino, enquanto Fernando e Pedro davam o tom de rock'n'roll com o contrabaixo e a percussão. Soava exatamente como ela tinha pensado junto a Kim, e essa lembrança a fez sorrir, ainda sacudindo a cabeça. Sentiu falta dele, do seu jeito incomum e de como ele a tinha ajudado a compreender que aquele universo era maravilhoso e fazia parte dela. Fechou os olhos por um minuto e curtiu o momento. Aquilo era tudo que queria fazer pelo resto da vida.

Exceto ter o coração partido, obviamente. Isso não fazia parte dos planos.

"I Love Rock'n'Roll" era uma música bastante expressiva que falava sobre alguém que amava rock e que se apaixonava por outra pessoa. O ritmo era marcante e, em um momento durante o refrão, Valentina largou o piano e bateu palmas no alto acompanhando a bateria, fazendo com que alguns alunos na plateia magicamente acompanhassem e parecessem estar curtindo aquilo com eles. Naquele momento ela sabia que tinham feito um bom trabalho. Mas, infelizmente, não conseguia localizar a professora de piano dali de cima, porque as luzes dos holofotes a deixavam momentaneamente cega. Queria que ela visse quem Valentina era de verdade. Que tinha nascido para o palco e que não sairia dele por nada.

Quando a apresentação terminou, Kim se levantou rapidamente, aplaudindo junto com todo o auditório. Ele percebeu que tinha prendido a respiração e que isso tinha feito seu cérebro se acalmar, conseguindo se concentrar na garota que tinha roubado seu coração. Ah, como isso era brega de se pensar. Valentina tinha feito uma apresentação incrível e ele não esperava nada menos. Olhou para os lados, nervoso, notando que o reitor britânico também aplaudia de pé e sorria, dizendo: "good, very good". Kim teve vontade de gargalhar. Nunca poderia se imaginar naquela situação há seis meses, quando sua vida não tinha ainda sido invadida por uma garota esquisita e pobretona que batia o coturno sujo pelos caminhos de pedra e encarava a vida de forma tão irreverente. Ele riu e respirou fundo; precisava encontrar sua mãe antes que ela mandasse seguranças atrás dele.

Valentina gritava na coxia, sem conter a felicidade dentro dela mesma. Sarah dava pulinhos, vendo os amigos sorrirem e se abraçarem, enquanto eram levados para um corredor que dava para a parte da plateia do auditório. Outros alunos tocariam depois deles e o show deveria continuar. Mas, para a Dexter, nada poderia ser melhor do que aquilo. Tinha sido o melhor momento da vida deles!

— Vocês querem assistir às outras apresentações? Acho que depois da gente vai rolar uma dupla de tenores e...

— Você tem outra ideia? — Sarah interrompeu Pedro, se dirigindo a Fernando, que sorriu e indicou uma porta à direita. Era a porta da escadaria de incêndio que levava para a parte externa atrás do auditório. Os três amigos se entreolharam e, sem pensar duas vezes, seguiram Fernando aonde quer que sua maluquice os estivesse levando.

Chegaram do lado de fora, em um pequeno jardim completamente vazio. Em pouco tempo o dia começaria a escurecer. Fernando conhecia o lugar ideal para levar os amigos, embora soubesse que também poderia ter problemas caso fossem pegos por algum monitor ou professor. Mas decidiu ir assim mesmo, estava tomado de adrenalina e de rock'n'roll. Eles precisavam de mais um pouco de aventura. E ninguém estaria prestando atenção em quatro alunos estranhos subindo ou descendo as escadas de incêndio do prédio de aulas.

Mas Kim estava. Ele tinha deixado o reitor na recepção do prédio de dormitórios e enviado uma mensagem a sua mãe avisando onde o homem estava e dizendo que era melhor ela tornar a visita dele agradável, senão pegaria mal para a imagem da Academia. Depois desligou o celular e decidiu procurar por Valentina, quando avistou os quatro se esgueirando pela entrada de emergência do prédio de aulas. Decidiu segui-los em silêncio.

Os amigos acompanhavam Fernando sem fazer perguntas. Entraram no prédio de aulas, subiram as escadas e caminharam pelos corredores de sempre. Um ou dois alunos perambulavam por lá, mas estavam mais preocupados com si mesmos do que com qualquer outro estudante que estivesse rindo alto ou conversando. Subiram até o último andar e, ainda sem discutir ou questionar, saíram por uma das portas de incêndio, seguindo Fernando escada acima até o ponto mais alto do prédio de aulas. Como ele sabia da existência daquele lugar era um mistério.

Empurraram a porta depois do último lance de escadas e chegaram a um terraço enorme, cimentado, com uma vista impressionante. Valentina correu assim que botou os pés ali, praticamente atropelando os amigos, e foi até o parapeito, feito do mesmo mármore branco que marcava as paredes do prédio de aulas. Se debruçou, tentando absorver o mundo lá de fora, e sentiu os cabelos voarem com o vento gelado. Era incrível. Nada do que ela tinha feito na vida a tinha preparado para aquele momento. Ouviu os amigos gritarem ao lado dela, também impressionados com a vista, fazendo eco no espaço vazio lá embaixo.

O céu começava a escurecer e o pôr do sol era ainda mais lindo lá do alto. Conseguia ver todo o campus do conservatório. Os prédios, os jardins, as quadras esportivas. A Academia Margareth Vilela era impressionante, e, agora, era a sua casa. Via muitas árvores e pequenas florestas margeando o lugar, até enxergar, de longe, a pequena Cidade da Música. Dali era ainda mais linda e iluminada, mesmo àquela hora do dia. De alguma forma, mesmo não sendo possível, ela conseguia ouvir música de verdade dali de cima. A sensação era tão incrível que ela poderia chorar. Ouvia Stravinksy e Beethoven, como notas de piano dançando no ar, fazendo o mundo todo valer a pena. Os amigos se aproximaram e se encostaram no parapeito como ela, todos absortos em pensamentos e maravilhados com as cores do céu azul bem claro riscado de vermelho, laranja e amarelo. Era o pôr do sol mais bonito que tinham visto na vida. Valentina sabia que era muito sortuda de poder estar ali, ao lado de sua nova família. Nunca esqueceria aquele momento.

Era realmente uma pena que Kim não estivesse ali compartilhando tudo aquilo. Seu coração até doía pensando nisso, e achava que o garoto combinaria perfeitamente bem com o cenário, apesar de saber que ele discordaria completamente desse fato. Era tudo claro e sóbrio demais! "Não seja comum, Tim!" Sorriu, sem saber se estava se sentindo triste, olhando para os amigos entretidos em seus próprios pensamentos. Não sabia se tinha significado algo para Kim, já que ele tinha simplesmente ido embora daquele jeito, sem dizer nada. Mas o que ela queria que ele tivesse dito? Que a amava? Que ficaria ali por ela? Que trocaria seu sonho por mais beijos quentes e carinhosos? Isso seria errado. Ele merecia aquela chance. Por dentro, tinha a noção de que Kim fugia dos problemas e, embora fosse verdade, ela não queria ser um problema para ele. Queria que ele se sentisse livre, e sabia que tinha feito a coisa certa. Sorriu, fechando os olhos. No fundo, só queria uma grande cena de romance, mas a vida real não era igual aos filmes. E talvez ela não fosse tão especial assim.

Antes que Fernando pudesse explicar como sabia da existência daquele lugar, ouviram o barulho da porta do terraço se abrindo e Kim apareceu diante deles. Seus cabelos desarrumados voavam e ele parecia saber exatamente o que estava fazendo ali. Valentina abriu a boca sem conseguir dizer nada, sentindo o coração disparado e sem acreditar no que estava vendo, e Sarah deu um pulinho animada, como se o último convidado tivesse chegado para a festa surpresa que eles nem sabiam que estavam organizando. Kim sorriu, um pouco envergonhado, com as mãos nos bolsos da calça e olhando diretamente para Valentina. Ele queria dizer a ela que não tinha ido embora. Queria dizer que gostava muito dela e que queria poder, pelo menos, dizer isso uma vez em voz alta. Queria contar como tinha aprendido tantas coisas incríveis e rebeldes com a garota que, agora, mantinha sua cabeça no lugar. Que ele era uma pessoa melhor. Mais uma vez, Schumann começou a tocar em sua mente de forma clara e ensurdecedora, fazendo todo o sentido com a visão linda que estava tendo da garota e do céu por trás dela, o que o fazia sorrir de verdade. Parou na metade do caminho e sentiu o vento bagunçar mais seus cabelos.

Valentina saiu de onde estava e andou lentamente até ele, entendendo que aquilo não era uma visão provocada pela ansiedade e pela saudade, que Kim realmente ainda estava ali e que não tinha ido embora sem dizer adeus. Que ele era lindo, que estava dividindo aquele momento mágico com ela, que se sentia a garota mais feliz do mundo. Tinha seus amigos, tinha a música e tinha Kim.

Os dois se olharam fixamente. Kim pensou em contar que ficaria no conservatório até o final do ano e, só depois, faria sua mudança para a Inglaterra. A Royal College of Music se mostrou solícita a esperar que ele se formasse. E agora tinha outro lugar em que ele gostaria de estar, antes de tentar conquistar o mundo. Com a garota que tinha conquistado seu coração. Com a garota que o fazia se sentir livre. Com o treinamento de sua aprendiz em andamento, que ele precisaria ajudar a evoluir para que ela mesma pudesse descobrir todos os seus talentos e trilhar seu próprio caminho. Ele prometeu a si mesmo, sorrindo para a garota, caminhando lentamente ao seu encontro, que ficaria por ela. Porque agora ele sabia como era se importar com alguém.

— Você sabe que às vezes eu posso ser um idiota.

— Eu sei.

Valentina sorriu, sentindo um frio na barriga, com os cabelos ao vento e vendo Kim se aproximar ainda mais. Ela não sabia o que ele estava fazendo ali, mas isso não era importante. Se ela sobrevivesse ao próximo minuto, poderia viver a vida inteira naquele único momento. Com muita música e rock'n'roll. Do jeito que deveria ser.

FIM

LISTA DE MÚSICAS DE SONATA EM PUNK ROCK

1. Rock & Roll – The Runaways
2. No More Dream – BTS
3. Welcome to the Jungle – Guns n' Roses
4. Fake Plastic Trees – Radiohead
5. No Feelings – Sex Pistols
6. Make Me Wanna Die – The Pretty Reckless
7. O Guarani – Carlos Gomes
8. Head on Collision – New Found Glory
9. Good Riddance (Time of Your Life) – Green Day
10. Nillili Mambo – Block B
11. Rebel Yell – Billy Idol
12. Noturno – Chopin
13. Punk Rock 101 – Bowling For Soup
14. Cherry Bomb – The Runaways
15. Pretty Girl – Sugarcult
16. Concerto para 4 violinos – Vivaldi
17. Heart of Glass – Blondie
18. Queens of Noise – The Runaways
19. A Orquestra – Cidade da Música
20. How Soon is Now? – The Smiths
21. Baby, I Love You – Ramones
22. Sonata para piano – Igor Stravinsky
23. Changes – David Bowie
24. I'm in Love With a Monster – Fifth Harmony
25. One Way ou Another – Blondie
26. Bad Reputation – Joan Jett & The Blackhearts
27. Boulevard of Broken Dreams – Green Day
28. Space Oddity – David Bowie
29. I Love Rock'n'Roll – Joan Jett & The Blackhearts

LEIA TAMBÉM

Um ano inesquecível

Paula Pimenta, Babi Dewet,
Bruna Vieira, Thalita Rebouças

Dizem por aí que os melhores momentos da vida são vividos na juventude: os primeiros amores, os encontros, as festas, as viagens, as surpresas... E são sempre os instantes inesperados que transformam um dia comum em uma lembrança especial, daquelas que nunca nos deixam.
Neste livro inesquecível você irá acompanhar uma viagem de inverno, um outono decisivo, uma paixão que nasce junto com a primavera e um intenso amor de verão. Paula Pimenta, Babi Dewet, Bruna Vieira e Thalita Rebouças nos levam através das quatro estações do ano e de quatro histórias que serão lembradas por uma vida inteira.

Este livro foi composto com tipografia Electra Std e impresso
em papel Off-White 80 g/m² na Intergraf.